La Tribuna

Letras Hispánicas

Emilia Pardo Bazán

La Tribuna

Edición de Benito Varela Jácome

DECIMOQUINTA EDICIÓN

CATEDRA

LETRAS HISPANICAS

1.ª edición, 1975
15.ª edición, 2006

Ilustración de cubierta: Grabado cedido
por *México*. Libros y Grabados Antiguos
Huertas, 20. Madrid
Reproducción fotográfica: Fernando Suárez

© Real Academia Gallega
© Ediciones Cátedra (Grupo Anaya, S. A.), 1975, 2006
Juan Ignacio Luca de Tena, 15. 28027 Madrid
Depósito legal: M. 32.429-2006
ISBN: 84-376-0041-3
Printed in Spain
Impreso en Lavel, S. A.
Pol. Ind. Los Llanos. Gran Canaria, 12
Humanes de Madrid (Madrid)

Índice

LA TRIBUNA

Introducción

Emilia Pardo Bazán

Personalidad intelectual

Emilia Pardo Bazán, sorprendente ejemplo de mujer intelectual, logra mantenerse cerca de medio siglo en el escenario español contemporáneo. Ensaya en su juventud la poesía, el cuento, el artículo científico, la crítica. Oteará, después, todos los campos de la cultura y la actualidad, a lo largo de su profusa actividad periodística. Su denso *corpus* novelístico, iniciado en 1879 con *Pascual López* y cerrado con la obra aún inédita, *Selva*, significa una asimilación de distintas tendencias, desde las situaciones románticas hasta los procedimientos modernistas, una utilización de fuerzas temáticas operantes: las estructuras sociales, la bipolarización política, el caciquismo, el problema de España...

La curiosidad intelectual de la escritora está abierta a todo el panorama científico y literario europeo. Trata de aproximarse al darwinismo, a la ciencia experimental, al positivismo, al krausismo, a las teorías de César Lombroso y Max Nordau. Analiza, con rigor crítico, el proceso de los movimientos literarios europeos; critica la doctrina naturalista, polemiza sobre sus procedimientos y los aplica a su narrativa; difunde en España las cosmovisiones de los grandes escritores rusos; desarrolla una teoría de la novela española decimonónica; interpreta, incluso, los nuevos rumbos de la estética del siglo XX.

Primeras singladuras

Pardo Bazán nace en La Coruña, el 16 de septiembre de 1851. Su infancia transcurre entre las calles Riego de

11

Agua, Tabernas y el mar. El noble abolengo de su familia condiciona su comportamiento, rodea su existencia de comodidades y modernos juguetes. El espíritu abierto de su padre, don José Pardo Bazán[1], y el carácter activo y decidido de su madre, doña Amalia de la Rúa, intervienen decisivamente en su educación. En la biblioteca paterna y en las de don Benigno Rebellón y la condesa de Mina se entusiasma con la lectura.

Cuatro factores están actuando sobre el carácter de Emilia: las formas de vida de la burguesía coruñesa; el contacto con el bullicioso y alegre mundo de la ciudad; las impresiones de las suaves perspectivas de las Mariñas, contempladas desde el pazo de Meirás; la sugestión de la lectura de Zorrilla, Pastor Díaz, Quintana, Duque de Rivas, despertadores de su temprana inspiración poética.

A los quince años, protagoniza un noviazgo con José Quiroga y Pérez de Deza, concertado por sus familias. En 1868, se celebra la boda en Meirás. El joven matrimonio se establece temporalmente en Santiago de Compostela, en donde el marido cursa la carrera de Derecho.

Poco después, don José Pardo Bazán es elegido diputado a Cortes por Carballiño, y toda la familia se traslada a Madrid. Las primeras vivencias madrileñas se intensifican en los inviernos posteriores pasados en la capital; va descubriendo paulatinamente todo el mundo reconstruido por la futura escritora: las reuniones de los salones aristocráticos; los círculos literarios; las funciones teatrales; las tardes de compras; la asistencia a las sesiones del Congreso...

Viajes por Europa

Uno de los rasgos más destacables de la personalidad de la escritora coruñesa es su acercamiento a Europa, la asimilación de las ideas europeas. Su singular europeísmo, aunque se sedimenta con las lecturas, arranca de sus frecuentes viajes por el continente. El primer

---

[1] Colaborador de revistas. Además del *Estudio sobre la propiedad en Galicia*, publica en colaboración con el conde de Pallares la *Memoria sobre la necesidad de establecer escuelas de Agricultura en Galicia* (1862).

contacto con el extranjero llega en 1870. Los conflictos políticos disgustan a don José Pardo Bazán y la familia se traslada a Vichy. El mundo elegante, despreocupado, del famoso balneario francés es una experiencia aprovechable para su segunda novela *Un viaje de novios*.

Después del viaje turístico por Francia e Inglaterra, visita, en 1872, la Exposición Universal de Viena y asiste emocionada a la presentación de la ópera *El buque fantasma*, de Wagner. En septiembre de 1880, retorna a la quietud del balneario de Vichy; se acerca a París; visita a Victor Hugo; lee *L'assommoir*, de Zola. El conocimiento de los escritores franceses se completa en 1886, con una larga estancia en París. Entonces, conoce personalmente a Zola; visita a varios escritores consagrados; come en casa del novelista Huysmann; frecuenta las tertulias dominicales de los hermanos Goncourt. En la Biblioteca Nacional lee a los autores coetáneos; se familiariza con el pensamiento de Renán, Lemaitre, Revast, Bourget. Descubre, por otro lado, la novelística rusa, en traducciones francesas: Turguenef, Gogol, Tolstoy y Dostoieswki.

Al año siguiente, doña Emilia peregrina a Roma; se entrevista con el pretendiente don Carlos, en Venecia, y recoge sus impresiones en el libro *Mi romería*, que suscitará polémicas y la escisión del partido carlista. También la visita a la Exposición Universal de París, en 1900, inspira sus crónicas de *El Imparcial*, recogidas en el libro *Cuarenta días en la Exposición*. Igualmente le proporciona materia para otro libro el viaje a Bélgica, en 1902, reseñado en *El Imparcial* y recogido en el libro *Por la Europa católica*.

Vocación literaria

La vocación literaria de doña Emilia es muy temprana. Carmen Bravo-Villasante[2] recoge el dato de que a los nueve años tira papeles con versos desde el balcón de su casa a las tropas que regresan de la guerra de África, y un poco después escribe un poema al político Olózaga, huésped de sus padres. Lo cierto es que a los dieciséis años publica poesías en el *Almanaque de Galicia*.

[2] *Vida y obra de Emilia Pardo Bazán*, Madrid, Revista de Occidente, 1962, pág. 20.

En 1876 aparece el libro de poemas *Jaime*, dedicado a su hijo; y entra en dos campos distintos: obtiene el premio del certamen literario de Orense, rivalizando con Concepción Arenal, con el denso trabajo *Estudio crítico de las obras del P. Feijóo*, y aparecen en la *Revista Compostelana* los artículos polémicos «La ciencia amena». Al año siguiente, colabora en *La ciencia cristiana* con dos monografías: *Las epopeyas cristianas: Dante y Milton* y *Reflexiones científicas contra el darwinismo*. Después de una nueva muestra de su inspiración poética, en *La Aurora de Galicia*, comienza la publicación de su primera novela, *Pascual López*, en la *Revista de España*.

La primera etapa realmente efectiva de la producción pardobazaniana es la década 1880-1890. Además de publicar ocho de sus novelas, lanza los libros *San Francisco de Asís* (1882), *Folklore gallego*, *La leyenda de Pastoriza*, *Mi romería* (1888), *De mi tierra* (1888), *La pedagogía y la literatura del Renacimiento* (1889), *Por Francia y por Alemania* (1889). Pronuncia en el Ateneo madrileño un ciclo de conferencias, recogidas en el significativo libro *La revolución y la novela en Rusia* (1887). Y además, colabora en las principales publicaciones españolas: *La Ilustración Gallega y Asturiana*, *La Ilustración Ibérica*, *La España Moderna*, *La Época*...

«La cuestión palpitante»

Debemos destacar, dentro de la producción crítica de este tiempo, los artículos publicados en *La Época*, en 1882, con el título «La cuestión palpitante», publicados en libro al año siguiente, con un prólogo de *Clarín*.

La cuestión palpitante es una exposición de la doctrina de la escuela naturalista, un análisis de la novelística de Zola, una crítica del determinismo. A pesar de las réplicas de Alarcón, Campoamor, Núñez de Arce, Valera, Francisco A. de Icaza, padre Blanco García, Barcia Caballero, Manuel Murguía, es un ejemplo de crítica rigurosa sorprendente para aquella época. No se trata de una obra radicalmente comprometida. Por un lado, descubre las aportaciones positivas de la nueva tendencia; por otro, censura sus excesos, sus desviaciones.

Para resaltar los fallos del proceso novelístico decimonónico, puntualiza la pugna entre los representantes de la narrativa romántica, que ella denomina «vencidos», y la escuela realista-naturalista, «los vencedores», representados por Stendhal, Balzac, Flaubert, los hermanos Goncourt, Daudet, que protagonizan el proceso estético del realismo al naturalismo.

La literatura francesa es tema preferente en numerosos trabajos de la escritora coruñesa; sus autores están presentes en los fascículos del *Nuevo Teatro Crítico*, en *Polémicas y estudios literarios* (1892), en numerosos artículos; se desarrolla en forma estructurada en los libros *La literatura francesa moderna* (1910) y *El lirismo en la poesía francesa*.

Relación con los escritores contemporáneos

Pardo Bazán vive en constante intercomunicación con los escritores contemporáneos españoles. En los comienzos de su vocación literaria recibe la influencia de Francisco Giner de los Ríos. El fundador de la Institución Libre de Enseñanza, no solo patrocinó la edición del libro de poemas *Jaime;* estimula, también, la redacción de su primera novela, proporciona rasgos para *San Francisco de Asís*. La propia escritora reconoce así su influencia: «Don Francisco me enseñó aquel sentido de la tolerancia y respeto a las ajenas opiniones, cuando son sinceras, que he conservado y conservaré, teniéndolo por prenda inestimable y rara, no ya en España, en que las discusiones suelen ser violentas y los juicios tajantes y secos, sino en el mundo que se precia de muy civilizado; y me lo prueban las exigencias inverosímiles de los que se empeñan en traerme por fuerza a su manera de entender las cosas.»

Por los mismos años comienza la correspondencia con don Marcelino Menéndez Pelayo. Es cierto que a los elogios sobre *San Francisco* sigue la repulsa de *Los pazos de Ulloa*, pero la amistad continúa durante años. En 1880 conoce personalmente a José Zorrilla, el poeta preferido de su adolescencia; lo escucha en el Coliseo coruñés y consigue que ofrezca un recital en su casa.

Las simpatías de doña Emilia se amplían. Siente devoción por Concepción Arenal. Intima con Castelar, Cánovas del Castillo, Canalejas. La amistad con Castelar se consolida, sobre todo, a partir de la velada dedicada a Rosalía de Castro en el Circo de Artesanos de La Coruña. Claro que aquí también, el discurso de Pardo Bazán suscita la enemistad de Manuel Murguía, marido de la autora de *Follas novas;* esta oposición se reflejará, más tarde, en las duras censuras sobre el naturalismo y las influencias de Zola[3].

La constante actividad literaria proporciona a la escritora amigos y enemigos. A veces, estas relaciones están sometidas a cambio. Un buen ejemplo es el de Leopoldo Alas. Primero es un decidido defensor de las ideas difundidas por la autora; prologa *La cuestión palpitante;* elogia algunas de sus novelas; pero hacia 1890 critica con cierta dureza su actividad. Juan Valera, en cambio, sigue una trayectoria contraria: impugna *La cuestión palpitante*, censura a su autora por «haberse dejado seducir por la moda extravagante y absurda del naturalismo a ultranza»; pero, en cambio, elogiará *Los pazos de Ulloa* y terminan poniéndose de acuerdo; incluso, hacia finales de siglo, son frecuentes las largas visitas de doña Emilia al Valera ya ciego.

Hemos hecho ya referencia a las críticas de Campoamor, Alarcón, padre Blanco García. Hay que añadir los malévolos juicios de fray Candil; la postura divergente de Palacio Valdés; la amistad temporal con Blasco Ibáñez que se rompe con la rivalidad en el concurso de cuentos convocado por *El Liberal.*

La sólida amistad con Lázaro Galdeano, sostenida durante años y reflejada en sus colaboraciones de *La España Moderna* (1889-1902), sirve de contacto con otros escritores, como la relación con Unamuno, desde la publicación en esta revista de su ensayo «En torno al casticismo».

En su viaje a Cataluña sostiene una entusiasta relación con el novelista Narcís Oller. Y en Madrid, en su salón y en otras tertulias, alterna con Linares Rivas, Pidal, Echegaray, Ferrari, Azcárraga, Vidart, Manuel del Pa-

---

[3]   Vid. Benito Varela Jácome: «Emilia Pardo Bazán, Rosalía de Castro y Murguía», *Cuad. de Est. Gallegos*, 1951, págs. 405-430.

lacio... En 1892, ofrece una recepción a los delegados colombinos y sorprende gratamente a Rubén Darío. En los últimos años se le acercan los escritores jóvenes: Wenceslao Fernández Flórez, González Ruano, Vicente Aleixandre... [4]

Merecen un comentario especial las relaciones con el novelista Benito Pérez Galdós. Podemos espigar una serie de datos sobre las mutuas influencias, acerca de las entrevistas en Madrid, de la coincidencia en la quinta santanderina de San Quintín, de las excursiones al valle de Carriedo y las cuevas de Altamira. Pero sus relaciones tienen un sentido singular: un amor pasional, expresado a través de la correspondencia exhumada por Carmen Bravo Villasante[5]. Son las cartas amorosas de doña Emilia al autor de los *Episodios nacionales* el testimonio de un amor desbordante; están salpicadas de fórmulas vulgares, estereotipadas, de juramentos amorosos y connotaciones chocantes que nada tienen que ver con el estilo de la escritora.

Intensa actividad cultural

Desde 1890 se intensifica la labor literaria de Pardo Bazán. Publica cinco novelas en la última década del siglo, pero muestra una especial preferencia por el cuento, con cerca de una decena de colecciones hasta 1900: *Cuentos escogidos* (1891); *Cuentos de Marineda* (1892); *Cuentos de Navidad* (1894); *Cuentos Nuevos* (1894); *Arco iris* (1895); *Cuentos de Navidad y Reyes* (1898); *Cuentos de la patria* (1898); *Cuentos de amor* (1898); *Cuentos sacroprofanos* (1899).

Pero alternando con su denso *corpus* narrativo, desarrolla una efectiva y singular labor literaria en las páginas de periódicos y revistas, con un caudal de más de 1.500 artículos, manifestación de sus inquietudes culturales, de su sorprendente formación, de su fluencia expresiva. Esta actividad se enriquece desde 1890, con los largos trabajos de *La España Moderna*, con los

---

[4] Vid. Carmen Bravo-Villasante, *Op. cit.*, pág. 300.
[5] *Vida y obra de Emilia Pardo Bazán. Correspondencia amorosa con Pérez Galdós*, Madrid, Novelas y Cuentos, 1973, págs. 142-157.

ensayos y cuentos de *El Imparcial* (1894-1911)[6]; mantiene una profusa colaboración en *Blanco y Negro*, entre 1895 y 1916. Crea, además, una revista propia, con el título feijoniano *Nuevo Teatro Crítico;* comienza su publicación en enero de 1891 y se mantiene, con un nivel insospechado, hasta 1893. Este denso caudal de 29 fascículos, de más de un centenar de páginas cada uno, redactadas exclusivamente por ella, es una fuente importante para conocer su cultura, sus criterios valorativos, su conocimiento directo de la literatura española y europea.

A lo largo de veintitrés años, Pardo Bazán publica una sección fija en *La Ilustración Artística* (1895-1916), bajo el título general de *La vida contemporánea*, panorama ágil, polifacético, de la vida nacional y las resonancias europeas. Tienen un especial interés sus referencias a la primera gran guerra, con «su fondo macabro», a «sus matanzas que sobrepujan a la humana imaginación»[7]

La escritora coruñesa toma postura frente a los problemas políticos españoles; analiza la ignorancia, la cursilería, la falta de ideas vocacionales de la mujer española, en una serie de artículos publicados en *La España Moderna* (1890); recoge sus impresiones de viaje; compone centenares de relatos; pronuncia discursos en los Ateneos de Valencia y Valladolid, en la Universidad de Salamanca. En 1906 es nombrada presidenta de la sección de Literatura del Ateneo madrileño. Dos años más tarde, Alfonso XIII le concede el título de Condesa. En 1910 es nombrada Consejero de Instrucción Pública. En 1916 ocupa la Cátedra de Literaturas Neolatinas de la Universidad Central; al mismo tiempo, desarrolla en la Escuela Superior de Magisterio un curso sobre Maeterlinck.

Pero toda esta actividad cultural no le impide mantener al día sus colaboraciones y la elaboración de su obra. Sus artículos traspasan el Atlántico, en dos relevantes entregas: «Cartas de la Condesa», del *Diario de*

---

[6] Entre las colaboraciones de *El Imparcial* destaca la serie titulada: *Nueva cuestión palpitante*. Vid. edición de Varela Jácome y Baldomero Cores, La Coruña, Librigal, 1975.

[7] Vid, la edición de Carmen Bravo-Villasante, Madrid, Novelas y Cuentos, 1973.

la Marina, de La Habana, y «Crónicas de España», de
La Nación, de Buenos Aires. Pero lo sorprendente
es que doña Emilia se mantiene en la brecha hasta el
mismo momento de su muerte, acaecida el 12 de mayo
de 1921. El cuatro del mismo mes aún colabora en
«ABC», con el ensayo *La obra de Tagore*, y al día siguiente de su fallecimiento se inserta en el mismo periódico *El aprendiz de helenista*.

Evolución novelística

Determinantes sociales y culturales

El *corpus* narrativo de Emilia Pardo Bazán tiene una
singular importancia por las cosmovisiones, las reali-
dades exploradas, basadas en tres experiencias axiales:
el entrañable afincamiento en La Coruña, las tierras
orensanas y Madrid. Estos tres núcleos establecen unas
claras conexiones, una interacción biunívoca entre el
espacio geográfico y el *status* económico-social, factible
de representar con este diagrama:

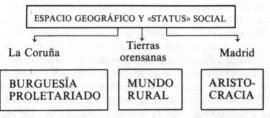

Pueden también establecerse relaciones entre la formación de la escritora, en contacto con el *climax* intelectual y su producción novelística. Su precoz afición
a la lectura, en las bibliotecas coruñesas, la ponen en
contacto con la literatura romántica. Las sesiones del
Ateneo madrileño, la asistencia a las tertulias literarias
generan una doble conexión con las nuevas ideas y con
la narrativa realista, condicionan su actitud intelectual;
despiertan su vocación novelística. En las estancias en
París descubre la escuela de Medan, los procedimientos
zolescos que orientan la etapa naturalista. Por último,
la asistencia a las sesiones del Congreso, con la marquesa

de La Laguna, los debates políticos, la oratoria de Castelar, forman su conciencia de los problemas del país. Podemos representar gráficamente la interacción de estos factores determinantes:

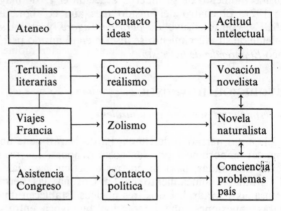

Vacilación estética

La producción pardobazaniana participa del desfase estético de la novelística española del siglo XIX. Las profundas huellas de los escritores románticos están aún presentes en tres obras de la primera etapa: *Pascual López, Un viaje de novios* y *El cisne de Vilamorta*[8].

Pascual López. Autobiografía de un estudiante de Medicina (1879) es, sin duda, su novela más artificiosa. Los motivos románticos del ambiente y de la psicología de los personajes, las situaciones fantásticas, intensifican la literaturización de la autobiografía, la convierten en un modelo de lo que los formalistas rusos llaman *literaturnost*. Claro que, como contraste, se repiten las situaciones reales de la picaresca estudiantil, dentro del marco monumental de Santiago.

Se imbrican en esta primera novela dos ejes temáticos: la historia amorosa entre Pascual y Pastora, con la rivalidad de don Víctor, y la extraña aventura científica del profesor Onarro. Los diamantes obtenidos en el laboratorio provocan la crisis amorosa. El objeto de

---

[8] Para el desfase de la novela española ver: Benito Varela Jácome: *Estructuras novelísticas del siglo XIX*, Gerona, Aubí, 1974.

Pastora sólo es el amor; para ella el sorprendente diamante de su prometido es un «oponente» de su felicidad; lo arroja al pozo; pero la irreparable pérdida determina la ruptura definitiva.

Nos encontramos, por lo tanto, con un algoritmo dialéctico, tan frecuente en la literatura tradicional: la oposición *amor* vs. *avaricia*, sometida a una operación transformadora. El amor produce una felicidad momentánea; la posesión de los diamantes, después del delirio de alegría, atrae la infelicidad. La oposición entre ambos genera el dolor y la pérdida, determina las formas lexificadas de este cuadro estructural[9]:

I. Axiología	II. Transformación	III. Elecciones ideológicas
	Felicidad	Amor
	(aceptación + ruptura)	(infelicidad + dolor)
$\left(\dfrac{\text{Infelicidad}}{\text{Felicidad}} = \dfrac{\text{Pérdida}}{\text{Dolor}}\right)$		
	Desilusión	Avaricia
	(ira + delirio)	(infelicidad + pérdida)

En su segunda novela, *Un viaje de novios* (1881), la escritora intenta una renovación. En el prólogo proclama que la narración «ha dejado de ser mero entretenimiento, modo de engañar gratamente unas cuantas horas, ascendiendo a estudio social, psicológico, histórico... La novela es tratado de la vida, y lo único que el autor pone en ella es su modo peculiar de ver las cosas reales...» Sin embargo, las matizaciones románticas están pintando la percepción del paisaje, e Ignacio Artegui es un personaje dominado por la tristeza, el escepticismo, la desesperación.

Con *La Tribuna* (1882), Pardo Bazán parece superar su vacilación estética, pero la fluctuación continúa en su cuarta novela, *El cisne de Vilamorta* (1885). Al lado de cierta proyección sentimental en el paisaje, resalta la tipificación romántica del actante Segundo García, poeta becqueriano, y descubrimos una crítica del romanticismo, del lirismo amoroso, de la «infecunda nostalgia».

[9] Vid. A. J. Greimas: *Semántica estructural*, Madrid, Gredos, 1971, páginas 386-389.

Pero además, la novelista aplica al ambiente de Carballiño algunos de los procedimientos de *La Tribuna;* recordemos el retrato físico de la maestra Leocadia, la descripción de su muerte por envenenamiento, la delectación por lo monstruoso[10].

Novelas naturalistas

Desde 1882, encontramos en la novelística pardobazaniana una constante asimilación de procedimientos naturalistas. La influencia zolesca influye a dos niveles: la expresión y el contenido. Por un lado, los procedimientos narrativos, la acumulación descriptiva, la reiteración de datos físicos, de tics tipificadores. Por otro, las secuencias desnudas, atrevidas, las situaciones límite.

La asimilación de recursos naturalistas se inicia en *La Tribuna* (1882); continúa en *Bucólica*, publicada en la *Revista de España*, en 1884; culmina en *Los pazos de Ulloa* (1886) y *La madre naturaleza* (1887); se reproduce en *La piedra angular* (1891).

Los pazos de Ulloa y *La madre naturaleza* significan la máxima interpretación del mundo rural gallego. Pardo Bazán explora la vida del pazo, como unidad de cultivo, especie de reducido latifundio, en contraste con el inmovilista minifundismo campesino. Queda establecida la bipolarización nobleza rural←···→pueblo aldeano. Hidalgos vigorosos, violentos, casi feudales, precedentes del don Juan Manuel Montenegro de Valle-Inclán, ocupan un primer plano dentro de una sociedad agraria arcaizante. Enfrenta, por otro lado, la sólida estructura arquitectónica de las casas solariegas con las miserables viviendas aldeanas. Además, estos viejos pazos del norte de la provincia de Orense son un símbolo del desmoronamiento físico, de la ruina económica, del laxismo, de la decadencia de la nobleza rural[11].

En *Los pazos de Ulloa*, doña Emilia demuestra su madurez en el ensamblaje de las distintas estructuras inmanentes. Desde la óptica perspectivista del capellán, don Julián, nos introduce en el ambiente embrutecido de la casona; plantea la lucha entre naturaleza y civi-

---

[10] Vid. Benito Varela Jácome: «Romanticismo en tres novelas de Emilia Pardo Bazán», *Cuad. Est. Gallegos*, 73-74, 1969, págs. 315-330.

[11] Vid. Benito Varela Jácome: «Estructuras de *Los pazos de Ulloa*» en *Revista de Letras*, Universidad de Mayagüez (Puerto Rico), 1974.

lización, entre primitivismo y orden moral; refleja la bipolarización política de las campañas electorales...

La máxima oposición se establece en el sistema de las relaciones amorosas, entre las relaciones sexuales de don Pedro con su criada Sabel y las relaciones matrimoniales Nucha-don Pedro, entre lo que Lévi-Strauss llama «campo de la naturaleza» y «campo de la cultura». Por un lado, la unión excluida, rechazada por la sociedad; por otro, las relaciones codificadas por la moral cultural. Podemos representar la doble situación con este modelo[12]:

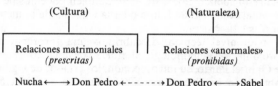

RELACIONES PERMITIDAS   RELACIONES EXCLUIDAS
(Cultura)   (Naturaleza)

Relaciones matrimoniales   Relaciones «anormales»
(prescritas)   *(prohibidas)*

Nucha ←⟶ Don Pedro ←------→ Don Pedro ←⟶ Sabel

La situación conflictiva se complica en unas interrelaciones de «oponentes» y «adyuvantes». La felicidad inicial de Nucha se convierte en desdicha, por la influencia de los tres oponentes, Sabel, Primitivo y el hijo bastardo y el desapego de su marido: sólo cuenta con el apoyo del capellán; sobre ella se cierra este adverso entramado de relaciones asfixiantes[13].

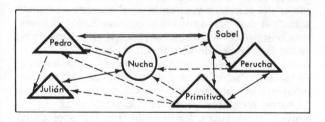

---

[12] Vid. A. J. Greimas: *En torno al sentido*, Madrid, ed. Fragua, 1973, págs. 164-170.

[13] El vector continuo indica simpatía, atracción, colaboración; el vector discontinuo, antipatía, aversión, rechazo. Las mujeres están simbolizadas por círculos; los hombres, por triángulos. Cf. Armand Cuvillier: *Manual de Sociología*, t. I, págs. 298-303, Buenos Aires, ed. Ateneo, 1970; y Maurice Duverger: *Métodos de las ciencias sociales*, Barcelona, eiciones Ariel, 1962, págs. 513-516.

La madre naturaleza es una continuación de *Los pazos de Ulloa;* enlaza con su última página; nos ofrece nuevas perspectivas del paisaje; nos introduce en el exuberante mundo estival, contemplado por un personaje ajeno al medio rural. Bajo la mirada analítica de Gabriel Pardo la ruina del señorío campesino se adensa.

La naturaleza, en su eclosión estival, es una fuerza poderosa que actúa sobre el amor de la pareja Manuela-Perucho. Robert E. Osborne[14] encuentra en la caída de los dos adolescentes, que se aman sin saber que son hermanos, «bajo el árbol simbólico» de la tierra gallega, una resonancia del *Génesis;* pero también podemos pensar en el complejo de Edipo o en la tragedia de la metamorfosis de Mirra.

En el nivel técnico, descubrimos una sorprendente aproximación al monólogo interior. El devanar constante de Gabriel Pardo, su introspección, los estados de vigilia, sobre todo en el capítulo XXV, son una anticipación a la corriente de la conciencia tan frecuente en la novelística del siglo XX.

La tendencia naturalista de Pardo Bazán se cierra definitivamente en 1891, con *La piedra angular.* Los procedimientos zolescos representan en sus páginas distintos niveles semiológicos: el drama que se debate en el alma del verdugo, como pugna entre el amor a su hijo y el religioso respeto a la ley; el crimen pasional de la mujer del carretero y su amante; el marginado mundo social; el desesperado suicidio de Juan Rojo; el preexpresionismo de la muchacha enferma derribada en la calle; la sordidez de la cárcel...

La piedra angular significa, además, una nueva y densa exploración del mundo urbano de «Marineda»; completa la «historia de la pobreza» de *La Tribuna.* El barrio miserable que rodea el cementerio es una impresionante *bajada a los infiernos.* Encontramos en las callejas suburbanas la carencia de profilaxis social, la promiscuidad, el infradesarrollo.

Otra aportación de la novela es el riguroso análisis de un singular caso de segregación social. No se trata

---

[14] *Emilia Pardo Bazán, su vida y sus obras*, México, ed. de Andrea, 1964, pág. 67.

de una discriminación de grupo, de perjuicios y hostilidades hacia los *out-groups*. Juan Rojo por el estigma de su profesión de verdugo, es un curioso ejemplo de «inculpación», de los que los sociólogos llamarán *scapegoat*. El drama se intensifica cuando se ve obligado a ejecutar a los criminales. Rojo, ex-seminarista y antiguo soldado, «tiene un acerado concepto del deber, de la obediencia y de la palabra empeñada y un religioso respeto a la ley y a la letra escrita». El doctor Moragas, hostil a la pena capital, protegerá y educará a su hijo Telmo, si se niega a cumplir la sentencia. Y el verdugo se sacrifica por la felicidad de su hijo; pero en vez de rebelarse, se suicida, busca la muerte en el mar, en la impresionante página que corona la novela[15].

Realismo moderado

Entre la publicación de *La madre naturaleza* (1887) y *La piedra angular* (1891), la novelística pardobazaniana se remansa en un equilibrio realista. Vuelve a reaparecer el contraste entre la idealización y el subjetivismo y la directa visión de la realidad. Sin una eliminación total de los recursos naturalistas, se descubre la asimilación de motivos de la novela rusa, la orientación hacia un idealismo cristiano, el ensayo de recursos que anuncian una nueva estética.

Con *Morriña* e *Insolación* (1889), la escritora abandona momentáneamente los espacios geográficos gallegos, para ofrecernos una triple exploración de Madrid. En *Morriña* limita el espacio novelesco a una casa burguesa de la calle de San Bernardo, muy directamente conocida por la autora. Aplica a esta interpretación un realismo moderado. Incluso las dos tensiones que podían intensificarse con brochazos naturalistas están intencionadamente atenuadas. La seducción de Esclavitud por Rogelio aparece más sugerida que descrita; y el suicidio de la muchacha, sólo es una idea fatal desencadenada por la saudade, por la desdicha amorosa, una idea fatal

---

[15] La escritora demuestra en esta novela su conocimiento de las doctrinas criminalistas y de las ideas de Concepción Arenal sobre el verdugo.

que aparece en su mente, la resolución de que «el sol que se ponía en aquel momento no volviera a levantarse para ella nunca, nunca».

Es más difícil encasillar en este paréntesis realista la novela *Insolación*. La influencia climática del calor, mezclado con el vino, puede relacionarse si se quiere con el *Tartarin*, de Daudet; la riña de las dos mozas le recuerda a Osborne[16] la disputa de Gervaise y Virginie, en el primer capítulo de *L'assommoir*. La novela, sin embargo, desborda la tendencia naturalista.

Desde el punto de vista técnico, *Insolación* puede considerarse como un anticipo de la novelística del siglo xx. El relato autobiográfico de Asís Taboada está sometido a un ritmo rápido: los acontecimientos se precipitan a lo largo de escasos días, con saltos a un pasado inmediato. El escenario se tripolariza: la casa de la actante, la tertulia de la duquesa de Sahagún, la romería de San Isidro, en las riberas del Manzanares.

El compromiso amoroso se produce sin preparativos, por sorpresa. El rápido idilio Diego Pacheco-Asís Taboada puede representarse con esta proyección sintagmática de la red de relaciones:

Diego despliega simpatía	Conducta expectante de Asís	Romería de San Isidro	Insolación de Asís
Diego insinúa su amor	Prevención de Asís	Labia de Diego	Aquiescência de Asís
Diego sigue el acoso	Reserva de Asís	Excursión de las Ventas	Asís huye
Diego trata de seducir	Explicaciones	Reconciliación	Correspondencia de Asís
Consumación del amor			

A través de la secuencia temporal, en ordenación horizontal, se descubre la dependencia de diversos elementos, se establece una homología, a través de cuatro

---

[16] *Op. cit.*, pág. 76.

columnas. Cada una tiene un denominador común. En la primera, Diego Pacheco sigue un procedimiento de enamorar a Asís, lleva siempre la iniciativa. En la segunda, está reflejada la reserva, la actitud aparentemente defensiva de la viuda. En la tercera columna, los functivos concretos que condicionan el cambio de actitud de la actante, que conducen a las distintas aquiesciencias de la última columna.

En 1890, Pardo Bazán bascula hacia una idealización religiosa, con *Una cristiana* y *La prueba*. En estas dos novelas, un ingeniero de Caminos, Salustio Méndez, cuenta en forma discontinua algunas experiencias de su vida estudiantil en Madrid, en sus vacaciones en la ría pontevedresa, el extraño enamoramiento de la mujer de su tío, Carmiña Aldao. La singular rivalidad amorosa, con la crisis del matrimonio y la decidida oposición del padre Moreno, árbitro de todo deslizamiento moral, da lugar a esta compleja interacción[17]:

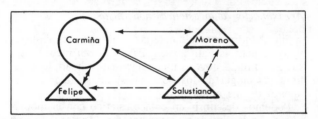

El realismo moderado tiene una continuación en el ciclo *Adán y Eva*, formado por *Doña Milagros* (1894) y *Memorias de un solterón* (1891). Nos encontramos ante una nueva exploración de la burguesía de Marineda, reflejo de la crisis de una parcela de la mesocracia coruñesa, en la década 1875-1885. La movilidad social de una familia, su deslizamiento descendente, económico y moral, está enfocado desde dos relatores distintos: el padre, Benicio Neira, y el pretendiente de una de sus hijas, Mauro Pareja.

Dentro de la tendencia que estudiamos, descubrimos una intencionada idealización de la mujer, que de alguna

---

[17] Los vectores continuos significan aquí amistad, unión matrimonial; el vector doble, amor pasional; los vectores discontinuos, rivalidad.

manera se extiende a todo el *corpus* novelístico pardo-bazaniano. Pero es frecuente encontrar, como oposición, una tipología femenina intensificada con procedimientos realistas o naturalistas:

Idealización femenina	Novelas	Intensificación realista
Pastora	*Pascual López*	
Lucía	*Un viaje de novios*	
	La Tribuna	Amparo
	Eucólica	Maripepa
Nieves	*El cisne de Vilamorta*	Leocadia
Nucha	*Los pazos de Ulloa*	Sabel
	Insolación	Asís
Carmiña Aldao	*Una cristiana y La prueba*	
Feita	*Memorias de un solterón*	Rosa y Argos
Minia	*La quimera*	María de la Espina

Aproximación a la estética modernista

Sin abandonar totalmente las connotaciones realistas y las secuencias naturalistas, Pardo Bazán incorpora a sus tres últimas novelas una nueva sensibilidad, una distinta psicología de los personajes, un singular refinamiento de los ambientes.

Podemos descubrir un enlace estético con el modernismo, en los interiores artificiosamente adornados, en los signos calificadores cromáticos, en la acumulación de sensaciones del invernadero, en el rebuscado refinamiento del laxismo de la aristocracia madrileña, de *La quimera* (1905). La propia escritora expone sus preferencias en la concepción de los personajes: «Almas complicadas, pueriles y pervertidas, misantrópicas y candorosas, modernas y bizantinas. Nunca almas panzudas de burgueses. Almas siempre resonantes por la vibración de las cuerdas polifónicas de sus nervios»[18]. Puede servirnos de ejemplo, dentro del ambiente refinado, decadente, María de la Espina, por sus peculiares rasgos de sensualismo, de perversidad, por su civilización «refinada y disuelta», por su «histérica sensibilidad para el refinamiento del lujo delicado...»

---

[18] *La quimera*, pág. 840.

La búsqueda inquietante es otra fuerza que actúa poderosamente sobre los actantes de esta época. Silvio Lago, personificación del pintor Joaquín Vaamonde, libra una constante batalla con la fascinación de la quimera, con «la fiebre y el frenesí» del arte. También en *La sirena negra* (1908), Gaspar de Montenegro se debate contra la «atracción perversa, semirromántica, de la "sirena negra". Claro que esta obsesión de la muerte supera las preocupaciones del modernismo; está cronometrada por problemas mentales; es un anhelo aniquilador que bordea la angustia, como un anticipo de ciertas formas de la literatura del período de entreguerras.

La renovación se produce, asimismo, en el plano técnico. En *La quimera* sorprendemos cambios de enfoque; alternan las visiones omniscientes con las memorias del pintor, con las «meditaciones» de Clara Ayamonte, ejemplo de monólogo inflamado, bullente, encabalgado, anterior en quince años al *Ulises*, de James Joyce[19].

Con *La sirena negra*, doña Emilia vuelve al autobiografismo total. Pero la visión equisciente de Gaspar de Montenegro está sometida a distintas tensiones; se convierte en la fiebre onírica de la danza macabra (cap. V), o estalla en el ritmo cinético de la posesión de la institutriz Annie. Se desarrolla, por otro lado, en sucesión de secuencias cronológicas, desde las altas horas de una noche madrileña hasta el desenlace trágico en el pazo de Portodor, representación de la torre de Miraflores, orientada hacia la playa de Sangenjo.

Sorprendemos, además, otros rasgos de modernidad. El transporte onírico está suscitado por un excitante: «el alcaloide del café concentrado actuaba sobre mi sistema nervioso». Nos recuerda los reactivos creadores de paraísos artificiales de la literatura finisecular y nos parece un anticipo de *La pipa de kif*, de Valle-Inclán. Por otro lado, el actante se somete a una autoenumeración inquisidora de su etopeya que nos hace pensar en el autointerrogatorio del Esteban Dédalus del *Ulises*.

---

[19] Vid. Benito Varela Jácome: *Renovación de la novela en el siglo XX*, Barcelona, Destino, 1967.

El *corpus* narrativo de doña Emilia se completa con la novela inédita, *Selva*[20] localizada en un espacio urbano ya explorado: el centro de Madrid, la calle de Alcalá, la Castellana, la Cibeles, Carretas, los cafés de la Puerta del Sol... Pero además, nos brinda una nueva interpretación del fastuoso mundo de galas, saraos, de fiestas náuticas, de un laxismo aristocrático, decadentista, conexionado con algunas visiones de *La quimera*.

Es también una novela de ámbito internacional. El actante Ignacio Selva regresa a Madrid, después de residir en Niza, París, Londres. Y los barones de Teplitz estuvieron relacionados con la corte decadente austrohúngara, con las emociones del juego en Montecarlo. El seudo príncipe Pronay de Nagy ha realizado su actividad en Méjico, Estados Unidos y Europa.

Representan estos extranjeros el snobismo europeo, el laxismo de la alta sociedad, una triple quiebra moral: las actividades delictivas de una banda secreta, especializada en robo de joyas y obras de arte; la crónica galante de vanidades y ostentaciones; la insatisfecha búsqueda de la perversión en el empleo de drogas. La baronesa, sobre todo, es un sintomático ejemplo de perversión, de alienación, de ansia eterna insatisfecha. Es una cleptómana, dominada por el deseo de poseer valiosos objetos: una enferma que ha adquirido el hábito de drogarse.

Debemos destacar que el modelo actantial mítico de las novelas decimonónicas se rompe en *Selva*. Entran en juego distintas fuerzas temáticas, y la lucha, además de no seguir el proceso usual, se establece entre dos grupos de participantes. El círculo formado por los barones de Teplitz y el falso Pronay, bajo su aparencial encuadre en un mundo elegante, actúa en la sombra al margen de la ley. Como oponente a su actividad, destaca Ignacio Selva, auxiliado por Leonardo Chaves y otros amigos. En el centro de las dos fuerzas está la joven Bice: zarandeada por la conducta de su padrastro, por

---

[20] He descubierto esta novela recientemente, al clasificar el archivo de Pardo Bazán, en la Academia Gallega. Es un original de 182 cuartillas mecanografiadas, en gran parte corregidas con letra de la autora; algunos capítulos están rehechos.

la carencia de escrúpulos de Nagy, por la alienación y cleptomanía de su madre, busca ayuda en Selva, es atraída por él, llega a una especial interrelación entre los dos grupos opuestos. La pugna final puede representarse con este diagrama [21]

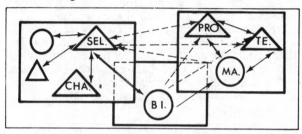

Selva es una novela llena de preocupaciones intelectuales. En sus capítulos intervienen funciones secundarias o cardinales que aparecen como tema preferente en los artículos de la Condesa, entre 1913 y 1916: el laxismo del mundo fastuoso internacional; los robos de obras de arte; las novelas folletinescas; las alusiones a Rocámbole y Fantomas; el análisis del cine; los automóviles lujosos; los audaces crímenes [22]...

Análisis de «La Tribuna»

Encuadre cronológico

La Tribuna, tercera novela de Emilia Pardo Bazán, se publica en 1883. La fecha es muy significativa para la introducción del naturalismo en España. Entre 1880 y 1881, Zola penetra decididamente en nuestro país, con tres versiones de *L'assommoir* [23], dos de *Nana* [24] y sendas ediciones de *Teresa Raquin*.

[21] Selva (SEL.) se opone a Pronay (PRO.) y al barón de Teplitz (TE.). Bice (BI.) odia a Pronay, siente repugnancia por su padrastro y conmiseración y temor por su madre (MA.); mientras tanto, entre ella y Selva se establece una relación más que amistosa.

[22] Para estudiar otros problemas ver: Benito Varela Jácome: *Estructuras novelísticas de Emilia Pardo Bazán*, Madrid, C.S.I.C., 1973.

[23] Versiones de Miguel de Toro, E. Borrel y L. Aner y Amancio Peratoner.

[24] En una de las ediciones se publica con *L'assommoir*, Barcelona, La Maravilla Moderna, 1881.

En el curso 1881-1882, se desarrolla en el Ateneo madrileño un curso sobre la nueva escuela literaria, con la postura avanzada del secretario de Literatura, Gómez Ortiz [25] y la razonada defensa de Leopoldo Alas [26]. Además, en la misma fecha de 1882, doña Emilia publica, en *La Época*, los polémicos artículos de «La cuestión palpitante», recogidos en libro al año siguiente.

Pero lo más importante es que *La Tribuna* representa la primera manifestación de tendencia naturalista. Podemos establecer un paradigma del proceso novelístico, desde la primera obra pardobazaniana hasta *La Regenta*, de *Clarín*. Las tendencias oscilan entre las huellas románticas, la idealización de la realidad, el realismo crítico y el naturalismo:

AÑOS	OBRAS	AUTORES
1879	*Pascual López* *Doña Luz* *Don Gonzalo González de la Gonzalera* *Los Apostólicos*	Pardo Bazán Juan Valera José María de Pereda Pérez Galdós
1880	*De tal palo tal astilla* *El niño de la bola*	Pereda Pedro Antonio de Alarcón
1881	*Un viaje de novios* *La desheredada* *El señorito Octavio* *El capitán Veneno*	Pardo Bazán Pérez Galdós Palacio Valdés P. A. de Alarcón
1882	*La Tribuna* *El sabor de la tierruca* *El amigo Manso* *La pródiga* *Lázaro*	Pardo Bazán Pereda Pérez Galdós P. A. de Alarcón Jacinto Octavio Picón
1883	*El doctor Centeno* *Pedro Sánchez* *Marta y María*	Pérez Galdós Pereda Palacio Valdés
1884	*El cisne de Vilamorta* *La Regenta* *Tormento* *Sotileza* *El idilio de un enfermo*	Pardo Bazán *Clarín* Pérez Galdós Pereda Palacio Valdés

[25] Discurso publicado en *La América*, 8 y 28 de enero y 8 de febrebo, 1882.
[26] Discurso resumido en *El Progreso*, 20 de enero, 1882.

Se construye *La Tribuna* sobre cinco estructuras cardinales: la asfixiante vida suburbana, protagonizada por la familia de Amparo; la aproximación a la ciudad vieja y a la Pescadería; la actividad laboral de la actante, en la fábrica de tabacos; la efervescencia política de los años 1868; la historia de una seducción amorosa.

Hasta el capítulo XXIII, Amparo es la actante-sujeto de la novela, y la mayor parte de estos capítulos son, además de unidades estilísticas, unidades temáticas. Primero, la sórdida morada del barquillero Rosendo, la entrada en escena de la adolescente, desgreñada, soñolienta; el trabajo infatigable, en la densa atmósfera del obrador; la secuencia de la madre paralítica, encamada. En conexión con este mísero círculo familiar, la autora hace, en el capítulo segundo, precisiones sobre los padres de la muchacha.

La poderosa atracción de las calles de la Pescadería, los paseos abiertos, los comercios nutridos de objetos deseados, convierten a Amparo en personaje itinerante. Y su callejear nos desplaza a un núcleo urbano contrapuesto; nos introduce, en tres etapas reflejadas en los capítulos III, IV y V, en lugares frecuentados por la buena sociedad coruñesa: las calles de la ciudad nueva, la misa en San Jorge, el paseo elegante de las «Filas». El contacto con la burguesía se localiza en la familia de los Sobrado, en los capítulos IV y V, ambientados un año más tarde. Pero además, la intervención del coro de niñas, intérpretes de villancicos, es un signo de indicio del posterior progreso novelesco; significa el primer encuentro efectivo entre Amparo y Baltasar.

A continuación, la escritora explora un nuevo espacio social. La entrada de Amparo en la fábrica de tabacos pone en contacto al lector con un grupo social activo, laborioso. Los minuciosos procedimientos descriptivos de la autora relacionan la estructura narrativa con la imagen del espacio social cerrado, a lo largo de varios capítulos espaciados (VI, XI, XIII, XXI, XXIX). La adolescente abandona su ocioso callejear, para sujetarse a la productividad; no sólo cambia de indumentaria; logra crearse entre las cigarreras un medio solidario; no tarda «en encariñarse con la fábrica, en sentir ese orgullo y apego inexplicables que infunden la colectividad y la asociación: la fraternidad del trabajo».

Con el *climax* laboral se mezclan otros cuatro niveles, relacionados o contrapuestos: la existencia mísera del barquillero y su ayudante Chinto (caps. VII, XII y XX); el activismo político (IX, X, XIII, XV, XVI, XVII, XVIII, XIX...); la áspera realidad del nuevo barrio de la actante (XXVIII y XXX); nuevo acercamiento a la burguesía (XIV). Estos niveles, además de ofrecernos una exploración múltiple del mundo urbano coruñés y la efervescencia de la bipolarización política, unas veces son catálisis que llenan los espacios entre las funciones cardinales [27] de la novela y otras, reactivos que condicionan el progreso de los protagonistas.

Categorías actantiales

La Tribuna se estructura sobre una singular combinatoria sintagmática, en un encadenamiento de micronarraciones. Su *acción mítica*, factible de descomponer en varios mitemas se basa en la interacción entre medio social, actividad laboral, activismo político y seducción amorosa.

Amparo, además de actora concreta, individualizada, del relato, tiene, por la complejidad de su contextura, la dimensión genérica de actante [28]. Desde su aparición en escena, en la casa del barquillero, protagoniza un *gestus* social, en el sentido que tendrá en Bertolt Brecht.

Su andadura narrativa comienza a los trece años, pero dos signos de indicio están apuntando ya hacia su papel posterior. Al final del capítulo tercero, el alférez Baltasar Sobrado y el capitán Borrén adivinan su futura sugestión femenina; un año más tarde, cuando la adolescente canta villancicos en la Casa de Sobrado (cap. V), vuelven a reconocer sus encantos; además, los dos oficiales le consiguen trabajo en la fábrica de tabacos. La predicción se cumple en el capítulo VIII, titulado «La chica vale un Perú», reflejo de la metamorfosis femenina. La novelista traza un retrato idealizado que nos recuerda

---

[27] Funciones importantes, nudos del relato.
[28] Empleamos la palabra actante con el significado de sujeto de todas las esferas de la acción de una novela concreta.

a otras heroínas de la novela realista; se sirve de signos caracterizadores, de metáforas cromáticas; logra esta constelación de atributos positivos:

Esta exaltación ponderativa, que responde a la tradicional mitificación de la mujer, parece señalar el comienzo de la esperada categoría actantial; pero el juego amoroso se retrasa hasta la segunda mitad de la novela. Amparo sólo protagoniza a lo largo de los diez capítulos siguientes un haz de funciones representadas por objetos, opuestos a la esfera sentimental:

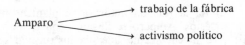

Por fin, en el capítulo XX bascula hacia la acción mítica, aunque solo como receptora. Chinto, favorecido por la muerte de Rosendo, dirige el trabajo de la churrería y declara su amor a la muchacha; ésta rechaza sus palabras y su abrazo; soporta los consejos calculadores de su madre; provoca la ruptura y la cólera final del mozo aldeano. El capítulo se fragmenta, por lo tanto, en varias secuencias disyuntivas, que pueden estructurarse con el esquema de Propp[29]:

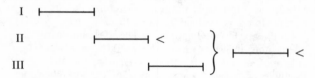

Del final del capítulo XXII y las confidencias del XXIII arranca la tópica historia de la mujer enamorada por un hombre de clase superior. El teniente Baltasar Sobrado inicia su cerco de seducción. Su marcha a Navarra actúa como *impasse*, abre un largo compás de espera, que rellenan las catálisis del conflicto religioso, la corrida de los protestantes, extramuros de la ciudad, y el coloquio sobre el amor entre Amparo y *la Comadreja*.

En el capítulo XXVII, con el regreso de Baltasar, prosigue el idilio del oficial y la cigarrera. El oficial se convierte en sujeto del relato. El sistema de relaciones se estructura en varias secuencias. Los fingidos requiebros de Baltasar suscitan las relaciones deseadas de Amparo, con lo que, en principio, se establece un engañoso equilibrio:

amor fingido↔amor deseado ≃ combinación equilibrada

Pero la diferencia de rango, de nivel social, llena de temores a la cigarrera, genera una combinación conflictiva:

relaciones deseadas↔rel. temidas ≃ conflictual

Por último, la función amorosa se plantea en dos planos opuestos. Amparo se ilusiona con el amor del oficial; cree ingenuamente que «la instrucción iguala las clases». Desde niña había estado atraída por los ambientes elegantes; tiene la altivez de una hija del pueblo; sabe que la sociedad se opone a sus relaciones, pero los juramentos, las promesas de matrimonio vencen

[29]   *Morphologie du conte*, París, Seuil, 1970, págs. 113-114.

su resistencia. Su aspiración inicial es legalizar estas relaciones, centrarlas en la moral cultural codificada. En cambio, Baltasar se mueve impulsado por la pasión «imperiosa y dominante»; busca el placer físico; empuja a la cigarrera a la unión sexual, llamada por Lévi-Strauss «campo de la naturaleza»; consuma sus deseos en la rápida secuencia de la seducción (cap. XXXI).

En el capítulo siguiente la asiduidad de las entrevistas alienta las ilusiones de *la Tribuna;* pero pronto descubrimos el hastío del galán, la frustración del amor. Por otro lado, las duras palabras de la madre paralítica no son suficientes para el desengaño de la muchacha. Pero la negativa de contraer matrimonio, a finales del capítulo XXXII, descubre el duro desengaño.

Amparo, burlada, víctima de la pasión amorosa de un burgués, ahoga su despecho en el activismo político o se enciende en vanas ideas de venganza en su conciencia de clase (caps. XXXV y XXXVI). La tensión se intensifica con procedimientos naturalistas en las últimas páginas, al describir el laborioso nacimiento del hijo, el mismo día de la proclamación de la república.

La historia amorosa de *La Tribuna* puede descomponerse en varias micronarraciones, encadenadas en una estructura estable, semejante a la utilizada por Cl. Bremond y por Tzvetan Todorov[30]:

Deseo de aventura de Baltasar = Baltasar ronda a Amparo.
↓
Paseos con Borrén
↓

↓
Galanteos amorosos
↓
Ilusiones de Amparo = Afán de superación social
↓
Embebida en el trabajo
↓
Objeciones de Candelaria
↓
«Amor iguala las clases»
↓

[30] *Literatura y significación*, Barcelona, ed. Planeta, 1971, páginas 72-73.

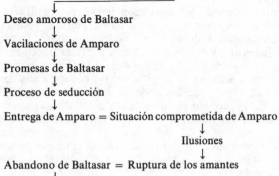

Deseo amoroso de Baltasar
↓
Vacilaciones de Amparo
↓
Promesas de Baltasar
↓
Proceso de seducción
↓
Entrega de Amparo = Situación comprometida de Amparo
↓
Ilusiones
↓
Abandono de Baltasar = Ruptura de los amantes
↓
Hastío de Baltasar = Acción política de Amparo

Con el nacimiento del hijo, *La Tribuna* queda como un ejemplo de novela abierta. Pero la aventura tendrá un insospechado desenlace en *Memorias de un solterón*. El hijo de Amparo, tipógrafo socialista, consigue que Baltasar Sobrado, militar retirado entonces, vividor sibarita y ávido negociante, se case con su madre, legitimando así su nacimiento veintitantos años después[31].

Al comparar las dos categorías actanciales protagonizadas por Amparo, vemos las trayectorias opuestas, con la reparación y el final feliz producidos fuera del cerco narrativo de *La Tribuna*:

Relaciones Chinto - Amparo	Relaciones Baltasar - Amparo	Final en *Memorias de un solterón*
Dependencia laboral	seductor-seducida	Reparación
Declaración amor	ilusiones femeninas	
↑	↓	↓
rechazo	conducta seducción	boda Baltasar - Amparo
	↓	
Ruptura	éxito seducción	

---

[31] *Memorias de un solterón*, capítulos XXIII, XXIV. Ob., Comp., II, páginas 515-519.

Contrapunto de lo real y lo mítico

La Tribuna se desarrolla en un espacio urbano en el que pueden verificarse las perspectivas histórica y social. Por un lado, la escritora descubre un mundo real, concreto. El cerco novelístico está intentando imitar, reproducir, con una técnica especular, la vida cotidiana, el hecho social, el activismo revolucionario.

Indudablemente, Pardo Bazán, como narradora, está «fuera de la historia»; pero en ocasiones el viejo procedimiento omnisciente, con la fórmula $N > P$, se convierte en el equisciente de $N = P$ [32]. Nos aproxima, además, a una equisciencia entre lo novelado y lo novelable. Amparo se mueve dentro de un ambiente real, pero al entrar en el activismo político, al protagonizar la historia amorosa, se transforma en «heroína problemática».

Existe, sin embargo, una interrelación entre el cerco narrativo y el cerco extranarrativo. Marineda, en principio, es un ejemplo de *fantápolis* [33] una creación urbana adecuada a los conflictos sociales que quiere resaltar la novelista; pero, como veremos más adelante, es también un espejo de ciertas estructuras sociales. Además, su trazado, su división en barrios, en zonas, corresponde a la realidad topográfica de La Coruña.

Por otro lado, la escritora coruñesa parte de varios hechos históricos: las resonancias de la revolución de 1868, la efervescencia de las ideas avanzadas entre las cigarreras, la proclamación de la república. El interés de la novela se centra en los acontecimientos políticos, desde el capítulo IX al XIX: diez capítulos densos de contenido ideológico, de actitudes vibrantes, de enfrentamiento entre federales y moderados. Amparo juega un papel importante en esta parte; de lectora apasionada de los periódicos en voz alta, se convierte en oradora, en tribuna de las cigarreras.

Una novela urbana

Los novelistas del realismo-naturalismo descubren las múltiples posibilidades de la exploración de la ciudad:

---

[32] Vid. Oscar Tacca: *Las voces de la novela*, Madrid, Gredos, 1973, página 72.

[33] Ciudad imaginada, creada por el novelista.

el *habitat* físico, el espacio social, las peculiaridades ecológicas, el multifuncionalismo, las instituciones básicas, los grupos primarios y secundarios, la dinámica social, el proceso económico, la patología urbana, la interacción con el mundo rural circundante.

La novelística española nos ofrece densas interpretaciones provincianas; explora ciudades en las que la estratificación social se cierra preferentemente a la parcelación de los barrios. Las funciones de la aristocracia, la burguesía, los artesanos, los obreros, los pescadores, se desarrollan en el sector donde habitan: el barrio antiguo, la calle mayor, las arterias paralelas, el cinturón del extrarradio, los muelles. Nuestros novelistas exploran ciudades concretas o crean *fantápolis* simbólicas; pensemos en «Orbajosa», «Ficóbriga», «Vetusta», «Nieva», «Marineda»...

Hemos visto ya como Emilia Pardo Bazán contribuye a la creación de una prototípica ciudad provinciana. *La Tribuna* y sus otras narraciones están actuando dentro de la novelística española del XIX, aportan un especial estilo personal; juegan papel importante en la delimitación del metagénero «novela urbana provinciana», que podemos representar con este esquema [34]:

Metagénero: «Novela urbana provinciana»	«Estilo de la personalidad»	Género: «Novela española del XIX»
◄ Pardo Bazán ◄ ..... ►	◄ *La Tribuna.*
◄ Pardo Bazán ◄ ..... ►	◄ *La piedra angular.*
◄ Pardo Bazán ◄ ..... ►	◄ *Adán y Eva.*
◄ Pérez Galdós ◄ ..... ►	◄ *Doña Perfecta.*
◄ Pereda ◄ .... ►	◄ *Sotileza.*
◄ *Clarín* ◄ .... ►	◄ *La Regenta.*
◄ *Clarín* ◄ .... ►	◄ *Su único hijo.*
◄ Palacio Valdés ◄ ... ►	◄ *El maestrante.*
◄ Blasco Ibáñez ◄ .... ►	◄ *Arroz y tartana.*

Si exceptuamos *Doña Perfecta*, de Benito Pérez Galdós, publicada en 1876, *La Tribuna* (1882) es la primera novela española del realismo-naturalismo que nos ofrece una densa exploración de una ciudad provinciana. *Sotileza* y *La Regenta* son de 1884. *Su único hijo* aparece

---

[34] Vid. A. J. Greimas: *Semántica estructural*, Madrid, Gredos, 1971.

en la misma fecha que *La piedra angular* y *Memorias de un solterón* (1891). *El maestrante* es de 1893, y *Doña Milagros* y *Arroz y tartana*, de 1894.

Creación literaria de Marineda

Doña Emilia elabora una teoría de su ciudad natal, a lo largo de cinco novelas y numerosos cuentos. Acumula vivencias, impresiones, estructuras sociales, peculiaridades ecológicas. Nacida en la calle del Riego de Agua, se mueve en su niñez en el ambiente dinámico de los paseos y los comercios. Al establecerse en la calle de Tabernas, entra en contacto con los medios aristocráticos, clasistas y conservadores, de la Ciudad Vieja. Actúa, además, sobre ella la sugestión de la próxima iglesia de Santiago, los caserones blasonados, los severos conventos, la Audiencia, la Capitanía General.

La Ciudad Vieja, la Pescadería, la oposición entre la modesta artesanía y el pujante comercio del «Barrio Bajo», el Parrote, el mar, los paseos y jardines, la calle Real, le proporcionan un envidiable espacio novelístico. Sin embargo, esta ciudad tan querida, tan entrañablemente sentida, no figura con su verdadero nombre en el *corpus* novelístico de doña Emilia. Utiliza los topónimos Santiago, Pontevedra, Orense; ajusta los itinerarios de las novelas madrileñas a las calles y paseos que figuran en los planos de la capital. Pero La Coruña se convierte en una entidad literaria, en una comunidad bautizada con el eufónico nombre de Marineda. Y sus barrios, sus plazas, sus calles, sus alrededores, son rebautizados también.

La recreación de esta ciudad ceñida por el mar, azotada por el viento, transmutada en singular *fantápolis*, está explicada en el prólogo de la primera edición de la novela:

«Si bien *La Tribuna* es en el fondo un estudio de costumbres locales, al andar entretejidos en su trama sucesos políticos tan recientes como la Revolución de septiembre de 1868, me impulsó a situar la acción en lugares que pertenecen a aquella geografía moral de la que habla el autor de las *Escenas montañesas* y que todo novelista, chico o grande, tiene el indiscutible derecho a forjarse para su uso particular. Quien desee conocer el plano de Marineda, búsquelo en el atlas de mapas y planos privados donde se colecciona, no sólo el de Orbajosa, Villabermeja y Cateruco, sino en el de las ciudades de R..., de L..., y de X..., que abundan en las novelas románticas. Este privilegio concedido al novelista de crearse un mundo suyo propio, permite más libre inventiva y no se opone a que los elementos todos del microcosmos estén tomados, como es debido, de la realidad. Tal es el procedimiento que empleo en *La Tribuna*, y lo considero suficiente —si el ingenio me ayuda— para alcanzar la verosimilitud artística, el rigor analítico que infunde vigor a una obra.»

Precisiones urbanas

La morfología urbana de Marineda se inicia en *La Tribuna;* se completa en unas páginas *De mi tierra* (1888), en *La piedra angular* (1891), *Memorias de un solterón* (1891) y *Doña Milagros* (1894); se amplía en las novelas cortas *La dama joven* y *Rodando* y en numerosos cuentos. Si tenemos en cuenta las precisiones urbanas, los itinerarios señalados, podemos afirmar que Marineda más que símbolo de prototípica ciudad provinciana, es una realidad ciudadana concreta.

Al cotejar el plano novelístico con el plano real de La Coruña, descubrimos, sin esfuerzo, que el «Barrio Alto» es la Ciudad Vieja; el «Barrio Bajo», la Pescadería. El «Páramo de Solares» separa los dos núcleos urbanos; el antiguo «Derribo» corresponde a la actual calle empinada de Nuestra Señora del Rosario; el campo de San Agustín se transforma más tarde en plaza del Marqués de San Martín; el «Campo de Belona», por la invocación a la diosa de la guerra, se identifica con el Campo de la Estrada, donde hacían prácticas los soldados de Caballería; el «Campo da Forca», lugar donde antiguamente se ajusticiaba a los reos, corresponde al Campo de la Leña, Plaza de España desde 1937. Las murallas que rodeaban la Ciudad Vieja fueron derribadas en 1840; más tarde se desmontó el peñascal en que se asentaban para construir la Plaza de María Pita que elimina la solución de continuidad entre las dos zonas urbanas.

La protagonista de *La Tribuna*, en sus excursiones a la Ciudad Vieja, confluye en el «Páramo de Solares» que en realidad no es más que el espacio limitado por Puerta Real, Puerta de Aires, Campo de la Leña y Cuesta de San Agustín. La separación entre los dos núcleos urbanos puede comprobarse en la vista general que encabeza la *Historia y descripción de la ciudad de La Coruña*, de Enrique de Vedia y Gossens[35].

La Pescadería

El otro polo de atracción de doña Emilia es la Pescadería, el «Barrio de Abajo» de sus relatos, animado por los paseos, los cafés, el teatro, las sociedades de recreo. Los cuatro puntos de localización preferidos son la iglesia de «San Efrén», la «Calle Mayor», el «Paseo de las Filas» y la Marina.

La «Calle Mayor», la principal vía de enlace entre los sectores alto y bajo, es la actual calle Real; en ella resaltan sus «altas casas, defendidas por la brillante coraza de sus galerías refulgentes, en cuyos vidrios centellea la luz de los faroles». La Marina, surgida como consecuencia del relleno para la construcción del malecón, figura con su verdadero nombre. El «Paseo de Filas» es el Cantón. Mientras que el bullicioso mercado está localizado en el mismo lugar.

La descripción de la iglesia de «San Efrén», cita de la burguesía coruñesa, corresponde, sin duda ninguna, a la parroquial de San Jorge. La profesora francesa Jossette Levy[36], en su plano literario de Marineda, la identifica con San Andrés. Pero no puede ser, ya que el templo de *La Tribuna* está muy próximo al mercado y tiene una distinta estructura arquitectónica, con nave de nobles proporciones y capillas laterales. Además, San Andrés por aquellas fechas era una capilla ruinosa, resto del hospital destruido por los ingleses en 1589; en 1881 fue cedida por el gremio de Mareantes y Hermandad de la Paz y Misericordia al filántropo don Eusebio da Guardia; en su lugar se edifica la iglesia actual que no se abre al culto hasta 1890.

[35] La Coruña, imp. Domingo Puga, 1845.
[36] «Emilia Pardo Bazán y el regionalismo gallego», *Bol. Acad. Gallega*, núms. 345-350, pág. 133, La Coruña, 1968.

En *La Tribuna*, lo mismo que más tarde en *La piedra angular*, se establece una oposición entre los patrones ecológicos. Son muy diferentes los códigos, el medio ambiente, las condiciones de vivienda, de los residentes de la Pescadería o la Ciudad Vieja y las de las gentes de extramuros. Dentro de la pirámide económico-social marinedina los protagonistas burgueses ocupan la cúspide y los trabajadores de los Castros y la cuesta de Santa Lucía, la base. En la estructura de la novela, algunos de los actores de niveles opuestos se relacionan en ocasiones, sin llegar a una armónica conexión. Pero otros viven en constante pugna, destruyen, con su actitud, toda posibilidad de cadenas o círculos de comunicación.

Amparo vive en la parte Sur; sale a escena en las tortuosas curvas de la calle de los Castros, entre gentes pobres, llantos de chiquillos, ladridos de perros, niños que chapotean entre las inmundicias del arroyo. Más tarde, su vida se centra en torno a la Fábrica de Tabacos. Cruza por la Olmeda, nombre literario de la Palloza, turbada por el paso de las diligencias y carruajes. Se asoma al parapeto del camino real, para contemplar el mar. Vive en la cuesta de San Hilario (Santa Lucía), barrio pobre de casuchas achaparradas, de viejas ropas tendidas a secar, de niños deformes, poblado por cigarreras, marineros y pescantinas.

La precaria economía del barrio determina la existencia de un comercio adecuado, opuesto al potencial de los nuevos establecimientos del Barrio de Abajo, adaptado a las posibilidades adquisitivas de sus gentes.

«Tiendecillas angostas, donde se vendían zarazas catalanas y pañuelos; abacerías de sucio escaparate, tras de cuyos vidrios, un galán y una dama de pastaflora se miraban tristemente viéndose tan mosqueados y tan añejos, y las cajas tremendas de fósforos se mezclaban con garbanzos, fideos amarillos, aleluyas y naipes; figones que brindaban al apetito sardinas fritas y callos; almacenes en que se feriaban cucharas de palo, cestería, cribas y zuecos»... [37]

---

[37]   *La Tribuna*, cap. XXXI.

Hemos visto como Pardo Bazán proyecta sobre Marineda el espacio geométrico de La Coruña. Quizá su testimonio no corresponda exactamente a las interrelaciones sociales de la época. Podemos pensar con Miguel González Garcés[38] que la Coruña no es una ciudad cerrada, clasista; pero no hay duda de que la bipolarización ideológica arraigada en aquellas fechas, puede determinar la oposición, la intransigencia[39].

Y no hay duda de que el verdadero valor de la novela está en la heterogénea exploración de la comunidad urbana, en el *status* de sus habitantes, en la cadena de contactos e interrelaciones sociales. Dentro de la estructuración de la ciudad, están claramente delimitados cuatro sectores: la Ciudad Vieja, la Pescadería, las pobres casas que rodean el Campo de la Estrada y la zona suburbana del Sur. Pero lo más importante es que no hay separación entre el *habitat* físico y el medio social, que las dimensiones geométricas se relacionan con los patrones ecológicos, los planos horizontales están en función de los verticales[40].

Esta interacción entre el espacio urbano y el *status* social puede representarse gráficamente:

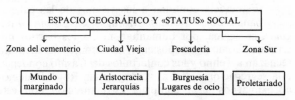

ESPACIO GEOGRÁFICO Y «STATUS» SOCIAL			
Zona del cementerio	Ciudad Vieja	Pescadería	Zona Sur
Mundo marginado	Aristocracia Jerarquías	Burguesía Lugares de ocio	Proletariado

Unos años más tarde, la escritora resalta en *Doña Milagros* y en este texto del libro *De mi tierra*, que la solución de la morfología urbana es también una barrera moral y social:

[38] *La Coruña y Marineda a través del estudio de Varela Jácome*, *La Voz de Galicia*, suplemento dominical, 26 mayo, 1974.
[39] Vid. Ramón Pérez Costales: *Apuntes para la historia*, La Coruña, Lib. de Vicente Abad, 1869. Puede ser una fuente para la efervescencia política en la ciudad en aquellos años.
[40] Vid. Egon Ernest Bergel: *Urban Sociology*, Nueva York, Mc Graw-Hill Book Company, 1955. Ed. española: *Sociología urbana*, Buenos Aires, ed. Bibliográfica Argentina, 1959.

«Los píos lectores de todos mis libros en general y de *La Tribuna* en particular, recordarán que el Páramo de Solares no divide a Marineda sólo en lo físico, sino en lo moral también. Al Barrio de Arriba ha quedado confinado lo que la gente llama *aristocracia*, o sean los elementos conservadores marinedinos, y alguno revolucionario pero de ocultis. Los seis u ocho caserones blasonados que posee la ciudad, en el Barrio de Arriba han de buscarse...»[41].

En cambio, en la Pescadería se acumulan «los elementos innovadores, evolucionistas», las sociedades de recreo, el casino, el teatro, los lujosos cafés, los grandes comercios, los paseos de la buena sociedad.

Con los datos que nos proporciona la novelista podemos reconstruir un *survey* de La Coruña, establecer una interacción entre los cuatro sectores urbanos. La ciudad está pasando por una etapa de dinámica económica; el comercio se ha transformado y modernizado en las calles de la Pescadería, ha entrado en un franco progreso que atrae a las familias de la Ciudad Vieja y fascina a las muchachas del extrarradio. El desarrollo fabril, la fábrica de tabacos, con sus 4.000 trabajadoras, ofrece una nueva fuerza femenina. Las cigarreras se desplazan a la ciudad nueva; en cambio la burguesía y la aristocracia confinan a los vecinos de las callejas suburbanas. Sólo el doctor Moragas, en *La piedra angular*, se acerca, por humanitarismo, a los barrios miserables. Como contraposición, los alumnos del Instituto rechazan a Telmo y los contertulios del Casino condenan a la segregación social al verdugo Juan Rojo. Podemos aproximarnos a la compleja estructuración con este diagrama:

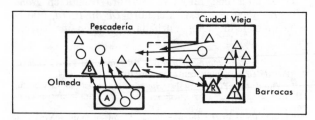

---

41 *De mi tierra*, Madrid, 1888, pág. 324.

Las esferas socio-económicas claves de *La Tribuna* son dos: la burguesía y las cigarreras. La burguesía está enfocada desde las ópticas de la escritora y la protagonista. La postura de doña Emilia, aunque está comprometida con la sociedad coruñesa, es manifiestamente criticista. Ella misma tiene que defenderse de los ataques de sus convecinos, en una nota del *Nuevo Teatro Crítico* [42]:

> Yo no satirizo *ni pienso satirizar jamás;* en primer término, porque no gusto de molestar o lastimar a nadie, la caridad social lo prohibe; en segundo, porque no estimo ese realismo servil que consiste en copiar buenamente lo que tenemos delante y sanseacabó...
>
> Si aprovecho algún rasgo real de personas vivas y que puedan identificarse, será tal que ni las ofenda ni las haga desmerecer en el concepto de la gente sensata. Si retrato a alguien, es con su beneplácito, tomando lo mejor, y rebosando fantasía. Y en cuanto a chismografías o crónicas de pueblo... ni aun se nombren.

En su primera etapa de andadura novelística, Amparo muestra una tendencia al deslizamiento social. Las clases superiores ejercen sobre ella una especial atracción, sobre todo, en la iglesia y el paseo del Cantón. A través de su óptica podemos reconstruir la triple estratificación: económica, social, política. Los sombreros de felpa y bastones de rotén o concha con puño de oro, los gabanes de castor, revelan a los magistrados, regente, gobernador civil; las sombrillas de raso y los modelos de importación madrileña, a las damas de la clase alta; el resplandor de los galones, estrellas y vainas de sable, a los oficiales de Infantería y Caballería...

Su actitud cambia con el tiempo. En la etapa de activismo político, clama contra las clases privilegiadas. Sin embargo, por el canal conductor del amor, se acerca a un miembro de la burguesía. Sabe que la sociedad se opone a estas relaciones; pero sus ilusiones, su inquietud psicológica la inducen a una adaptación parcial de los gustos del estamento superior. Quizá esta asimilación diese sus frutos, si Baltasar no buscase únicamente la satisfacción física. Pero así el intento de capilaridad social ascendente de Amparo es un caso frustrado.

---

[42] Septiembre, 1891, núm. 9, pág. 94.

Pardo Bazán conoce bien el contraste entre la dedicación preferente característica de la actividad rural y la multiplicidad de formas de ocupación en las ciudades. En las novelas coruñesas abundan las alusiones a distintas profesiones, al aprendizaje de una determinada actividad, a la capacitación laboral en las industrias. Precisamente, de la adquisición de una técnica, de una especialización, depende la movilidad social de la protagonista de *La Tribuna*, desde simple ayudante del barquillero a la profesión de cigarrera.

Las interpretaciones del mundo laboral en España son escasas y todas posteriores: unas someras alusiones en *Fortunata y Jacinta* (1886-1887), los recuerdos del trabajo de las minas de carbón en *La Regenta* (1884); la transformación conflictiva de un patriarcal valle asturiano, con la explotación minera, en *La aldea perdida* (1903); los problemas obreros de una zona minera bilbaína y de los altos hornos del Nervión, en *El intruso* (1904), de Blasco Ibáñez. Por eso, *La Tribuna* tiene una singular significación. Es la primera novela española de protagonismo obrero; pero, además, por su singular actividad femenina, juega un papel importante dentro del *corpus* novelístico de finales del xix y comienzos del xx, en este esquema comparativo del metagénero «novela de protagonismo obrero», ordenado en forma cronológica:

Metagénero: «Novela protagonista obrero»	«Estilo de la personalidad»	Género: «Novela del siglo xix»
▶◀ Zola ◀ .... ▶	◀ *L'assommoir.*
▶◀ Pardo Bazán ◀ ..... ▶	◀ *La Tribuna.*
▶◀ Zola ◀ .... ▶	◀ *Germinal.*
▶◀ Palacio Valdés ◀ .... ▶	◀ *La aldea perdida.*
▶◀ Blasco Ibáñez ◀ .... ▶	◀ *El intruso.*

La Tribuna tiene una significación extraordinaria, por tratarse de un documento testimonial, del análisis «implacable» de una capa social, de una interpretación audaz de la efervescencia de las ideas de la revolución de 1868. La novela surge de la intervención de las cigarreras en una revuelta pública, de la contemplación directa de su desfile por la Palloza, de la observación minuciosa de su trabajo. Doña Emilia acude durante varios meses a la fábrica de tabacos de La Coruña. Los primeros días no es bien recibida, debido a la hostilidad de las obreras hacia las señoritas; pero la idea de llevar a su hijo Jaime suaviza los primeros recibimientos; puede contemplar con cierta facilidad sus actitudes, las faenas de elaboración de puros y cigarrillos; escucha conversaciones, anota frases típicas, expresiones del *argot*.

Pardo Bazán se muestra decidida defensora del trabajo y la educación en el sector femenino. Coincide con la pensadora ferrolana Concepción Arenal[43], al denunciar la falta de instrucción laboral en la mujer, al propugnar la doble misión de «madre y trabajadora». La obra tiene, en este aspecto, un singular interés para el estudio psicológico. Además de las minuciosas descripciones de las faenas laborales, acumula datos físicos referidos a la práctica del trabajo, suficientes para trazar una *fisiología socializada*, según la expresión de Baquero Goyanes[44].

En los capítulos localizados en la fábrica crea un *climax* laboral; con sus visiones objetivas demuestra un conocimiento minucioso de la técnica de elaboración del tabaco; capta distintas sensaciones; inunda las salas, las ropas, la propia piel de las cigarreras de un penetrante e inconfundible olor. Resaltan especialmente los cuadros dinámicos de los capítulos XI y XXI, titulados «Pitillos» y «Tabaco picado», animados por trabajo afanoso, el murmullo de las conversaciones y el *tacatá, tacatá* del molinillo de la picadura.

Es necesario insistir en que, por primera vez en la novelística española, Pardo Bazán explora con densidad un mundo laboral; intensifica las visiones de la fábrica con una serie de signos secundarios negativos, referentes a las condiciones de trabajo y signos caracterizadores positivos sobre la habilidad de las cigarreras:

[43] Vid. *El pauperismo*, I, pág. 237.
[44] «La novela naturalista española, Emilia Pardo Bazán», *Anales de la Univ. de Murcia*, 1954-1955, XII-XIII, pág. 559.

Contexto social	Signos secundarios negativos	Signos caracterizadores-positivos
Trabajo en la fábrica	Salas caldeadas encierro escasez de luz atmósfera viciada cansancio dolor de manos	Destreza manos ligeras rapidez resistencia física rendimiento laboral

«Historia de la pobreza»

El protagonismo obrero de *La Tribuna* nos acerca directamente a los medios populares, a las míseras condiciones de vida de las callejas suburbanas, a las precarias técnicas de trabajo doméstico, a la inverosímil multiformidad de las pequeñas tiendas al «por menor»...

Con procedimientos acumulativos naturalistas, la escritora explora, en primer lugar, el denso ambiente de la estrecha y tortuosa calle de los Castros. Muestra un especial interés por las casas achaparradas, miserables. La vivienda del barquillero Rosendo es un claro ejemplo de pobreza. La claridad se embota en los vidrios sucios, verdosos, del ventanillo. «La cocina, oscura y angosta, parecía una espelunca, y encima del fogón relucían siniestramente las brasas de la moribunda hoguera.» En el patín se amontonaban residuos de albañilería, cal, cascos de loza, tarteras rotas, guiñapos, zapatos desfondados. La alcoba era otro ejemplo de estrechez, de fealdad, de penumbra.

Pardo Bazán acumula, a lo largo de esta novela, secuencias y datos suficientes para trazar una sociología de la pobreza. Se ocupa por un lado, de la necesidad primaria de la búsqueda de alimento; resalta como comida básica el puchero de berzas, patatas, una corteza de tocino y un rancio hueso de cerdo. Recarga las tintas al describir el trabajo fatigoso, duro, constante de Rosendo; manifiesta su intención social en la patética circunstancia de la hija que tiene a su lado unos cinco mil barquillos, pero debe comer «pan de mixtura».

Las precarias condiciones de vida se intensifican en el capítulo segundo. La madre enferma, tullida, aparece en un primer plano, en medio del deprimente cuadro de la vivienda, en la cama en desorden, entre cobertores color de hospital; en una silla próxima, la palangana llena de agua jabonosa y grasienta... La familia lleva la carga de esta sórdida miseria: la madre, desesperada en el lecho; el padre elaborando en silencio los barquillos, pregonándolos horas y horas por las calles; la hija, huyendo del ambiente opresivo, para corretear por la ciudad...

Condiciones sociales homólogas se repiten en la novela. La precaria base económica condiciona las situaciones límite. Las viviendas insalubres, la parquedad de alimentos, la carencia de higiene, determinan taras físicas, graves enfermedades. Pero doña Emilia no sólo se limita a describir los ambientes; toma postura ante los agudos problemas, dota a sus calas de un valor sociológico. Así, al explorar la vivienda de Amparo, concluye: «en resumen: la historia de la pobreza y de la incuria narrada en prosa por una multitud de objetos feos; historia que la chiquilla comprendía intuitivamente, pues hay quien, sin haber nacido entre sábanas y holandas, presume las comodidades y deleites que jamás gozó»[45].

La presentación especular de los medios populares tiene más efectividad por su contraste con la jerarquización social de la Pescadería y la Ciudad Vieja. Podemos comparar con los paseos burgueses la visión de las viejas sentadas a las puertas de sus tugurios, en sillas bajas y destartaladas; las muchachas pálidas, enfermizas, que trabajan sobre sus labores; niños raquíticos, encanijados, jugando sobre la sucia calzada.

La nueva calle de Amparo, en el barrio de Santa Lucía, es otro polo de exploración, protagonizada por cigarreras, pescadores y pescantinas. Al lado de los rudos marineros que se asoman al parapeto, las mujeres peinan su cabellera, remiendan viejas faldas, mondan patatas, amamantan a sus hijos. El minucioso detallismo de datos físicos, la enumeración de la indumentaria, son otros datos testimoniales de esta historia de la pobreza:

«Veíanse allí gabanes aprovechados de un hermano mayor, y tan desmesuradamente largos, que el talle besaba las corvas y los faldones barrían el piso, si ya

[45] *La Tribuna*, cap. II.

un tijeretazo oportuno no los había suprimido; en cambio, no faltaba pantalón tan corto que, no logrando encubrir la rodilla, arregazaba impúdicamente descubriendo medio muslo. Zapatos pocos, y ésos muy estropeados y risueños, abiertos de boca y endeblillos de suela; ropa blanca reducida a jirón...[46].

Intensificación naturalista

La novelista intensifica con procedimientos naturalistas la exploración del mundo suburbano. La enfermedad, los datos físicos y fisiológicos, las huellas de suciedad, «las pústulas de la viruela», «las ronchas del sarampión», configuran la capa social de las afueras. Es impresionante la secuencia naturalista de los cuatro hermanos de *la Guardiana:* «todos marcados con la mano de hierro de la enfermedad hereditaria: epiléptico el uno, escrofulosos y raquíticos dos y la última, niña de tres años, sordomuda; al raquítico dio en abultársele la cabeza, poniéndosele como un odre, fue preciso traerle médico y medicinas, todo para salir al cabo con que era una bolsa de agua y que la bolsa se lo llevaba al otro mundo»[47].

La cámara registradora de lo minucioso, se detiene en la chiquillería que inunda la calzada:

«De cada casa baja y roma, al lucir el sol en el horizonte, salía una tribu, una pollada, un hormiguero de ángeles entre uno y doce años... De ellos los había patizambos, que corrían como asustados palmípedos; de ellos derechitos de piernas ágiles como micos o ardillas»...[48].

Al lado de las trasmutaciones zoomórficas, encontramos una especial preferencia por la deformidad, por las taras, por lo monstruoso, por los mendigos descritos con fuertes brochazos, anticipo de las creaciones expresionistas de Valle-Inclán:

«Un elefancíaco enseñaba su rostro bulboso, un herpético descubría el cráneo pelado y lleno de pústulas, éste tendía una mano seca, aquél señalaba un muslo

[46] Ídem, cap. XXX.
[47] Ídem, cap. XI.
[48] Ídem, cap. XXX.

ulcerado, invocando a Santa Margarita para que nos libre de *males extraños*. En un carretoncillo, un fenómeno sin piernas, sin brazos, con enorme cabezón envuelto en trapos viejos y gafas verdes, exhalaba un grito ronco y suplicante, mientras una mocetona en pie, al lado del vehículo, recogía las limosnas»[49].

El naturalismo está representado, igualmente, por la muerte de Rosendo, con su explicación psico-fisiológica. Pero, sobre todo, la preocupación fisiológica está representada por la descripción del laborioso parto de Amparo, en el capítulo XXXVII, escala intensificada del clamor al dolor.

Nuestra edición y la fecha de la novela

Seguimos en nuestro texto la primera edición y el volumen VIII de las Obras Completas de la autora. Debemos recordar que en la edición *princeps* no figura la fecha en la portada, pero en el prólogo de la novela consta la data siguiente: «Granja de Meirás, octubre de 1882.» De esta data derivan las vacilaciones de los investigadores. Recientemente, José Manuel González Herrán[50] fija definitivamente la publicación hacia finales de 1883. Este profesor de la Universidad de Santiago, además de apuntar las distintas precisiones de la crítica, aduce los siguientes argumentos: la propia opinión de la autora de que *La Tribuna* no se había publicado aún, «si bien estaba ya en manos del editor, cuando por primera vez corrió la locomotora de Madrid a La Coruña», acontecimiento que tuvo lugar el 1 de septiembre de 1883. Doña Emilia, en una carta a José Ixart, del 17 de noviembre de 1883, afirma que está próxima «a ver la luz *La Tribuna*, de la cual ya he corregido las pruebas». Por otro lado, contamos con el testimonio de las tres primeras reseñas: las del 31 de diciembre de 1883, en *El Imparcial* y *La Época*, y la de José Ixart, en *La Época*, del 7 de enero de 1884.

---

[49] *Ídem*, cap. XXV.
[50] *Vid*. «Emilia Pardo Bazán y José María de Pereda» (trab. cit. en bibliografía), págs. 266-267.

Bibliografía

A) Ediciones

La Tribuna, Madrid, A. Carlos Hierro, 1883.
La Tribuna, *O.C.*, t. VIII, Madrid, Imps. Renacimiento y Atlántica, 1892.
Obras Completas, vol. II, Introducción de Federico Sáinz de Robles, Madrid, Aguilar, 1947. Reediciones, 1951, 1956, 1964.
La Tribuna, Introducción de José Hesse, Madrid, Taurus, 1968. Reed., 1981, 1982.

B) Estudios

1. *Libros*

Baquero Goyanes, Mariano, *Emilia Pardo Bazán*, Madrid, Publicaciones Españolas, 1971.
Barroso, Fernando J., *El naturalismo en la Pardo Bazán*, Madrid, Plaza Mayor, 1973.
Blanc, Yvette, *La mujer tradicional y la mujer emancipada en la obra novelesca de E. Pardo Bazán*, D. E. S., Nice, 1965.
Bravo Villasante, Carmen, *Vida y obra de Emilia Pardo Bazán*, Madrid, Revista de Occidente, 1963.
— *Emilia Pardo Bazán*, Barcelona, Círculo de Lectores, 1971.
Brown, Donald Fowller, *The influence of Zola in the novelistic and critical of E. Pardo Bazán*, Illinois, 1933.
— *The catholic naturalism of Pardo Bazán*, Chapel Hill, University of North Carolina Press, 1957.
Brown, M. Gordon, *La vida y las novelas de Emilia Pardo Bazán*, Madrid, 1940.
Cleméssy, Nelly, *Emilia Pardo Bazán, romanciére*, París, Centre de Rech. Hisp., 1973, 2 vols. Versión española: *Emilia Pardo Bazán como novelista* (De la teoría a la práctica), Madrid, Fundación Universitaria, 1981, 2 vols.
Cook, Teresa A., *El feminismo en la novela de la Condesa de Pardo Bazán*, La Coruña, Diputación Provincial, 1976.
Correa Calderón, Evaristo, *El centenario de doña Emilia Pardo Bazán*, Madrid, Facultad de Filosofía y Letras, 1952.
Foster, Hildegarde, *Zolas einfluso auf die literarischen der gräfin Emilia Pardo Bazán*, Münster, Lengerich, 1940.
González López, *Emilia Pardo Bazán, novelista de Galicia*, Nueva York, Hispanic Institute, 1944.

GONZÁLEZ TORRES, Rafael, *Los cuentos de Emilia Pardo Bazán*, Boston, Florentia Publishers, 1977.

LEGAL, Nelly, *La Comtesse de Pardo Bazán devant les grandes préocupations de son temps*, D. E. S., París, 1954.

LEVY, Josette, *Emilia Pardo Bazán et le régionalisme galicien*, D. E. S., París, 1957. Versión española en *Bol. Academia Gallega*, a partir de números 327-332.

MENGE, Ulrich, *Die dialektische Strucktur der Kurzgeschichten doña Emilia Pardo Bazán*, Hamburgo, 1967.

OSBORNE, Robert S., *Emilia Pardo Bazán, su vida y sus obras*, México, De Andrea, 1964.

PAREDES NÚÑEZ, Juan, *Los cuentos de Emilia Pardo Bazán*, Granada, Universidad, 1979.

PATTISON, Walter T., *Emilia Pardo Bazán*, Nueva York, Twayne Publishers, 1971.

SCARI, Robert M., *Bibliografía descriptiva de estudios críticos sobre la obra de Emilia Pardo Bazán*, Valencia, Albatros-Hispanófila, 1982.

SCONE, Elisabeth, *Cosmopolitan attitudes in the works of Emilia Pardo Bazán*, Doct. dissert., University of New México, 1959.

VARELA JÁCOME, Benito, *Estructuras novelísticas de Emilia Pardo Bazán*, Santiago de Compostela, Inst. P. Sarmiento, C.S.I.C., 1973.

2. Análisis de enfoque general

BRETZ, Mary Lee, «Naturalismo y feminismo en Emilia Pardo Bazán», *Papeles de Son Armadans*, 87, 261, 1977, páginas 195-219.

BRAVO VILLASANTE, C., Prólogo y ed. de *Cartas a Galdós-Emilia Pardo Bazán*, Madrid, Turner, 1978.

CLEMÉSSY, Nelly, «El ideario de doña Emilia Pardo Bazán: sus ideas estéticas, sus preocupaciones políticas y morales», *Revista Instituto José Cornide*, VII, 7, La Coruña, 1971, págs. 7-29.

DUTEIL, Françoise, «Le naturalisme dans les deux romans de la Pardo Bazán: *Los pazos de Ulloa y La Madre Naturaleza*», D. E. S., París, 1965.

FARLOW, Charlotte Elayne, *Emilia Pardo Bazán and the Theater*, Ph. D. dissertation, Univ. of Wisconsin-Madinson, 1977, 208 págs.

GILES, Mary E., «Impresionist techniques in descriptions by E. Pardo Bazán», *Hispanic Review*, 1962, V, XXX, páginas 304-316.

GUTTMANN, Jacqueline M., *Representative Women in the Narrative Works of Emilia Pardo Bazán*, Ph. D. dissertation, Univ. of New México, 1978, 208 págs.

HILTON, Ronald, «Emilia Pardo Bazán concept of Spain», *Hispania*, 34, 1951, págs. 327-342.

KIRBY, Harry L., Jr., Introducción y bibliografía en tomo III *Ob. Comp.*, *Cuentos/Crítica literaria*, Madrid, Aguilar, 1973.

MARTÍNEZ BARBEITO, Carlos, «Emilia Pardo Bazán coruñesa», *Revista Instituto Cornide*, VII, 7, La Coruña, 1971, páginas 31-78.

REY, Alfonso, «El cuento psicológico en Pardo Bazán», *Hispanófila*, 59, 1977, págs. 19-30.

ROSELLI, Ferdinando, *Une polémica litteraria in Spagna. Il romanzo naturalista*, Pisa, Universidad, 1963.

SENOB, Alice, *Pardo Bazán and naturalism*, tesis, University of Arizona, 1933.

TORRE, Guillermo de, «Emilia Pardo Bazán y las cuestiones del naturalismo, *Cuadernos Americanos*, CIX, 2, 1960, páginas 238-260.

VÁLGOMA Y DÍAZ VARELA, Dalmiro de la, *La condesa de Pardo Bazán y sus linajes nobiliarios*, Burgos, 1952.

VARELA JÁCOME, Benito, «Emilia Pardo Bazán, Rosalía de Castro y Murguía», *Cuadernos de Est. Gallegos*, VI, páginas 405-429.

— «Romanticismo en tres novelas de Pardo Bazán», *Cuadernos de Est. Gallegos*, XXIV, 1969, págs. 315-330.

VILLANUEVA, Darío, «*Los pazos de Ulloa*, el naturalismo y Henry James», *Hispanic Review*, Spring, 1984.

— Recensión del libro de Cleméssy, «E. P. Bazán como novelista», *Bol. Bibl. Menéndez Pelayo*, LIX, 1983, páginas 380-390.

3. *Estudios especiales sobre «La Tribuna»*

ALAS, Leopoldo, «*La Tribuna*, novela original de doña Emilia Pardo Bazán», *Sermón perdido*, Madrid, Fernando Fe, 1885, págs. 111-119.

FUENTES, Víctor, «La aparición del proletariado en la novelística. Sobre *La Tribuna*», *Grial*, 31, 1971, págs. 90-95.

GONZÁLEZ HERRÁN, José Manuel, «*La Tribuna* y un posible modelo real de su protagonista», *Ínsula*, 1975, 346, páginas 1 y 6.

— «Emilia Pardo Bazán y José M.ª de Pereda: algunas cartas inéditas», *Bol. Bibl. Menéndez Pelayo*, LIX, 1983, páginas 259-287.

HESSE, José, Introducción a *La Tribuna*, Madrid, Taurus, 1982.

SÁNCHEZ REBOREDO, José, «Emilia Pardo Bazán y la realidad obrera, notas sobre *La Tribuna*», *Cuadernos Hispanoamericanos*, 1979, 351, págs. 567-580.

Prólogo de la autora

a la primera edición

Lector indulgente: No quiero perder la buena costumbre de empezar mis novelas hablando contigo breves palabras. Más que nunca, debo sostenerla hoy, porque acerca de *La Tribuna* tengo varias advertencias que hacerte, y así caminarán juntos en este prólogo el gusto y la necesidad.

Si bien *La Tribuna* es en el fondo un estudio de costumbres locales, el andar entretejidos en su trama sucesos políticos tan recientes como la Revolución de septiembre de 1868, me impulsó a situar la acción en lugares que pertenecen a aquella geografía moral de que habla el autor de las *Escenas montañesas*, y que todo novelista, chico o grande, tiene el indiscutible derecho a forjarse para su uso particular. Quien desee conocer el plano de Marineda, búsquelo en el atlas de mapas y planos privados donde se colecciona, no sólo el de Orbajosa, Villabermeja y Coteruco[1], sino en el de las ciudades de R***, de L*** y de X***, que abundan en las novelas románticas. Este privilegio concedido al novelista de crearse un mundo suyo propio, permite más libre inventiva y no se opone a que los elementos todos del microcosmos estén tomados, como es debido, de la realidad. Tal es el procedimiento que empleo en *La Tribuna*, y lo considero suficiente —si el ingenio me ayuda— para alcanzar la verosimilitud artística, el vigor analítico que infunde vida a una obra.

---

[1] Orbajosa es la «fantápolis» creada por Pérez Galdós, para la localización de *Doña Perfecta*. Villabermeja es una creación de Juan Valera. Coteruco de la Rinconada sirve de ambientación a *Don Gonzalo González de la Gonzalera*, de José María de Pereda.

Al escribir *La Tribuna* no quise hacer sátira política; la sátira es género que admito, sin poderlo cultivar; sirvo poco o nada para el caso. Pero así como niego la intención satírica, no sé encubrir que en este libro, casi a pesar mío, entra un propósito que puede llamarse *docente*. Baste a disculparlo el declarar que nació del espectáculo mismo de las cosas, y vino a mí, sin ser llamado, por su propio impulso. Al artista que sólo aspiraba a retratar el aspecto pintoresco y característico de una *capa social* se le presentó, por añadidura, la moráleja, y sería tan sistemático rechazarla como haberla buscado.

Porque no necesité agrupar sucesos, ni violentar sus consecuencias, ni desviarme de la realidad concreta y positiva para tropezar con pruebas de que es absurdo el que un pueblo cifre sus esperanzas de redención y ventura en formas de gobierno que desconoce, y a las cuales por lo mismo atribuye prodigiosas virtudes y maravillosos efectos. Como la raza latina practica mucho este género de culto fetichista e idolátrico, opino que, si escritores de más talento que yo lo combatiesen, prestarían señalado servicio a la patria.

Y vamos a otra cosa. Tal vez no falte quien me acuse de haber pintado al pueblo con crudeza naturalista. Responderé que si nuestro pueblo fuese igual al que describen Goncourt y Zola, yo podría meditar profundamente en la conveniencia o inconveniencia de retratarlo; pero resuelta a ello, nunca seguiría la escuela idealista de Trueba y de la insigne *Fernán*, que riñe con mis principios artísticos. Lícito es callar, pero no fingir. Afortunadamente, el pueblo que copiamos los que vivimos del lado de acá del Pirineo no se parece todavía, en buen hora lo digamos, al del lado de allá. Sin dar en optimista, puedo afirmar que la parte de pueblo que vi de cerca cuando tracé estos estudios me sorprendió gratamente con las cualidades y virtudes que, a manera de agrestes renuevos de inculta planta, brotaban de él ante mis ojos. El método de análisis implacable que nos impone el arte moderno me ayudó a comprobar el calor de corazón, la generosidad viva, la caridad inagotable y fácil, la religiosidad sincera, el recto sentir que abunda en nuestro pueblo, mezclado con mil flaquezas, miserias y preocupaciones que a primera vista lo oscurecen. Ojalá pudiese yo, sin caer en falso idealismo, patentizar esta belleza recóndita.

No; los tipos del pueblo español en general, y de la costa cantábrica en particular, no son aún —salvas *fenomenales excepciones*— los que se describen con terrible verdad en *L'assommoir, Germinie Lacerteux* y otras obras, donde parece que el novelista nos descubre las abominaciones monstruosas de la Roma pagana, que, unidas a la barbarie más grosera, retoñan en el corazón de la Europa cristiana civilizada. Y ya que, por dicha nuestra, las faltas del pueblo que conocemos no rebasan de aquel límite a que raras veces deja de llegar la flaca decaída condición del hombre, pintémosle, si podemos, tal cual es, huyendo del *patriarcalismo* de Trueba como del socialismo humano de Sue, y del método de cuantos, trocando los frenos, atribuyen a Calibán las seductoras gracias de Ariel.

En abono de *La Tribuna* quiero añadir que los maestros Galdós y Pereda abrieron camino a la licencia que me tomo de hacer hablar a mis personajes como realmente se habla en la región en donde los saqué. Pérez Galdós, admitiendo en su *Desheredada* el lenguaje de los barrios bajos; Pereda, sentenciando a muerte a las zagalejas de porcelana y a los pastorcillos de égloga, señalaron rumbos de los cuales no es permitido apartarse ya. Y si yo debiese a Dios las facultades de algunos de los ilustres narradores cuyo ejemplo invoco, ¡cuánto gozarías, oh lector discreto, al dejar los trillados caminos de la retórica novelesca diaria para beber en el vivo manantial de las expresiones populares, incorrectas y desaliñadas, pero frescas, enérgicas y donosas!

Queda adiós, lector, y ojalá te merezca este libro la misma acogida que *Un viaje de novios*. Tu aplauso me sostendrá en la difícil vía de la observación, donde no todo son flores para un alma compasiva.

EMILIA PARDO BAZÁN.

Granja de Meirás, octubre de 1882.

La Tribuna

I

Barquillos

Comenzaba a amanecer, pero las primeras y vagas luces del alba a duras penas lograban colarse por las tortuosas curvas de la calle de los Castros, cuando el señor Rosendo, el barquillero que disfrutaba de más parroquia y popularidad en Marineda[2], se asomó, abriéndose a bostezos, a la puerta de su mezquino cuarto bajo. Vestía el madrugador un desteñido pantalón grancé[3] reliquia bélica, y estaba en mangas de camisa. Miró al poco cielo que blanqueaba por entre los tejados, y se volvió a su cocinilla, encendiendo un candil y colgándolo del estribadero de la chimenea. Trajo del portal un brazado de astillas de pino, y sobre la piedra del fogón las dispuso artísticamente en pirámide, cebada por su base con virutas, a fin de conseguir una hoguera intensa y llameante. Tornó del vasar un tarterón, en el cual vació cucuruchos de harina y azúcar, derramó agua, cascó huevos y espolvoreó canela. Terminadas estas operaciones preliminares, estremecióse de frío —porque la puerta había quedado de par en par, sin que en cerrarla pensase— y descargó en el tabique dos formidables puñadas.

Al punto salió rápidamente del dormitorio o cuchitril contiguo una mozuela de hasta trece años, desgreñada, con el incierto andar de quien acaba de despertarse bruscamente, sin más atavíos que una enagua de lienzo

---

[2] Nombre literario con que Pardo Bazán bautiza a La Coruña. Sirve de ambientación a sus novelas *La Tribuna*, *Doña Milagros*, *Memorias de un soltero* y *La piedra angular*.

[3] Rojo; se aplica al color que resulta al teñir los paños con la raíz de la rubia o granza.

y un justillo de dril, que adhería a su busto, anguloso aún, la camisa de estopa. Ni mir´ la muchacha al señor Rosendo, ni le dio los buenos días; atontada con el sueño y herida por el fresco matinal, que le mordía la epidermis, fue a dejarse caer en una silleta, y mientras el barquillero encendía estrepitosamente fósforos y los aplicaba a las virutas, la chiquilla se puso a frotar con una piel de gamuza el enorme cañuto de hojalata donde se almacenaban los barquillos.

Instalóse el señor Rosendo en su alto trípode de madera, ante la llama chisporroteadora y crepitante ya, y metiendo en el fuego las magnas tenazas, dio principio a la operación. Tenía a su derecha el barreño del amohado[4], en el cual mojaba el cargador, especie de palillo grueso, y extendiendo una leve capa de líquido sobre la cara interior de los candentes hierros, apresurábase a envolverla en el molde con su dedo pulgar, que, a fuerza de repetir este acto, se había convertido en una callosidad tostada, sin uña, sin yema y sin forma casi. Los barquillos, dorados y tibios, caían en el regazo de la muchacha, que los iba introduciendo unos en otros a guisa de tubos de catalejo, y colocándolos simétricamente en el fondo del cañuto, labor que se ejecutaba en silencio, sin que se oyese más rumor que el crujir de la leña, el rítmico chirrido de las tenazas al abrir y cerrar sus fauces de hierro, el seco choque de los crocantes barquillos al tropezarse y el silbo del amohado al evaporar su humedad sobre la ardiente placa. La luz del candil y los reflejos de la lumbre arrancaban destellos a la hojalata limpia, al barro vidriado de las cazuelas del vasar, y la temperatura se suavizaba, se elevaba, hasta el extremo de que el señor Rosendo se quitase la gorra con visera de hule, descubriendo la calva sudorosa, y la niña echase atrás, con el dorso de la mano, sus indómitas guedejas, que la sofocaban.

Entre tanto, el sol, campante ya en los cielos, se empeñaba en cerner alguna claridad al través de los vidrios verdosos y puercos del ventanillo que tenía obligación de alumbrar la cocina. Sacudía el sueño la calle de los Castros, y mujeres en trenza y en cabello, cuando no

---

[4] Pasta líquida, a base de harina y azúcar o miel, para hacer los barquillos. Vocablo gallego; se aplica a la pasta con la que se hacen las filloas. Su ortografía correcta es *amoado*.

en refajo y chancletas, pasaban apresuradas, cuál en busca de agua, cuál a comprar provisiones a los vecinos mercados; oíanse llantos de chiquillos, ladridos de perros; una gallina cloqueó; el canario de la barbería de enfrente redobló trinando como un loco. De tiempo en tiempo, la niña del barquillero lanzaba codiciosas ojeadas a la calle. ¡Cuándo sería Dios servido de disponer que ella abandonase la dura silla y pudiese asomarse a la puerta, que no es mucho pedir! Pronto darían las nueve, y de los seis mil barquillos que admitía la caja sólo estaban hechos cuatro mil y pico. Y la muchacha se desperezó maquinalmente. Es que desde algunos meses acá bien poco le lucía el trabajo a su padre. Antes despachaba más.

El que viese aquellos cañutos dorados, ligeros y delez-nables como las ilusiones de la niñez, no podía figurarse el trabajo ímprobo que representaba su elaboración. Mejor sería manejar la azada o el pico que abrir y cerrar sin tregua las tenazas abrasadoras, que, además de quemar los dedos, la mano y el brazo, cansaban doloro-samente los músculos del hombro y del cuello. La mirada, siempre fija en la llama, se fatigaba; la vista disminuía; el espinazo, encorvado de continuo, llevaba, a puros esguinces, la cuenta de los barquillos que salían del molde. ¡Y ningún día de descanso! No pueden los barquillos hacerse de víspera; si han de gustar a la gente menuda y golosa, conviene que sean fresquitos. Un nada de humedad los reblandece. Es preciso pasarse la mañana, y a veces la noche, en fabricarlos; la tarde, en vocearlos y venderlos. En verano, si la estación es buena y se despacha mucho y se saca pingüe jornal, también hay que estarse las horas caniculares, las horas perezosas, derritiendo el alma sobre aquel fuego, sudando el quilo[5], preparando provisión doble de barquillos para la venta pública y para los cafés. Y no era que el señor Rosendo estuviese mal con su oficio; nada de eso; artistas habría orgullosos de su destreza, pero tanto como él, ninguno. Por más que los años le iban venciendo, aún se jactaba de llenar en menos tiempo que nadie el tubo de hojalata. No ignoraba primor alguno de los concernientes a su profesión: barquillos anchos y finos como seda para

---

[5] Expresión figurada y coloquial: trabajar con gran fatiga y calor. Corriente en toda España.

rellenar de huevos hilados, barquillos recios y estrechos para el agua de limón y el sorbete, hostias para las confiterías —y no las hacía para las iglesias por falta de molde que tuviese una cruz—, flores, hojuelas y *orejas de fraile*[6] en Carnaval, buñuelos en todo tiempo... Pero nunca lo tenía de lucir estas habilidades accesorias, porque los barquillos de diario eran absorbentes. ¡Bah! En consiguiendo vivir y mantener la familia...

A las nueve muy largas, cuando cerca de cinco mil barquillos reposaban en el tubo, todavía el padre y la hija no habían cruzado palabra. Montones de brasas y cenizas rodeaban la hoguera, renovada dos o tres veces. La niña suspiraba de calor, el viejo sacudía frecuentemente la mano derecha, medio asada ya. Por fin, la muchacha profirió:

—Tengo hambre.

Volvió el padre la cabeza, y con expresivo arqueamiento de cejas indicó un anaquel del vasar. Encaramóse la chiquilla, trepando sobre la artesa, y bajó un mediano trozo de pan de mixtura[7], en el cual hincó el diente con buen ánimo. Aún rebuscaba en su falda las migajas sobrantes para aprovecharlas, cuando se oyeron crujidos de catre, carraspeos, los ruidos característicos del despertar de una persona, y una voz, entre quejumbrosa y despótica, llamó desde la alcoba cercana al portal:

—¡Amparo!

Se levantó la niña y acudió al llamamiento, resonando de allí a poco rato su hablar.

—Afiáncese, señora..., así..., cárguese más..., aguarde, que le voy a batir ese jergón... —y aquí se escuchó una gran sinfonía de hojas de maíz, un *sirrisssch*... prolongado y armonioso.

La voz quejumbrosa dijo opacamente algo, y la infantil contestó:

—Ya la voy a poner a la lumbre ahora mismo... ¿Tendrá por ahí el azúcar?

Y respondiendo a una interpelación altamente ofensiva para su dignidad, gritó la chiquilla:

—Piensa que... ¡Aunque fuera oro puro! Lo escondería usted misma... Ahí está, detrás de la funda... ¿Lo ve?

---

[6] Fruta de sartén, preparada con masa de harina, huevos y leche.
[7] Pan hecho con mezcla de maíz y centeno.

Salió con una escudilla desportillada en la mano, llena de morena melaza, y arrimando al fuego un pucherito donde estaba ya la cascarilla, le añadió en debidas proporciones azúcar y leche, y volvióse al cuarto del portal con una taza humeante y colmada a reverter. En el fondo del cacharro quedaba como cosa de otra taza. El barquillero se enderezó, llevándose las manos a la región lumbar, y sobriamente, sin concupiscencia, se desayunó bebiendo las sobras por el puchero mismo. Enjugó después su frente, regada de sudor, con las mangas de la camisa, entró a su vez en el cuarto próximo, y al volver a presentarse, vestido con pantalón y chaqueta de paño pardo, se terció a las espaldas la caja de hojalata y se echó a la calle. Amparo, cubriendo la brasa con ceniza, juntaba en una cazuela berzas, patatas, una corteza de tocino y un hueso rancio de cerdo, cumpliendo el deber de preparar el caldo del humilde menaje. Así que todo estuvo arreglado, metióse en el cuchitril, donde consagró a su aliño personal seis minutos y medio, repartidos como sigue: un minuto para calzarse los zapatos de becerro, pues todavía estaba descalza; dos para echarse un refajo de bayeta y un vestido de tartán; un minuto para pasarse la punta de un paño húmedo por ojos y boca (más allá no alcanzó el aseo); dos minutos para escardar con un peine desdentado la revuelta y rizosa crencha, y medio para tocarse al cuello un pañolito de indiana... Hecho lo cual, se presentó, más oronda que una princesa, a la persona encamada a quien había llevado el desayuno. Era ésta una mujer de edad madura, agujereada como una espumadera por las viruelas, chata de frente, de ojos chicos. Viendo a la chiquilla vestida, se escandalizó:

—¿Adónde iría ahora semejante vagabunda?

—A misa, señora, que es domingo... ¿Qué volver con noche ni con coche? Siempre vine con día, siempre... ¡Una vez de cada mil! Queda el caldo preparadito al fuego... Vaya, abur.

Y se lanzó a la calle con la impetuosidad y brío de un cohete bien disparado.

II

Padre y madre

Tres años antes, la imposibilitada estaba sana y robusta y ganaba su vida en la fábrica de tabacos. Una noche de invierno fue a jabonar ropa blanca al lavadero público, sudó, volvió desabrigada y despertó tullida de las caderas.

—Un aire[8], señor —decía ella al médico.

Quedóse reducida la familia a lo que trabajase el señor Rosendo: el réal diario que del *fondo de hermandad* de la fábrica recibía la enferma no llegaba a medio diente. Y la chiquilla crecía, y comía pan, y rompía zapatos, y no había quien la sujetase a coser ni a otro género de tareas. Mientras su padre no se marchaba, el miedo a un pasagonzalo sacudido con el cargador la tenía quieta ensartando y colocando barquillos; pero apenas el viejo se terciaba la correa del tubo, sentía Amparo en las piernas un hormigueo, un bullir de la sangre, una impaciencia como si le naciesen alas a miles en los talones. La calle era su paraíso. El gentío la enamoraba; los codazos y empujones la halagaban cual si fuesen caricias; la música militar penetraba en todo su ser, produciéndole escalofríos de entusiasmo. Pasábase horas y horas correteando sin objeto al través de la ciudad, y volvía a casa con los pies descalzos y manchados de lodo, la saya en jirones, hecha una sopa, mocosa, despeinada, perdida y rebosante de dicha y salud por todos los poros de su cuerpo. A fuerza de filípicas maternales, corría una escoba por el piso, salaba el caldo, traía una herrada de agua; en seguida, con

---

[8] Ataque de parálisis; «dar un aire».

rapidez de ave, se evadía de la jaula y tornaba a su libre vagancia por calles y callejones.

De estos instintos nómadas tendría bastante culpa la vida que forzosamente hizo la chiquilla mientras su madre asistió a la fábrica. Sola en casa con su padre, apenas éste salía, ella lo imitaba, por no quedarse metida entre cuatro paredes; ¡vaya!, y que no eran tan alegres para que nadie se embelesase mirándolas. La cocina, oscura y angosta, parecía una espelunca[9], y encima del fogón relucían siniestramente las últimas brasas de la moribunda hoguera. En el patín, si es verdad que se veía claro, no consolaba mucho a los ojos el aspecto de un montón de cal y residuos de albañilería, mezclados con cascos de loza, tarteras rotas, un molinillo inservible, dos o tres guiñapos viejos y un innoble zapato que se reía a carcajadas. Casi más lastimoso era el espectáculo de la alcoba matrimonial: la cama en desorden, porque la salida precipitada a la fábrica no permitía hacerla; los cobertores color hospital, que no bastaban a encubrir una colcha rabicorta; la vela de sebo, goteando triste-mente a lo largo de la palmatoria de latón veteada de cardenillo; la palangana puesta en una silla y henchida de agua jabonosa y grasienta; en resumen: la historia de la pobreza y de la incuria narrada en prosa por una multitud de objetos feos; historia que la chiquilla com-prendía intuitivamente, pues hay quien, sin haber nacido entre sábanas y holandas, presume y adivina las como-didades y deleites que jamás gozó. Así es que Amparo huía, huía de sus lares camino de la fábrica, llevando a su madre, en una fiambrera, el bazuqueante caldo; pero soltando a lo mejor la carga, poníase a jugar al corro, a *San Severín*, a la viudita, a cualquier cosa con las damiselas de su edad y pelaje.

Cuando la madre se vio encamada, quiso poner a la hija al trabajo sedentario; era tarde. El rústico arbusto ya no se sujetaba al espalder. Amparo había ido a la escuela en sus primeros años, años de relativa prosperidad para la familia, sucediéndole lo que a la mayor parte de las niñas pobres, que al poco tiempo se cansan sus padres de enviarlas y ellas de asistir, y se quedan sin más aprendizaje que la lectura, cuando son listas, y unos

---

[9] Cueva, gruta, caverna oscura tenebrosa.

rudimentos de escritura. De aguja, apenas sabía nada Amparo. La madre se resignó con la esperanza de colocarla en la fábrica. «Que trabaje —decía—, como yo trabajé.» Y al murmurar esta sentencia, suspiraba recordando treinta años de incesante afán. Ahora, su carne y sus molidos huesos se tendían gustosamente en la cama, donde reposaba tumbada panza arriba, ínterin sudaban otros para mantenerla. ¡Que sudasen! Donada por el terrible egoísmo que suele atacar a los viejos cuya mocedad fue laboriosa, la impedida hizo del lecho de dolor quinta de recreo. Lo que es allí, ya podían venir penas; lo que es allí, a buen seguro que la molestasen el calor ni el frío. ¿Que era preciso lavar la ropa? Bueno; ella no tenía que levantarse a jabonarla; le había costado bien caro una vez. ¿Que estaba sucio el piso? Ya lo barrerían, y si no, por ella, aunque en todo el año no se barriese... ¿De qué le había servido tanto romper el cuerpo cuando era joven? De verse ahora tullida. «¡Ay, no se sabe lo que es la salud hasta después que se pierde!», exclamaba sentenciosamente, sobre todo los días en que el dolor artrítico le atarazaba las junturas. Otras veces, jactanciosa, como todo inválido, decía a su hija: «Sácateme de delante, que irrita el verte; de tu edad era yo una loba que daba en un cuarto de hora vuelta a una casa.»

Sólo echaba de menos la animación de su fábrica: las compañeras. A bien que las vecinas de la calle solían acercarse a ofrecerle un rato de palique; una sobre todo, Pepa la comadrona, por mal nombre señora *Porreta*. Era ésta mujer colosal, más a lo ancho que a lo alto; parecíase a tosca estatua labrada para ser vista de lejos. Su cara enorme, circuida por colgante papada, tenía palidez serosa. Calzaba zapatillas de hombre y usaba una sortija, de tamaño varonil también, en el dedo meñique. Acercábase a la cama de la impedida, sometía las ropas, abofeteaba la almohada para que «quedase a gusto» y después se sentaba, apoyando fuertemente ambas manos en los muslos, a fin de sostener la mole del vientre, y, con voz sorda y apagada, empezaba a referir chismes del barrio, escabrosos pormenores de su profesión, o las maravillosas curas que pueden obtenerse con un cocimiento de ruda, huevo y aceite; con la hoja de la malva bien machacadita, con romero hervido en vino, con unturas de enjundia de gallina. Susurraban los maldicientes que, entre parleta y parleta[10], solía la matrona entreabrir el pañuelo que le cubría los hombros y sacar una botellica, que fácilmente se ocultaba en cualquier rincón de su corpiño gigantesco; y ya corroboraba con un trago de anís el exhausto gaznate, ya ofrecía la botella a su interlocutora «para ir pasando las penas de este mundo». A oídos del señor Rosendo llegó un día esta especie, y se alarmó, porque, mientras estuvo en la fábrica su mujer, no bebía nunca más que agua pura; pero, por mucho que entró impensadamente algunas tardes, no cogió *in fraganti* a las delincuentes. Sólo vio que estaban muy amigotas y compinches. Para la ex cigarrera valía un Perú la comadrona; al menos esa hablaba, porque lo que es su marido... Cuando éste regresaba de la diaria correría por paseos y sitios públicos, y bajando el hombro soltaba con estrépito el tubo en la esquina de la habitación, el diálogo del matrimonio era siempre el mismo:

—¿Qué tal? —preguntaba la tullida.

Y el señor Rosendo pronunciaba una de estas tres frases: «Menos mal», «Un regular», «Condenadamente».

Aludía a la venta, y jamás se dio caso de que agregase género alguno de amplificación o escolio a sus oraciones clásicas. Poseía el inquebrantable laconismo popular, que vence al dolor, al hambre, a la muerte y hasta a la dicha. Soldado reenganchado, uncido en sus mejores años al férreo yugo de la disciplina militar, se convenció de la ociosidad de la palabra y necesidad del silencio. Calló primero por obediencia, luego por fatalismo, después por costumbre. En silencio elaboraba los barquillos, en silencio los vendía, y casi puede decirse que los voceaba en silencio, pues nada tenía de análogo a la afectuosa comunicación que establece el lenguaje entre seres racionales y humanos aquel grito gutural en que, tal vez para ahorrar un fragmento de palabra, el viejo suprimió la última sílaba, reemplazándola por doliente prolongación de la vocal penúltima:

—Barquilleeeeé...

---

[10] Expresión familiar: conversación superficial, intrascendente, por pasatiempo.

III

Pueblo de su nacimiento

Al sentar el pie en la calle, Amparo respiró anchamente. El sol, llegado al cenit, lo alegraba todo. En los umbrales de las puertas, los gatos, acurrucados, presentaban el lomo al benéfico calorcillo, guiñando sus pupilas de tigre y roncando de gusto. Las gallinas iban y venían, escarbando. La bacía del barbero, colgada sobre la muestra y rodeada de una sarta de muelas, rancias ya, brillaba como plata. Reinaba la soledad; los vecinos se habían ido a misa o de bureo, y media docena de párvulos, confiados al Angel de la Guarda, se solazaban entre el polvo y las inmundicias del arroyo, con la chola descubierta y expuestos a un tabardillo. Amparo se arrimó a una de las ventanas bajas y tocó en los cristales con el puño cerrado. Abriéronse las vidrieras, y se vio la cara de una muchacha pelinegra y descolorida, que tenía en la mano una almohadilla de labrar, donde había clavados infinidad de menudos alfileres.

—¡Hola!

—¡Hola, Carmela! ¿Andas con la labor a vueltas? Pues es día de misa.

—Por eso me da rabia... —contestó la muchacha pálida, que hablaba con un cierto ceceo, propio de los puertecitos de mar en la provincia de Marineda.

—Sal un poco, mujer...; vente conmigo.

—Hoy..., ¡quién puede! Hay un encargo...; dieciséis varas de puntilla para una señora del barrio de Arriba... El martes se ha de entregar sin falta.

Carmela, se sentó otra vez, con su almohadilla en el regazo, mientras los hombros de Amparo se alzaban entre compasivos e indiferentes, como si murmurasen:

«¡Lo de costumbre!» Apartóse de allí; sus pies descendieron con suma agilidad la escalinata de la plaza de Abastos, llena a la sazón de cocineras y vendedoras, y enhebrándose por entre cestas de gallinas, de huevos, de quesos, salió a la calle de San Efrén, y luego al atrio de la iglesia, donde se detuvo deslumbrada[11].

Cuanto lujo ostenta un domingo en una capital de provincia se veía reunido ante el pórtico, que las gentes cruzaban con el paso majestuoso de personas bien trajeadas y compuestas, gustosas de ser vistas y mutuamente resueltas a respetarse y no repartir empellones. Hacían cola las señoras aguardando su turno, empavesadas y solemnes, con mucha mantilla de blonda, mucho devocionario de canto dorado, mucho rosario de oro y nácar; las niñas casaderas, de colorines vistosos. Al llegar a los postigos que más allá del pórtico daban entrada a la nave había crujidos de enaguas almidonadas, blandos empellones, codazos suaves, respiración agitada de damas obesas, cruces de rosarios que se enganchaban en un encaje o en un fleco, frases de miel con su poco de vinagre, como «¡Ay! Usted dispense...», «A mí me empujan, señora; por eso yo...», «No tire usted así, que se romperá el adorno...», «Perdone usted...»

Deslizóse Amparo entre el grupo de la buena sociedad marinedina, y se introdujo en el templo. Hacia el presbiterio se colocaban las señoritas, arrodilladas con estudio, a fin de no arrugarse los trapos de cristianar, y como tenían la cabeza baja, veíanse blanquear sus nucas, y alguna estrecha suela de elegante botina arremangaba los pliegues de las faldas de seda. El centro de la nave lo ocupaba el piquete y la banda de música militar en correcta formación. A ambos lados, filas de hombres que miraban al techo o a las capillas laterales, como si no supiesen qué hacer de los ojos. De pronto lució en el altar mayor la vislumbre de oro y colores de una casulla de tisú; quedó el concurso en mayor silencio; las damas alzaron sus libros en las enguantadas manos, y a un tiempo murmuró el sacerdote: *Introibo*, y rompió en sonoro acorde la charanga, haciendo oír las profanas notas de la *Traviata*, cabalmente los compases ardientes

[11] La «estrecha calle de San Efrén» parece apuntar a la calle estrecha de San Andrés, pero la iglesia es la parroquial de San Jorge, como ya hemos demostrado en la introducción.

y febriles del dúo erótico del primer acto. El son vibrante de los metales añadía intensidad al canto, que, elevándose amplio y nutrido hasta la bóveda, bajaba después a extenderse, contenido, pero brioso, por la nave y el crucero, para cesar de repente al alzarse la Hostia; cuando esto sucedió, la Marcha Real, poderosa y magnífica, brotó de los marciales instrumentos, sin que a intervalos dejase de escucharse en el altar el misterioso repiqueteo de la campanilla del acólito.

A la salida, repetición de desfile; junto a la pila se situaron tres o cuatro de los que ya no se llaman dandis, ni todavía gomosos, sino *pollos* y *gallos*, haciendo ademán de humedecer los dedos en agua bendita y tendiéndolos bien enjutos a las damiselas para conseguir un fugaz contacto de guantes, vigilado por el ojo avizor de las mamás. Una vez en el pórtico, era lícito levantar la cabeza, mirar a todos lados, sonreír, componerse furtivamente la mantilla, buscar un rostro conocido y devolver un saludo. Tras el deber, el placer; ahora, la selecta multitud se dirigía al paseo, convidada de la música y de la alegría de un benigno domingo de marzo, en que el sol sembraba la regocijada atmósfera de átomos de oro y tibios efluvios primaverales. Amparo se dejó llevar por la corriente, y presto vino a encontrarse en el paseo.

No tenía entonces Marineda el parque inglés que, andando el tiempo, hermoseó su recinto; y las Filas, donde se daban vueltas durante las mañanas de invierno y las tardes de verano, eran una estrecha acera, embaldosada de granito, de una parte guarnecida por alta hilera de casas; de otra, por una serie de bancos que coronaban toscas estatuas alegóricas de las estaciones y de las virtudes, mutiladas y privadas de manos y narices por la travesura de los muchachos. Sombreaban los asientos acacias de tronco enteco, de clorótico follaje (cuando Dios se lo daba), sepultadas entre piedra por todos lados, como prisioneros en torre feudal. A la sazón carecían de hojas, pero la caricia abrasadora del sol impelía a la savia a subir y a las yemas a hincharse. Las desnudas ramas se recortaban sobre el limpio matiz del firmamento, y a lo lejos, el mar, de un azul metálico, como empavonado, reposaba, viéndose inmóviles las jarcias y arboladura de los buques surtos en la bahía,

y quietos hasta los impacientes gallardetes de los mástiles.
Ni un soplo de brisa, ni nada que turbase la apacibilidad
profunda y soñolienta del ambiente.

Caído el pañuelo y recibiendo a plomo el sol en la *cuadro*
mollera, miraba Amparo con gran interés el espectáculo *impresion-*
que el paseo presentaba. Señoras y caballeros giraban *ismo*
en el corto trecho de las Filas, a paso lento y acompasado, guardando escrupulosamente la derecha. La implacable claridad solar azuleaba el paño negro de las
relucientes levitas, suavizaba los fuertes colores de las
sedas, descubría las menores imperfecciones de los cutis,
el salseo de los guantes, el sitio de las antiguas puntadas
en la ropa, reformada ya. No era difícil conocer al
primer golpe de vista a las notabilidades de la ciudad;
una fila de altos sombreros de felpa, de bastones de
roten [12] o concha con puño de oro, de gabanes de castor,
todo llevado por caballeros provectos y seriotes, reve-
laba claramente a las autoridades, regente, magistrados,
segundo cabo, gobernador civil; seis o siete pantalones
gris perla, pares de guantes claros y flamantes corbatas
denunciaban a la dorada juventud; unas cuantas sombrillas de raso, un ramillete de vestidos que trascendían
de mil leguas a importación madrileña, indicaban a las
dueñas del cetro de la moda. Las gentes pasaban y volvían a pasar, y estaban pasando continuamente, y a cada
vuelta se renovaba la misma procesión, por el mismo
orden.

Un grupo de oficiales de Infantería y Caballería ocupaba un banco entero, y el sol parecía concentrarse
allí, atraído por el resplandor de los galones y estrellas
de oro, por los pantalones de rojo vivo, por el relam-
pagueo de las vainas de sable y el hule reluciente del
casco de los roses [13]. Los oficiales, gente de buen humor
y jóvenes casi todos, reían, charlaban y hasta jugaban
con un enjambre de elegantes niñas, que ni la mayor
sumaría doce años, ni la menor bajaría de tres. Tenían
a las más pequeñas sentadas en las rodillas, mientras
las otras, en pie y con unos atisbos de pudor femenil,
no osaban acercarse mucho al banco, haciendo como

---

[12] Bastón hecho de la palma vivaz llamada rota.
[13] Morriones pequeños, de fieltro, más altos por delante que por
detrás.

que platicaban entre sí, cuando realmente sólo atendían a la conversación de los militares. Al otro extremo del paseo se oyó entonces un grito conocidísimo de la chiquillería:

—Barquilleeeeé...

—Batilos..., a mí batilos —chilló al oírlo una rubilla carrilluda, que cabalgaba en la pierna izquierda de un capitán de Infantería portador de formidables mostachos.

—Nisita, no seas fastidiosa; te llevo a mamá —amonestó una de las mayores, con gravedad imponente.

—Pué teo batilos, batiiilos —berreó descompasadamente la rubia, colorada como un pavo y apretando sus puñitos.

—Tiene usted razón, señorita —díjole risueño un alférez de linda y adamada figura, al ver que el angelito pateaba y hacía pucheros para romper a llorar—. Espérese usted, que habrá barquillos. Llamaremos a ese digno industrial... Ya viene hacia acá. Usted, Borrén —añadió, dirigiéndose al capitán—, ¿quiere usted darle una voz?

—¡Eh..., chis! ¡Barquilleeeero! —gritó el capitán mostachudo, sin notar que el círculo de las grandecitas se reía de su ronquera crónica.

No obstante la cual, el señor Rosendo le oyó, y se acercaba, derrengado con el peso de la caja, que depositó en el suelo, delante del grupo. Se oyeron como píos y aleteos, el ruido de una canariera cuando le ponen alpiste, y las chiquillas corrieron a rodear al tubo, mientras las grandes se hacían las desdeñosas, cual si las humillase la idea de que a su edad las convidaran a barquillos. Inclinada la rubia pedigüeña sobre la especie de ruleta que coronaba la caja de hojalata, impulsaba con su dedito la aguja, chillando de regocijo cuando se detenía en un número, ya ganase, ya perdiese. Su júbilo rayó en paroxismo al punto que, tendiendo la mano abierta, encima de cada dedo fue el señor Rosendo calzándole una torre de barquillos; quedóse extasiada mirándolos, sin atreverse a abrir la boca para comérselos.

Estando en esto, el alférez volvió casualmente la cabeza y divisó al otro lado de los bancos un rostro de niña pobre, que devoraba con los ojos la reunión.

Figuróse que sería por antojo de barquillos, y le hizo una seña, con ánimo de regalarle algunos. La muchacha se acercó, fascinada por el brillo de la sociedad alegre y juvenil; pero al entender que la convidaban a tomar parte en el banquete, encogióse de hombros y movió negativamente la cabeza.

—Bien harta estoy de ellos —pronunció con desdén.

—Es *la hija* —explicó sin manifestar sorpresa el barquillero, que embolsaba la calderilla y bajaba el hombro para ceñirse otra vez la correa.

—Por lo visto, eres la señorita de Roséndez —murmuró el alférez, en son de broma—. Vamos, Borrén, usted que es animado, dígale algo a esta pollita.

El de los mostachos consideraba a la recién venida atentamente, como un arqueólogo miraría un ánfora acabada de encontrar en una excavación. A las palabras del alférez contestó con ronco acento:

—Pues vaya si le diré, hombre. Si estoy reparando en esta chica, y es de lo mejorcito que se pasea por Marineda. Es decir, por ahora está sin formar, ¿eh? —y el capitán abría y cerraba las dos manos, como dibujando en el aire unos contornos mujeriles—. Pero yo no necesito verlas cuando se completan, hombre; yo las huelo antes, amigo Baltasar. Soy perro viejo, ¿eh? Dentro de un par de años... —y Borrén hizo otro gesto expresivo, cual si se relamiese.

Miraba el alférez a la muchacha y admirábase de las predicciones de Borrén; es verdad que había ojos grandes, pobladas pestañas, dientes como gotas de leche; pero la tez era cetrina, el pelo embrollado semejaba un felpudo y el cuerpo y traje competían en desaliño y poca gracia. Con todo, por seguir la broma, hizo el alférez que asentía a la opinión del capitán, y pronunció:

—Digo lo que el amigo Borrén: esta pollita nos va a dar muchos disgustos...

Los oficiales se echaron a reír, y Amparo, a su vez, se fijó en el que hablaba, sin comprender de pronto sus frases.

—Cosas de Borrén... Ese Borrén es célebre —exclamaron con algazara los militares, a quienes no parecía ningún prodigio la chiquilla.

—Reparen ustedes, señores —siguió el alférez—; la chica es una perla; dentro de dos años nos mareará a todos. ¿Qué dices tú a eso, señorita de Roséndez? Por de pronto, a mí me has desairado no aceptando mis barquillos... Mira, te convido a lo que quieras: a dulces, a jerez..., pero con una condición.

Amparo enrollaba las puntas del pañuelo sin dejar de mirar de reojo a su interlocutor. No era lerda, y recelaba que se estuviesen burlando; sin embargo, le agradaba oír aquella voz y mirar aquel uniforme refulgente.

—¿Aceptas la condición? Lo dicho, te convido...; pero tienes que darme algo tú también...: me darás un beso.

Soltaron la carcajada los oficiales, ni más ni menos que si el alférez hubiese proferido alguna notable agudeza; las niñas grandecitas se volvieron, haciendo que no oían, y Amparo, que tenía sus pupilas oscuras clavadas en el rostro del mancebo, las bajó de pronto, quiso disparar una callejera fresca, sintió que la voz se le atascaba en la laringe, se encendió en rubor desde la frente hasta la barba y echó a correr como alma que lleva el diablo.

IV

Que los tenga muy felices

Se ha mudado la decoración; ha pasado casi un año; corre el mes de enero. No llueve; el cielo está aborregado de nubes lívidas que presagian tormenta, y el viento costeño, redondo, giratorio como los ciclones, arremolina el polvo, los fragmentos de papel, los residuos de toda especie que deja la vida diaria en las calles de una ciudad. Parece como si se hubiesen asociado vendaval y cierzo; aquél·para aullar, soplar, mugir; éste para herir los semblantes de finísimos picotazos de aguja, colgar gotitas de fluxión en las fosas nasales, azulear las mejillas y enrojecer los párpados. En verdad que con semejante tiempo, los santos Reyes, que, caballeros en sus dromedarios, venían desde el país de la luz, atravesando la Palestina, a saludar al Niño, debieron de notar que se les helaban las manos, llenas de incienso y mirra, y subir más que a paso la esclavina de aquellas dulletas de armiño y púrpura con que los representan los pintores. A falta de esclavina, los marinedinos alzaban cuanto podían el cuello del gabán o el embozo de la capa. Es que el viento era frío de veras, y sobre todo incómodo; costaba un triunfo pelear con él. Entrábase por las bocacalles, impetuoso y arrollador, bufando y barriendo a las gentes, a manera de fuelle gigantesco. En el páramo de Solares, que separa el barrio de Arriba del de Abajo[14], pasaban lances cómicos: capas que se enrollaban en las piernas y no dejaban andar a sus dueños, enaguas almidonadas que se volvían hacia arriba

---

[14] El barrio de Arriba corresponde a la Ciudad Vieja coruñesa; el de Abajo, a La Pescadería.

con fieros estallidos, aguadores que no podían con la cuba, curiales a quienes una ráfaga arrebataba y dispersaba el protocolo, señoritos que corrían diez minutos tras de una chistera fugitiva, que, al fin, franqueando de un brinco el parapeto del muelle, desaparecía entre las agitadas olas... Hasta los edificios tomaban parte en la batalla; aullaban los canalones, las fallebas de las ventanas temblequeaban, retemblaban los cristales de las galerías, coreando el dúo de bajos, profundo, amenazador y temeroso, entonado por los dos mares: el de la bahía y el del Varadero. Tampoco estaban ellos para bromas.

En cambio, celebrábase gran fiesta en una casa de ricos comerciantes del barrio de Abajo: la de Sobrado Hermanos. Era el santo de Baltasar, único vástago masculino del tronco de los Sobrado, y cuando más diabluras hacía fuera el viento, circulaban en el comedor los postres de una pesada comida de provincia, en que el gusto no había proporcionado la abundancia. Sucediéronse, plato tras plato, los cebados capones, manidos y con amarilla grasa; el pavo relleno; el jamón en dulce, con costra de azúcar tostado; las natillas, los arabescos de canela, y la tarta, el indispensable ramillete de los días de días, con sus cimientos de almendras, sus torres de piñonate, sus cresterías de caramelo y su angelote de almidón ejecutando una pirueta con las alas tendidas. Ya se aburrían los grandes de estar en la mesa; no así los niños. Ni a tres tirones se levantarían ellos, cabalmente en el feliz instante en que era lícito tirarse confites, comer con los dedos, hacer, de puro ahítos, mil porquerías y comistrajos con su ración. Todo el mundo los dejaba alborotar; era el momento de la desbandada; se habían pronunciado los brindis y contado anécdotas con mayor o menor donaire; pero ya nadie tenía ánimos para sostener la conversación, y el Sobrado tío, que era grueso y abotagado, se abanicaba con la servilleta. Levantó la sesión el ama de casa, doña Dolores, diciendo que el café estaba dispuesto en la sala de recibir.

En ésta se habían prodigado las luces: dos bujías, a los lados del piano vertical, sobre la consola; en los candelabros de cinc, otras cuatro de estearina rosa, acanaladas; en el velador central, entre los álbumes y estereóscopos, un gran quinqué, con pantalla de papel picado. Iluminación completa. ¡Es que por Baltasar echaban gustosos los Sobrados la casa por la ventana, y más ahora que lo veían de uniforme, tan lindo y galán mozo! A la fiesta habían sido convidados todos los íntimos: Borrén, otro alférez llamado Palacios, la viuda de García y sus niñas, de las cuales, la menor era Nisita, la rubia de los barquillos, y, por último, la maestra de piano de las hermanas de Baltasar. La velada se organizó, mejor dicho, se desordenó gratamente en la sala; cada cual tomó el café donde mejor le plugo. Doña Dolores y su cuñado, que resoplaba como una foca, se apoderaron del sofá para entablar una conferencia sobre negocios; Sobrado, el padre, fumaba un puro del estanco, obsequio de Borrén, y saboreaba su café, aprovechando hasta el del platillo. La niña mayor de García, Josefina, se sentó al piano, después de muy rogada, y, entre cien remilgos, dio principio a una fantasía sobre motivos de Bellini; Baltasar se colocó a su lado para volver las hojas, mientras sus hermanas gozaban con las gracias de Nisita, que roía un trozo de piñonate; manos, hocico y narices, todo lo tenía empeguntado de almíbar moreno.

—¡Estás bonita! —exclamaba Lola, la mayor de Sobrado—. ¡Puerca, babada, te quedarás sin dientes!

—No me impies —chillaba el angelito—; no me impies..., voy a chucharme ota ves.

Y sacaba de la faltriquera un adarve del castillo de la tarta.

—¿Ha visto usted qué día? —preguntaba Borrén a la viuda de García, que bien quisiera dejar de serlo—. Una garita ha derribado el viento; por más señas, que cayó sobre el centinela, ¿eh?, y a poco lo mata. Y usted, ¿cómo se vino desde su casa?

—¡Jesús..., puede usted figurarse! Con mil apuros... Yo no sé cómo me arreglé para sujetar la ropa..., y así y todo...

—¡Quién estuviera allí! Ya conozco yo alguno...

—¡Jesús..., no sé para qué!

—Para admirar un pie tan lindo... y para darle el brazo, ¡hombre!, a fin de que el viento no se la llevase.

Juzgó la viuda que aquí convenía fingirse distraída, y cogió el estereóscopo, mirando por él la fachada de las Tullerías. Del piano saltó entonces un *allegro vivace*, con muchas octavas, y el tecleo cubrió las voces..., sólo se oyeron fragmentos del diálogo que sostenían la agria voz de doña Dolores y la voz becerril de su cuñado.

—La fábrica, bien..., de capa caída...; las hipotecas..., al ocho... Liquidación con el socio..., la competencia...

—Josefinita —gritó la viuda a la pianista—, ¿qué haces, niña? ¿No te encargó doña Hermitas que pusieses el pedal en ese pasaje?

—Y lo pone —intervino la maestra de piano—; pero debía ser desde el compás anterior... A ver, ¿quiere usted repetir desde ahí...: *sol, la, do, la, do...?*

—¡Lo hace hoy..., Jesús, qué mal! ¡Por lo mismo que hay gente! —murmuró la madre—. Cuando está sola, aunque embrolle...

—Pues yo bien vuelvo las hojas; en mí no consiste —dijo risueño Baltasar—. Y debe usted esmerarse, pollita, que estoy de días, y Palacios la oye a usted boquiabierto y entusiasmado.

—¡Bueno! —gritó la mujercita de trece años, suspendiendo de golpe su fantasía—. Me están ustedes cortando..., ea, ya no sé poner los dedos. Como no aprendí la pieza de memoria y este papel no es el mío... Voy a tocar otra cosa.

Y echando hacia atrás la cabeza y a Baltasar una mirada fugaz, arrancó del teclado los primeros compases de mimosa habanera. La melodía comenzaba soñolienta, perezosa, yámbica; después, de pronto, tenía un impulso de pasión, un nervioso salto; luego tornaba a desmayarse, a caer en la languidez criolla de su ritmo desigual. Y volvía monótona, repitiendo el tema, y la mujercita, que no sabía interpretar la página clásica del maestro italiano, traducía, en cambio, a maravilla la enervante molicie amorosa, los poemas incendiarios que en la habanera se encerraban. Josefina, al tocar, se cimbreaba levemente, cual si bailase, y Baltasar estudiaba con curiosidad aquellos tempranos coqueteos, inconscientes casi, todavía candorosos, mientras tarareaba a media voz la letra:

Cuando en la noche la blanca luna...

Diríase que fuera había aplacado la ventolina, pues los goznes de las ventanas ya no gemían, ni temblaban los vidrios. Mas de improviso se escuchó un derrumbamiento, un fragor, como si el cielo se desfondase y sus cataratas se abriesen de golpe. Lluvia torrencial que azotó las paredes, que inundó las tejas, que se precipitó por los canalones abajo, estrellándose en las losas de la calle. En la sala hubo un instante de sorpresa; Josefina interrumpió su habanera, Baltasar se aproximó a la ventana, la viuda soltó el estereóscopo y a Nisita se le cayó de las manos el piñonate. Casi al mismo tiempo, otro ruido que subía del portal vino a dominar el ya formidable del aguacero; una algarabía, un *chascarrás*[15] desapacible, unas voces cantando destempladamente con acompañamiento de panderos y castañuelas. Saltaron alborozadas las chiquillas, con Nisita a la cabeza.

—Ya están ahí esas holgazanas —dijo ásperamente doña Dolores—. Anda, Lola —añadió, dirigiéndose a su hija mayor—: a Juana, que las eche del portal, que lo ensuciarán.

—Mamá..., ¡lloviendo tanto! —suplicó Lola—. ¡Parece que no sé decirles que se vayan! ¡Se pondrán como sopas! ¿No oye usted que el cielo se hunde?

—¡Es que eres tonta! —pronunció con rabia la madre—. Si las dejas tocar ahí, después no hay remedio sino darles algo a esas perdidas...

—¿Qué importa, mamá? —intervino Baltasar—. Hoy es mi santo.

—¡Que suban, que suban a cantar los Reyes! —gritó unánime la concurrencia menor de tres lustros.

—Te uban..., Baltasal, te uban, te uban —berreó Nisita cruzando sus manos pringosas.

—Que suban, hombre, veremos si son guapas —confirmó Borrén.

Lola de esta vez no necesitó que le reiterasen la orden. Ya estaba bajando las escaleras dos a dos.

---

[15] Voz onomatopéyica que expresa el sonido de las conchas o de las castañuelas, al tañerlas. En Rosalía de Castro encontramos: «o chascarraschás das conchiñas».

V

Villancicos de Reyes

No tardaron en resonar pisadas en el corredor; pisadas tímidas y brutales a la vez, de pies descalzos o calzados con zapatos rudos. Al mismo tiempo las panderetas repicaban débilmente y las castañuelas se entrechocaban bajito como los dientes del que tiene miedo... Doña Dolores se incorporó con el entrecejo desapaciblemente fruncido.

—Esa Lola... ¡Pues no las trae aquí mismo! ¿Por qué no las habrá dejado en la antesala? ¡Bonita me van a poner la alfombra! ¡A ver si os limpiáis las suelas ántes de entrar!

Hizo irrupción en la sala la orquesta callejera; pero al ver las niñas pobres la claridad del alumbrado, se detuvieron azoradas, sin osar adelantarse. Lola, cogiendo de la mano a la que parecía capitanear el grupo, la trajo, casi a la fuerza, al centro de la estancia.

—Entra, mujer...; que pasen las otras... A ver si nos cantáis aquí los mejores villancicos que sepáis.

Lo cierto es que la viva luz de las bujías, tan propicia a la hermosura, patentizaba y descubría cruelmente las fealdades de aquella tropa, mostrando los cutis cárdenos, fustigados por el cierzo; las ropas ajadas y humildes, de colores desteñidos; la descalcez y flacura de pies y piernas; todo el mísero pergeño de las cantoras. Entre éstas las había de muy diversas edades, desde la directora, una ágil morenilla de catorce, hasta un rapaz de dos años y medio, todo muerto de vergüenza y temor, y un mamón de cinco meses, que, por supuesto, venía en brazos.

—¡Hombre! —exclamó Borrén al ver a la morena—.

¡Pues si es la chiquilla del barquillero! Somos conocidos antiguos, ¿eh?

—Sí, señor... —contestó ella intrépidamente—. La misma. Y yo le conocí a usted también. Es usted el que estaba en las Filas el año pasado un día de fiesta.

Como para los pobres no suele haber estaciones, Amparo tenía el mismo traje de tartán, pero muy deteriorado, y una toquilla de estambre rojo era la única prenda que indicaba el tránsito de la primavera al invierno. A despecho de tan mezquino atavío, no sé qué flor de adolescencia empezaba a lucir en su persona; el moreno de su piel era más claro y fino; sus ojos negros resplandecían.

—¿Qué tal, eh? —murmuró Borrén, volviéndose hacia Baltasar y Palacios—. Esto empieza a picar como las guindillas... Miren ustedes para aquí.

Y tomando un candelero lo acercó al rostro de la muchacha. Como Baltasar se había aproximado, sus pupilas se encontraron con las de Amparo, y ésta vio una fisonomía delicada, casi femenil, un bigotillo blondo incipiente, unos ojos entre verdosos y garzos que la registraban con indiferencia. Acordóse, y sintió que se le arrebataba la sangre a las mejillas.

—El señorito del paseo —balbució—. También me acuerdo de usted.

—Y yo de ti, niña bonita —respondió él, por decir algo.

—¿Quiere usted poner el candelero en su sitio, Borrén? —interpeló Josefina con voz aguda—. Me ha manchado usted todo el traje.

—¡Mire usted qué graciosilla es ésta, hombre! —advirtió Borrén, señalando a Carmela, la encajera, que tenía los ojos bajos—. Algo descolorida..., pero graciosa.

—¡Calle! —dijo la viuda de García—. ¿Tú por aquí? Me llevarás mañana un pañuelo imitando Cluny...

—¡La de las puntillas! —exclamó doña Dolores—. ¡Buena pieza! Ahora las hacéis muy mal, tú y tu tía... Ponéis hilo muy gordo.

—¡Se ve tan poco!... ¡Los días son tan cortos! Y tiene una las manos frías; en hacer una cuarta de puntilla se va una mañana. Casi, descontando lo que nos cuesta el hilo, no sacamos para arrimar el puchero a la lumbre...

Entre tanto, Nisita, se iba abriendo camino a través

de piernas y sillas hasta acercarse a la niña de ocho años que llevaba en brazos al rorro.

—Un tiquito..., un tiquito —gritaba la rubilla, mirándole compadecida y embelesada—. Amelo.

—No podrás con él —respondía desdeñosamente la niñera.

—Le oy teta — argüía Nisita haciendo el ademán correspondiente al ofrecimiento.

—¿Quién os enseñó a cantar? —preguntó a la encajera la viuda de García.

—Enseñar, nadie... Nos reunimos nosotras. Tenemos un libro de versos.

—¿Y andáis por ahí divirtiéndoos?

—Divertir, no nos divertimos...; hace frío —contestó Carmela con su voz cansada y dulce—. Es por llevar unos cuantos reales a la casa.

—¡Mamá, Osepina, Loló! —vociferaba la rubilla—. Un tiquito, un niño Quetús. Mía, mía.

Todos se volvieron y divisaron a la infeliz oruga humana, envuelta en un mantón viejísimo, con una gorra de lana morada, que aumentaba el tono de cera de su menuda faz, arrugada y marchita como la de un anciano por culpa de la mala alimentación y del desaseo. Sus ojuelos negros, muy abiertos, miraban en derredor con vago asombro, y de sus labios fluía un hilo de baba. La viuda de García, que era bonachona, lanzó una exclamación que corearon las niñas de Sobrado.

—¡Jesús!... Angelito de Dios..., tan pequeño, por esas calles y con este día. Pero ¿qué hace su madre?

—Mi madre tiene tienda en la calle del Castillo... Somos siete con éste, y yo soy la mayor... —alegó a guisa de disculpa la que llevaba la criatura.

—¡Jesús!... ¿Pero cómo hacéis para que no llore? ¿Y si tiene hambre?

—Le meto la punta del pañuelo en la boca para que chupe... Es muy listito; ya se entretiene mucho.

Riéronse las niñas, y Lola tomó al nene en brazos.

—¡Qué ligero! —pronunció—. ¡Si pesa más la muñeca grande de Nisita!

Pasó de mano en mano el leve fardo, hasta llegar a Josefina, que lo devolvió a la portadora muy de prisa, declarando que olía mal.

—No ven el agua ni una vez en el año —decía confidencialmente a su cuñado doña Dolores —y salen más fuertes que los nuestros. Yo matándome y sin poder conseguir que esa Lola se robustezca.

Amparo observaba la sala, el piano de reluciente barniz, el menguado espejo, las conchas de Filipinas y aves disecadas que adornaban la consola, el juego de café con filete dorado, los trajes de las de García, el grupo imponente del sofá, y todo le parecía bello, ostentoso y distinguido, y sentíase como en su elemento, sin pizca ya de cortedad ni de extrañeza.

—Y tú, ¿qué haces, señorita de Roséndez? —interrogó Baltasar—. ¿Andar de calle en calle canturreando? Bonito oficio, chica: me parece a mí que tú...

—¿Y qué quiere que haga? —replicó ella.

—Encajes, como tu amiguita.

—¡Ay! No me *aprendieron*[16].

—Pues ¿qué te *aprendieron*, hija? ¿Coser?

—¡Bah! Tampoco. Así, unas puntaditas...

—Pues ¿qué haces tú? ¿Robar los corazones?

—Sé leer muy bien y escribir regular. Fui a la escuela, y decía el maestro que no había otra como yo. Le leo todos los días *La Soberanía Nacional* al barbero de enfrente.

—Pusiste una pica en Flandes. ¿No sabes más?

—Liar puros.

—¡Hola! ¿Eres cigarrera?

—Fue mi madre.

—Y tú, ¿por qué no?

—No tengo quien me meta en la fábrica... Hacen falta empeños y recomendaciones...

—Pues mira, casualmente este señor puede recomendarte... Oiga usted, Borrén, ¿no es usted primo del contador de la fábrica? Diga usted.

—¡Hombre! Es cierto. Del contador, no; pero de su señora... Es murciana; somos hijos de primos hermanos.

—¡Magnífico! Dile tu nombre y tus señas, chica.

—Sí, hija..., se hará lo posible, ¿eh? Por servir a una morena tan sandunguera... Vas a valer más pesetas con el tiempo... Hombre, ¿no repara usted, Baltasar, lo que ganó desde el año pasado?

—Mucho más guapa está —declaró Baltasar.

---

[16] Por «enseñaron»; confusión frecuente en Galicia.

—¿Pero estas chiquillas no cantan? —interrumpió con dureza Josefina García—. ¿Han venido aquí a hacernos tertulia? Para eso, que se larguen. No se ganan los cuartos charlando.

—¡A cantar! —contestaron resignadamente todas; y al punto redoblaron las castañuelas, repiquetearon los panderos, rechinaron las conchas, exhaló su estridente nota el triángulo de hierro y diez voces mal concertadas entonaron un villancico:

> Los pastores en Belén
> todos a juntar en leña
> para calentar al Niño
> que nació en la Nochebuena...

Y al llegar al estribillo:

> Toquen, toquen rabeles y gaitas,
> panderetas, tambores y flautas...

se armó un estrépito de dos mil diablos: chillaban y tocaban a la vez, con ambas manos, y aun hiriendo con los pies el suelo. Hasta el rorro, asustado por la bulla o desentumecido por el calor y vuelto a la conciencia de su hambre, se resolvió a tomar parte en el concierto. Las niñas de Sobrado y García, locas de regocijo, se asieron de las manos y empezaron a bailar en rueda, con las trenzas flotantes y volanderas las enaguas. Nisita, igualitaria como nadie, cogió al parvulillo de dos años y le metió en el corro, donde la pobre criatura hubo de danzar mal de su grado, soltando a cada paso sus holgadas babuchas. Borrén, por hacer algo, jaleó a las bailadoras. Aprovechando un momento de confusión, Lola se escurrió y volvió trayendo en la falda del vestido una mezcolanza de naranjas, trozos de piñonate, almendras, bizcochos, pasas, galletas, relieves de la mesa amontonados a escape, que comenzó a distribuir con largueza y garbo. Doña Dolores saltó echa una furia.

—Esta chiquilla está loca..., me desperdicia todo..., cosas finas..., ¡y para quién! ¡Vean ustedes!... ¡Con una taza de caldo que les diesen!... ¡Y el vestido..., el vestido azul estropeado!...

egoísmo

Diciendo lo cual, se aproximó disimuladamente a Lola y le apretó el brazo con ira. Baltasar intercedió una vez más: era su santo, un día en el año. Sobrado padre tartamudeó también disculpas de su hija, a quien quería entrañablemente, y Borrén, siempre obsequioso, acabó de repartir las golosinas. Carmela, la encajera, y Amparo rehusaron con dignidad su parte; pero la chiquillería despachó su ración atragantándose en las mismas barbas de doña Dolores, que consumó la venganza dando por terminados los villancicos y poniendo en la escalera a músicos y danzantes.

VI

Cigarros puros

Hizo Borrén, en efecto, la recomendación a su prima, que se la hizo al contador, que se la hizo al jefe, y Amparo fue admitida en la fábrica de cigarros. El día en que recogió el nombramiento, hubo en casa del barquillero la fiesta acostumbrada en casos semejantes, fiesta no inferior a la que celebrarían si se casase la muchacha. Mandó la madre decir una misa a Nuestra Señora del Amparo, patrona de las cigarreras, y por la tarde fueron convidados a un asiático festín el barbero de enfrente, Carmela, su tía y la señora *Porreta*, la comadrona; hubo empanada de sardina, bacalao, vino de Castilla, anís y caña a discreción, rosolí[17], una enorme fuente de papas de arroz con leche.

Privado de la ayuda de Amparo, el barquillero había tomado un aprendiz, hijo de una lavandera de las cercanías. Jacinto, o *Chinto*, tenía facciones abultadas e irregulares, piel de un moreno terroso, ojos pequeños y a flor de cara; en resumen, la fealdad tosca de un villano feudal. Sirvió a la mesa, escanció y fue la diversión de los comensales, por sus largas melenas, semejantes a un ruedo, que le comían la frente; por su faja de lana, que le embastecía la ya no muy quebrada cintura; por su andar torpe y desmañado, análogo al de un moscardón cuando tiene las patas untadas de almíbar; por su puro dialecto de las rías saladas, que provocaba la hilaridad de aquella urbana reunión. El barbero, que era *leído*, *escribido* y muy redicho; la encajera, que la daba de fina, y la comadrona, que gastaba unos chistes

---

[17] Licor compuesto de aguardiente, azúcar, canela, anís y otros ingredientes.

del tamaño de su panza, compitieron en donaire burlándose de la rusticidad del mozo. Amparo ni le miró; tan ridículo le había parecido la víspera cuando entró llorando, trayéndole medio a rastras su madre. Carmela fue la única que le habló humanamente, y le dijo el nombre de dos o tres cosas, que él preguntaba sin lograr más respuesta que bromas y embustes. Así que todos manducaron a su sabor, echaron las sobras revueltas en un plato, como para un perro, y se las dieron al labrieguito, que se acostó harto, roncando formidablemente hasta el otro día.

Amparo madrugó para asistir a la fábrica. Caminaba a buen paso, ligera y contenta como el que va a tomar posesión del solar paterno. Al subir la cuesta de San Hilario, sus ojos se fijaban en el mar, sereno y franjeado de tintas de ópalo, mientras pensaba en que iba a ganar bastante desde el primer día; en que casi no tendría aprendizaje, porque al fin los puros la conocían, su madre le había enseñado a envolverlos, poseía los heredados chismes del oficio y no la arredraba la tarea. Discurriendo así, cruzó la calzada y se halló en el patio de la fábrica, la vieja Granera. Embargó a la muchacha un sentimiento de respeto. La magnitud del edificio compensaba su vetustez y lo poco airoso de su traza, y para Amparo, acostumbrada a venerar la fábrica desde sus tiernos años, poseían aquellas murallas una aureola de majestad, y habitaba en su recinto un poder misterioso, el Estado, con el cual sin duda era ocioso luchar, un poder que exigía obediencia ciega, que a todas partes alcanzaba y dominaba a todos. El adolescente que por vez primera pisa las aulas experimenta algo parecido a lo que sentía Amparo.

Pudo tanto en ella este temor religioso, que apenas vio quién la recibía, ni quién la llevaba a su puesto en el taller. Casi temblaba al sentarse en la silla que le adjudicaron. En derredor suyo, las operarias alzaban la cabeza: ojos curiosos y benévolos se fijaban en la novicia. La maestra del partido estaba ya a su lado, entregándole con solicitud el tabaco, acomodando los chismes, explicándole detenidamente cómo había de arreglarse para empezar. Y Amparo, en un arranque de orgullo, atajaba las explicaciones con un «ya sé cómo», que la hizo blanco de las miradas. Sonrióse la maestra, y· la dejó liar un puro, lo cual ejecutó con bastante soltura; pero al presentarlo acabado, la maestra lo tomó y oprimió entre el pulgar y el índice, deformándose el cigarro al punto.

—Lo que es saber, como lo material de saber, sabrás... —dijo alzando las cejas—. Pero si no despabilas más los dedos... y si no les das más hechurita... Que así parece un espantapájaros.

—Bueno —dijo la novicia, confusa—; nadie nace aprendido.

—Con la práctica... —declaró la maestra sentenciosamente, mientras se preparaba a unir el ejemplo a la enseñanza—. Mira, así..., a modito...

No valía apresurarse. Primero era preciso extender con sumo cuidado, encima de la tabla de liar, la envoltura exterior, la epidermis del cigarro y cortarla con el cuchillo semicircular trazando una curva de quince milímetros de inclinación sobre el centro de la hoja para que ciñese exactamente el cigarro, y esta capa requería una hoja seca, ancha y fina, de lo más selecto, así como la dermis del cigarro, el *capillo*, ya la admitía de inferior calidad, lo propio que la tripa o *cañizo*. Pero lo más esencial y difícil era rematar el puro, hacerle la punta con un hábil giro de la yema del pulgar y una espátula mojada en líquida goma, cercenándole después el rabo de un tijeretazo veloz. La punta aguda, el cuerpo algo oblongo, la capa liada en elegante espiral, la tripa no tan apretada que no deje aspirar el humo ni tan floja que el cigarro se arrugase al secarse, tales son las condiciones de una buena tagarnina. Amparo se obstinó todo el día en fabricarla, tardando muchísimo en elaborar algunas, cada vez más contrahechas y estropeando malamente la hoja. Sus vecinas de mesa le daban consejos oficiosos; había diversidad de pareceres; las viejas recomendaban que cortase la capa más ancha, porque sale el cigarro mejor formado, y porque «así lo habían hecho ellas toda la vida»; y las jóvenes, que más estrecha, que se enrolla más pronto. Al salir de la fábrica le dolían a Amparo la nuca, el espinazo, el pulpejo de los dedos[18].

Poco a poco fue habituándose y adquiriendo destreza.

---

[18] La escritora observó directamente el ambiente y la actividad de las cigarreras, hasta conseguir los datos suficientes para crear el *climax laboral* de su novela.

Lo peor era que la afligía la nostalgia de la calle, no acertando a hacerse a la prolija jornada de trabajo sedentario. Para Amparo la calle era la patria..., el paraíso terrenal. La calle le brindaba mil distracciones, todas gratuitas. Nadie le impedía creer que eran suyos los lujosos escaparates de las tiendas, los tentadores de las confiterías, las redomas de color de las boticas, los pintorescos tinglados de la plaza; que para ella tocaban las murgas, los organillos, la música militar en los paseos, misas y serenatas; que por ella se revistaba la tropa y salía precedido de sus maceros con blancas pelucas el excelentísimo Ayuntamiento. ¿Quién mejor que ella gozaba del aparato de las procesiones, del suelo sembrado de espadaña, del palio majestuoso, de los santos que se tambalean en las andas, de la custodia cubierta de flores, de la hermosa Virgen con manto azul sembrado de lentejuelas? ¿Quién lograba ver más de cerca al capitán general del estandarte, a los señores que alumbraban, a los oficiales que marcaban el paso en cadencia? Pues ¿y en Carnaval? Las mascaradas caprichosas, los confites arrojados de la calle a los balcones y viceversa, el *entierro de la sardina*[19], los cucuruchos de dulce de la Piñata, todo lo disfrutaba la hija de la calle. Si un personaje ilustre pasaba por Marineda, a Amparo pertenecía durante el tiempo de su residencia; a fuerza de empellones, la chiquilla se colocaba al lado del rey, del ministro, del hombre célebre; se arrimaba al estribo de su coche, respiraba su aliento, inventariaba sus dichos y hechos.

¡La calle! ¡Espectáculo siempre variado y nuevo, siempre concurrido, siempre abierto y franco! No había cosa más adecuada al temperamento de Amparo, tan amiga al ruido de la concurrencia, tan bullanguera, meridional y extremosa, tan amante de lo que relumbra. Además, como sus pulmones estaban adecuados a la gimnasia del aire libre, se deja entender la opresión que experimentaron en los primeros tiempos de cautiverio en los talleres, donde la atmósfera estaba saturada del olor ingrato y herbáceo del virginia humedecido y de la

---

[19] Farsa final del Carnaval, representada en muchos pueblos de Galicia, el miércoles de ceniza o el domingo de piñata. Una comparsa de muchachos acompañan al carro adornado. El niño mayoral lleva una sardina muerta en una caja, y todos entonan un planto.

hoja medio verde, mezclado con las emanaciones de tanto cuerpo humano y con el fétido vaho de las letrinas próximas. Por otra parte, el aspecto de aquellas grandes salas de cigarros comunes era para entristecer el ánimo. Vastas estanterías de madera ennegrecida por el uso, colocadas en el centro de la estancia, parecían hileras de nichos. Entre las operarias alineadas a un lado y a otro, había sin duda algunos rostros juveniles y lindos; pero así como en una menestra se destaca la legumbre que más abunda, en tan enorme ensalada femenina no se distinguían al pronto sino greñas incultas, rostros arados por la vejez o curtidos por el trabajo, manos nudosas como ramas de árbol seco.

El colorido de los semblantes, el de las ropas y el de la decoración se armonizaba y fundía en un tono general de madera y tierra, tono a la vez crudo y apagado, combinación del castaño mate de la hoja, del amarillo sucio de la vena, del dudoso matiz de los serones de esparto, de la problemática blancura de las enyesadas paredes y de los tintes sordos, mortecinos al par que discordantes, de los pañuelos de cotonía, las sayas de percal, los casacos de paño, los mantones de lana y los paraguas de algodón. Amparo se perecía por los colores vivos y fuertes, hasta el extremo de pasarse a veces una hora delante de algún escaparate contemplando una pieza de seda roja; así es que los primeros días el taller, con su colorido bajo, le infundía ganas de morirse.

Pero no tardó en encariñarse con la fábrica, en sentir ese orgullo y apego inexplicables que infunden la colectividad y la asociación: la fraternidad del trabajo. Fue conociendo los semblantes que la rodeaban, tomándose interés por algunas operarias, señaladamente por una madre y una hija que se sentaban a su lado. Medio ciega ya y muy temblona de manos, la madre no podía hacer más que *niños*, o sea la envoltura del cigarro; la hija se encargaba de las puntas y del corte, y entre las dos mujeres despachaban bastante, siendo de notar la solicitud de la hija y el afecto que se manifestaban las dos, sin hablarse, en mil pormenores: en el modo de pasarse la goma, de enseñarse el mazo terminado y sujeto ya con su faja de papel, de partir la moza la comida con su navaja y acercarla a los labios de la vieja.

·Otra causa para que Amparo se reconciliase del todo con la fábrica fue el hallarse en cierto modo emancipada y fuera de la patria potestad desde su ingreso. Es verdad que daba a sus padres algo de las ganancias, pero reservándose buena parte; y como la labor era a destajo, en las yemas de los dedos tenía el medio de acrecentar sus rentas, sin que nadie pudiese averiguar si cobraba ocho o cobraba diez. Desde el día de su entrada vestía el traje clásico de las cigarreras; el mantón, el pañuelo de seda para las solemnidades, la falda de percal planchada y de cola.

VII

Preludios

Tardó Chinto en aclimatarse; mucho tiempo pasó echando de menos la aldea. Dos cosas ayudaron a distraer su morriña; un amolador, que se situaba bajo los soportales de la calle de Embajadores, y el mar. Cuantos momentos tenía libres el labrieguito, dedicábalos a la contemplación de alguno de sus dos amores. No se cansaba de ver los altibajos de la pierna del amolador, el girar sin fin de la rueda, el rápido saltar de las chispas y arenitas al contacto del metal, ni de oír el *¡rssss!* del hierro cuando el asperón lo mordía. Tampoco se hartaba de mirar al mar, encontrándolo siempre distinto: unas veces ataviado con traje azul claro; otras, al amanecer, semejante a estaño en fusión; por la tarde, al ocaso, parecido a oro líquido, y de noche, envuelto en túnica verde oscura listada de plata. ¡Y cuando entraban y salían las embarcaciones! Ya era un gallardo bergantín alzando sus dos palos y su cuadrado velamen; ya una graciosa goleta, con su cangreja desplegada, rozando las olas como una gaviota; ya un paquebote, con sus alas de espuma en los talones y su corona de humo en la frente; ya un fino laúd[20]; ya un elegante esquife; sin contar las lanchas pescadoras, los pesados lanchones, los galeones panzudos, los botes que volaban al galope acompasado de los remos... Si Chinto no fuese un animal, podría alegar en su abono que el Océano y el voltear de una rueda son imágenes apropiadas de lo infinito; pero Chinto no entendía de metafísicas.

Más adelante, al reparar en Amparo, se halló mejor en el pueblo. Si algo se burlaba de él la despabilada

---

[20] Embarcación pequeña, de un palo, con vela latina.

chiquilla, al fin era una muchacha, un rostro juvenil, una voz fresca y sonora. Entre el señor Rosendo y su triste laconismo; la tullida y su tiranía doméstica; Pepa la comadrona, que le asustaba de puro gorda y le crucificaba a chistes, o Amparo, desde luego se declararon por ésta sus simpatías. Todas las tardes, con el cilindro de hojalata terciado al hombro, iba a buscarla a la salida de la fábrica. Esperaba rodeado de madres que aguardaban a sus hijas, de niños que llevaban la comida a sus madres, de gente pobre, que rara vez hacía gasto de barquillos, como no fuese por la exorbitante cantidad de un ochavo o un cuarto. No obstante, Chinto no faltaba un solo día a su puesto.

Algo variado en su exterior estaba el aprendiz. Patizambo como siempre, era en sus movimientos menos brutal. La vida ciudadana le había enseñado que un cuerpo humano no puede tomarse toda la calle por suya, y está obligado a permitir que otros cuerpos transiten por donde él transita. Chinto dejaba, pues, más lugar; se recogía; no se balanceaba tanto. La blusa de cutí azul dibujaba sus recias espaldas, descubriendo cuello y manos morenas; ancho sombrerón de detestable fieltro gris honraba su cabeza, monda y lironda ya por obra y gracia del barbero.

Una hermosa tarde estival aguardaba a Amparo muy ufano, porque en los bolsillos de la blusa le traía melocotones, adquiridos en la plaza con sus ahorros. Como un cuarto de hora llevaban de ir saliendo las operarias ya, y la hija del barquillero sin aparecer. Gran animación a la puerta, donde se había establecido un mercadillo; no faltaba el puesto de cintas, dedales, hilos, alfileres y agujas; pero lo dominante era el marisco: cestas llenas de mejillones cocidos ya, esmaltados de negro y naranja; de erizos verdosos y cubiertos de púas; de percebes arracimados ya correosos; de argentadas sardinas, y de mil menudos frutos de mar —bocinas, lapas, almejas, calamares— que dejaban pender sus esparcidos tentáculos, como patas de arañas muertas. Semejante cuadro, cuyo fondo era un trozo de mar sereno, un muelle de piedras desiguales, una ribera peñascosa, tenía mucho de paisaje napolitano, completando la analogía los trajes y actitudes de los pescadores que no muy lejos tendían al sol redes para secarlas. En pie, en el umbral del patio, un ciego se mantenía inmóvil, muerta la cara, mal afeitadas las barbas que le azuleaban las mejillas, lacio y en trova el grasiento pelo, tendiendo un sombrero abollado, donde llovían cuartos y mendrugos en abundancia.

Miraba Chinto a la bahía con la boca abierta, y cuando por fin salió Amparo, no la vio: ella, en cambio, le divisó desde lejos, y, veloz como una saeta, varió de rumbo tomando por la insigne calle del Sol, que componen media docena de casas gibosas y dos tapias coronadas de hierba y alhelíes silvestres. Corrió hasta alcanzar el camino del Crucero, y dejándolo a un lado atravesó la carretera y la cuesta de San Hilario, donde refrenó el paso, creyéndose en salvo ya. ¡También era manía la del zopenco aquel, de no dejarla ni a sol ni a sombra, y darle escolta todas las tardes! ¡Y como su compañía era tan divertida, y como él hablaba tan graciosamente, que no parece sino que tenía la boca llena de engrudo, según se le pegaban las palabras a la lengua!... Así discurría Amparo, mientras bajaba hacia la puerta del Castillo, defendida todavía, como *in illo tempore*, por su puente levadizo y sus cadenas rechinantes.

Al propio tiempo subían unas señoras, con las cuales se cruzó la cigarrera. Iban casi en orden hierático; delante, las niñas de corto, entre quienes descollaba Nisita, ya espigada, provista de una gran pelota; luego, el grupo de las casaderas, Josefina García, Lola Sobrado, luciendo sus mantillas y sus colas recientes; los flancos de este pelotón los refozaban Baltasar y Borrén, y como Baltasar no se había de poner al ladito de su hermana, tocábale ir cerca de Josefina. Cerraban la marcha la viuda de García y doña Dolores, ésta carilarga y erisipelatosa de cutis, la viuda sin tocas ni lutos, antes muy empavesada de colores alegres.

Los destellos del sol poniente, muriendo en las aguas de la bahía, alumbraron a un tiempo a Baltasar y a Amparo, haciendo que mutuamente se viesen y se mirasen. El mancebo, con su bigote blondo, su pelo rubio, su tez delicada y sanguínea, el brillo de sus galones que detenían los últimos fulgores del astro, parecía de oro; y la muchacha, morena, de rojos labios, con su pañuelo de seda carmesí, y las olas encendidas que servían de marco a su figura, semejaba hecha de fuego. Ambos se contemplaron un instante, instante muy largo, durante el cual se creyeron envueltos en la irradiación de una atmósfera de luz, calor y vida. Al dejar de contemplarse, fuese que el esplendor del ocaso es breve y se extingue luego, fuese por otras causas íntimas y psicológicas, imaginaron que sentían un hálito frío y que empezaba a anochecer. Oyóse la palabra ronca de Borrén el inaguantable.

—¿La has visto?

—¿A quién? —balbució el teniente Baltasar, que fingía considerar con suma atención la punta de sus botas, por no encontrarse con la ojeada investigadora de Josefina.

—A la chiquilla del barquillero..., a la cigarrera.

—¿Cuál? ¿Era esa que pasaba? —contestó al fin, aceptando la situación.

—Sí, hombre, ésa... ¿Qué tal? ¿Tengo buen ojo?

—Yo también la conocí —pronunció Josefina, cuya voz de tiple ascendía al tono sobreagudo.

—A mí no me ha saludado... —añadió Borrén—. No me conoció tal vez..., y eso que yo la metí en la Granera... Yo la recomendé. ¡Bien dije siempre que había de ser una chica preciosa! Lo que es de otra cosa no entenderé, hombre; pero de ese género... ¿Qué les pareció a ustedes?

—¿A mí? —murmuró Josefina entre dientes y con agresivo silbido de vocales. No me pregunte usted, Borrén... Esas mujeres ordinarias me parecen todas iguales, cortadas por el mismo patrón. Morena..., muy basta.

—¡Ave María, Josefina! —dijo escandalizada Lola Sobrado—. No tuviste tiempo de verla; es hermosa y reúne mucha gracia. Fíjate otra vez en ella...; si vuelve a pasar, te daré al codo.

—No te molestes... No merece la pena; es el tipo de una cocinera, como todas las de su especie.

Baltasar hallaba incómoda la conversación y buscaba un pretexto para cambiarla. Atravesaban por delante de un campo cubierto de hierba marchita, especie de landa estéril cercada por lienzos de muralla de las fortificaciones. Había allí una parada de borricos de alquiler, que aguardaban pacíficamente, con las orejas gachas, a sus acostumbrados parroquianos, mientras los burreros y espoliques, sentados en el malecón, jugaban con sus varas, departían amigablemente, y picando con la uña un cigarro de a cuarto, abrumaban a ofrecimientos a los transeúntes.

—¿Un burro, señorito? ¿Un burro precioso? ¿Un burro mejor que los caballos? ¿Vamos a Aldeaparda? ¿Vamos a la Erbeda?

Acercóse Baltasar a las niñas de corto y dijo a Nisita:

—¿Una vuelta por el campo?

A la chiquilla se le encandilaron los ojos, y, soltando la pelota, echó los brazos al teniente con sonrisa zalamera. Baltasar la aupó, colocándola sobre los lomos de un asnillo, que aún tenía puestas jamugas de dorados clavos. Y tomando la vara de manos del alquilador, comenzó a arrear... «¡Arre, burro! ¡Arre! ¡Arre! ¡Arre!»

Amparo, al llegar a la entrada de las Filas, sintió detrás de sí una respiración anhelosa y como el trotar de una acosada alimaña montés, y casi al mismo tiempo emparejó con ella Chinto, sudoroso y jadeante. La perseguida se volvió desdeñosamente, fulminando al perseguidor con una mirada de despidehuéspedes.

—¿Para qué corres así, majadero? —díjole en desabrido tono—. ¿Si creerás que me escapo? Cuidado que...

—Allí... —contestó él echando los bofes, tal era su sobrealiento—, allí..., porque no te vinieses sin compañía..., allí..., porque no te vinieses sin compañía..., allí..., ¡yo me entretuve con el vapor de la Habana, que salía... más bonito, conchas! ¡Humo que echaba! ¿Por dónde viniste, que no te vi?

—Por donde me dio la gana, ¡repelo! Y ya te aviso que no me vuelvas a pudrir la sangre con tus compañías... ¿Soy yo aquí alguna niña pequeña? Anda a vender barquillos, que ahí en el paseo hay quien compre, y en la fábrica maldito si sacas un real en toda la tarde...

VIII

La chica vale un Perú

Mal que le pese a Josefina y a todas las señoritas de Marineda, las profecías de Borrén se han cumplido. No se equivoca un inteligente como él al calificar una obra maestra.

Sucede con la mujer lo que con las plantas. Mientras dura el invierno, todas nos parecen iguales; son troncos inertes; viene la savia de la primavera, las cubre de botones, de hojas, de-flores, y entonces las admiramos. Pocos meses bastan para transformar al arbusto y a la mujer. Hay un instante crítico en que la belleza femenina toma consistencia, adquiere su carácter, cristaliza, por decirlo así. La metamorfosis es más impensada y pronta en el pueblo que en las demás clases sociales. Cuando llega a la edad en que invenciblemente desea agradar la mujer, rompe su feo capullo, arroja la librea de la miseria y del trabajo y se adorna y aliña por instinto.

El día en que «unos señores» dijeron a Amparo que era bonita, tuvo la andariega chiquilla conciencia de su sexo: hasta entonces había sido un muchacho con sayas. Ni nadie la consideraba de otro modo: si algún granuja de la calle le recordó que formaba parte de la mitad más bella del género humano, hízolo medio a cachetes, y ella rechazó a puñadas, cuando no a coces y mordiscos, el bárbaro requiebro. Cosas todas que no le quitaban el sueño ni el apetito. Hacía su tocado en la forma sumaria que conocemos ya; correteaba por plazas, caminos y callejuelas; se metía con las señoritas que llevaban alguna moda desusada, remiraba escaparates, curioseaba ventaneros amoríos y se acostaba rendida y sin un pensamiento malo.

describe la belleza de Amparo

Ahora… ¿quién le dijo a ella que el aseo y compostura que gastaba no eran suficientes? ¡Vaya usted a saber! El espejo no, porque ninguno tenían en su casa. Sería un espejo interior, clarísimo, en que ven las mujeres su imagen propia y que jamás las engaña. Lo cierto es que Amparo, que seguía leyéndole al barbero periódicos progresistas, pidió el sueldo de la lectura en objetos de tocador. Y reunió un ajuar digno de la reina, a saber: un escarpidor de cuerno y una lendrera de boj; dos paquetes de orquillas, tomadas de orín; un bote de pomada de rosa; medio jabón *aux amandes amères*, con pelitos de la barba de los parroquianos, cortados y adheridos todavía; un frasco, casi vacío, de esencia de heno, y otras baratijas del mismo jaez. Amalgamando tales elementos, logró Amparo desbastar su figura y sacarla a luz, descubriendo su verdadero color y forma, como se descubre la del tubérculo enterrado al arrancarlo y lavarlo. Su piel trabó amistosas relaciones con el agua, y libre de la capa de polvo que atascaba sus poros finos, fue el cutis moreno más suave, sano y terso que imaginarse pueda. No era tostado, ni descolorido, ni encendido tampoco; de todo tenía, pero con su cuenta y razón, y allí donde convenía que lo tuviese. La mocedad, la sangre rica, el aire libre, las amorosas caricias del sol, habíanse dado la mano para crear la coloración magnífica de aquella tez plebeya. La lisura de ágata de la frente; el bermellón de los carnosos labios; el ámbar de la nuca; el rosa transparente del tabique de la nariz; el terciopelo castaño del lunar que travesea en la comisura de la boca; el vello áureo que desciende entre la mejilla y la oreja, y vuelve a aparecer, más apretado y oscuro, en el labio superior, como leve sombra al esfumino[21], cosas eran para tentar a un colorista a que cogiese el pincel e intentase copiarlas. Gracias sin duda a la pomada, el pelo no se quedó atrás y también se mostró cual Dios lo hizo, negro, crespo, brillante. Sólo dos accesorios del rostro no mejoraron, tal vez porque eran inmejorables: ojos y dientes, el complemento indispensable de lo que se llama un *tipo moreno*. Tenía Amparo por ojos dos globos, en que el azulado de la

---

[21] Alude al procedimiento de empastar las sombras del dibujo o de suavizar los tonos de la pintura.

córnea, bañado siempre en un líquido puro, hacía resaltar el negror de la ancha pupila, mal velada por cortas y espesas pestañas. En cuanto a los dientes, servidos por un estómago que no conocía la gastralgia, parecían treinta y dos grumos de cuajada leche, graciosísimamente desiguales y algo puntiagudos como los de un perro cachorro.

Observábanse, no obstante, en tan gallardo ejemplar femenino rasgos reveladores de su extracción: la frente era corta, un tanto arremangada la nariz, largos los colmillos, el cabello recio al tacto, la mirada directa, los tobillos y muñecas no muy delgados. Su mismo y hermoso cutis estaba predestinado a inyectarse, como el del señor Rosendo, que allá en la fuerza de la edad había sido, al decir de las vecinas y de su mujer, guapo mozo. Pero ¿quién piensa en el invierno al ver el arbusto florido?

Si Baltasar no rondó desde luego las inmediaciones de la fábrica, fue que destinaron a Borrén por algún tiempo a Ciudad Real, y temió aburrirse yendo solo.

IX

La gloriosa

Ocurrió poco después en España un suceso que entretuvo a la nación siete años cabales, y aún la está entreteniendo de rechazo y en sus consecuencias, a saber: que en vez de los pronunciamientos chicos acostumbrados, se realizó otro muy grande, llamado Revolución de septiembre de 1868.

Quedóse España al pronto sin saber lo que pasaba y como quien ve visiones. No era para menos. ¡Un pronunciamiento de veras, que derrocaba la dinastía! Por fin, el país había hecho una hombrada, o se la daban hecha: mejor que mejor para un pueblo meridional. De todo se encargaban Marina, Ejército, progresistas y unionistas. González Bravo[22] y la reina estaban ya en Francia, cuando aún ignoraba la inmensa mayoría de los españoles si era el Ministerio o los Borbones quienes caían «para siempre», según rezaban los famosos letreros de Madrid. No obstante, en breve se persuadió la nación de que el caso era serio, de que no sólo la raza real, sino la monarquía misma, iban a andar en tela de juicio, y entonces cada quisque se dio a alborotar por su lado. Sólo guardaron reserva y silencio relativo aquellos que al cabo de los siete años habían de llevarse el gato al agua.

Durante la deshecha borrasca de ideas políticas que se alzó de pronto, observóse que el campo y las ciudades situadas tierra adentro se inclinaron a la tradición mo-

---

[22] Luis González Bravo, político y periodista español, diputado, presidente del Consejo de Ministros en 1843, ministro de Gobernación con Narváez y presidente del Consejo, de nuevo, en 1868. Con el destronamiento de Isabel II tuvo que emigrar a Francia.

nárquica, mientras las poblaciones fabriles y comerciales, y los puertos de mar, aclamaron la república. En la costa cantábrica, el Malecón y Marineda se distinguieron por la abundancia de comités, juntas, clubs, proclamas, periódicos y manifestaciones. Y es de notar que desde el primer instante la forma republicana invocada fue la federal. Nada, la unitaria no servía: tan sólo la federal brindaba al pueblo la beatitud perfecta. ¿Y por qué así? ¡Vaya usted a saber! Un escritor ingenioso dijo más adelante que la república federal no se le hubiera ocurrido a nadie para España si Proudhon no escribe un libro sobre el principio federativo, y si Pi no lo traduce y lo comenta. Sea como sea, y valga la explicación lo que valiere, es evidente que el federalismo se improvisó allí y doquiera en menos que canta un gallo.

La fábrica de tabacos de Marineda fue centro simpatizador (como ahora se dice) para *la federal*[23]. De la colectividad fabril nació la confraternidad política; a las cigarreras se les abrió el horizonte republicano de varios modos: por medio de la propaganda oral, a la sazón tan activa, y también, muy principalmente, de los periódicos que pululaban. Hubo en cada taller una o dos lectoras; les abonaban sus compañeras el tiempo perdido, y adelante. Amparo fue de las más apreciadas, por el sentido que daba a la lectura; tenía ya adquirido hábito de leer, habiéndolo practicado en la barbería tantas veces. Su lengua era suelta, incansable su laringe, robusto su acento. Declamaba, más bien que leía, con fuego y expresión, subrayando los pasajes que merecían subrayarse, realzando las palabras de letra bastardilla, añadiendo la mímica necesaria cuando lo requería el caso, y comenzando con lentitud y misterio, y en voz contenida, los párrafos importantes, para subir la ansiedad al grado eminente y arrancar involuntarios estremecimientos de entusiasmo al aduditorio cuando adoptaba entonación más rápida y vibrante a cada paso. Su alma impresionable, combustible, móvil y superficial, se teñía fácilmente del color del periódico que andaba en sus manos, y lo reflejaba con viveza y fidelidad extraordinarias. Nadie más a propósito para un oficio que re-

---

[23] Apelativo con que se denomina a la futura República española, desde la reunión democrática del 18 de octubre de 1868.

quiere gran fogosidad, pero externa; caudal de energía incesantemente renovado y disponible para gastarlo en exclamaciones, en escenas de indignación y de fanática esperanza. La figura de la muchacha, el brillo de sus ojos, las inflexiones cálidas y pastosas de su timbrada voz de contralto, contribuían al sorprendente efecto de la lectura.

Al comunicar la chispa eléctrica, Amparo se electrizaba también. Era a là vez sujeto agente y paciente. A fuerza de leer todos los días unos mismos periódicos, de seguir el flujo y reflujo de la controversia política, iba penetrando en la lectora la convicción hasta los tuétanos. La fe virgen con que creía en la Prensa era inquebrantable, porque le sucedía con el periódico lo que a los aldeanos con los aparatos telegráficos: jamás intentó saber cómo sería por dentro; sufría sus efectos sin analizar sus causas. ¡Y cuánto se sorprendería la fogosa lectora si pudiese entrar en una redacción de diario político, ver de qué modo un artículo trascendental y furibundo se escribe cabeceando de sueño en la esquina de la mugrienta mesa, despachando una chuleta o una ración de merluza frita! ¡La lectora, que entendía cómo sonaba aquello de «Tomamos la pluma trémulos de indignación», y lo otro de «La emoción ahoga nuestra voz, la vergüenza enrojece nuestra faz», y hasta lo de «Y si no bastan las palabras, corramos a las armas y derramemos la última gota de nuestra sangre!»

Lo que en el periódico faltaba de sinceridad, sobraba en Amparo de crédulo asentimiento. Acostumbrábase a pensar en estilo de artículo de fondo y a hablar lo mismo: acudían a sus labios los giros trillados, los lugares comunes de la prensa diaria, y con ellos aderezaba y componía su lenguaje. Iba adquiriendo gran soltura en el hablar; es verdad que empleaba a veces palabras y hasta frases enteras cuyo sentido exacto no le era patente, y otras las trabucaba; pero hasta en eso se parecía a la desaliñada y antiliteraria Prensa de entonces. ¡Daba tanto que hacer la revuelta y absorbente política, que no había tiempo para escribir en castellano! Ello es que Amparo iba teniendo un pico de oro; se la estaría uno oyendo sin sentir cuando trataba de ciertas cuestiones. El taller entero se embelesaba escuchándola, y compartía sus afectos y sus odios. De común acuerdo, las operarias detestaban a Olózaga[24], llamándole *el viejo del borrego*, porque andaba el muy indino buscando un rey que no nos hacía maldita la falta... sólo por cogerse él para sí embajadas y otras prebendas; hablar de González Bravo era promover un motín; con Prim estaban a mal, porque se inclinaba a la forma monárquica; a Serrano[25] había que darle de codo; era un ambicioso hipócrita, muy capaz, si pudiese, de hacerse rey o emperador, cuando menos.

Creció la efervescencia republicana mientras que transcurría el primer invierno revolucionario; al acercarse el verano subió más grados aún el termómetro político en la fábrica. En el curso de las horas de sol, sin embargo, decaía la conversación, y entre tanto la atmósfera se cargaba de asfixiantes vapores y se espesaba hasta parecer que podía cortarse con cuchillo. Penetrantes efluvios de nicotina subían de los serones llenos de seca y prensada hoja. Las manos se movían a impulsos de la necesidad, liando tagarninas, pero los cerebros rehuían el trabajo abrumador del pensamiento; a veces una cabeza caía inerte sobre la tabla de liar, y una mujer, rendida de calor, se quedaba sepultada en sueño profundo. Más felices que las demás, las que espurriaban la hoja, sentadas a la turca en el suelo, con un montón de tabaco delante, tenían el puchero de agua en la diestra, y al rociar, muy hinchadas de carrillos, el virginia, las consolaba un aura de frescura. Tendidas las barrenderas al lado del montón de polvo que acababan de reunir, roncaban con la boca abierta y se estremecían de gusto cuando la suave llovizna les salpicaba el rostro. Revoloteaban las moscas con porfiado zumbido, y ya se unían en el aire y caían rápidamente sobre la labor o las manos de las operarias, ya se prendían las patas en la goma del tarrillo, pugnando en balde por alzar el vuelo. Andaban esparcidos por las mesas, y mezclados con el tabaco, pedazos de borona, tajadas de bacalao

---

[24] Salustiano de Olózaga (1805-1873), político progresista, abogado y diplomático. Se distinguió por su activismo político a finales del reinado de Fernando VII y después de la Revolución de septiembre.

[25] Francisco Serrano Domínguez (1810-1885). General, duque de la Torre, jefe del Gobierno provisional y regente del reino; presidente del Consejo con Amadeo I.

crudo, cebollas, sardinas arenques. Con semejante temperatura, ¿quién había de tener ganas de comerse la pitanza?

Por fin, a eso de las cuatro de la tarde, la refrigerante brisa marina comenzaba a correr: dilatábanse los oprimidos pechos, los dientes funcionaban despachando los humildes manjares, y le tocaba su turno a la lectura política.

Leíanse publicaciones de Madrid y periódicos locales. En la Prensa de la corte se llevaban la palma los discursos de Castelar, por entonces muy distante de haberse *gastado*. ¡Cuánta palabra linda, y qué bien que se enganchaban unas en otras![26] Parecían versos. Es verdad que la mayor parte no se entendían, y que danzaban por allí nombres tan raros, que sólo el demonio de Amparo podía leerlos de corrido; mas no le hace: lo que es bonito, era muy bonito aquello. Y bien se colegía que la sustancia del discurso era a favor del pueblo y contra los tiranos, de suerte que lo demás se tomaba por adorno y floreo delicado.

Cuando en vez de discursos cuadraba leer artículos de fondo, de esos kilométricos y soporíferos, que hablan de justicia social, instrucción difundida, generalizada y gratis, fraternidad universal, todo en estilo de homilía y con oraciones largas y enmarañadas como fideos cocidos, alterábase la voz de Amparo y se humedecían los ojos de sus oyentes. Leve escalofrío recorría las filas de mujeres, las cuales se miraban como diciéndose: «¿Eh? ¿Qué tal? ¡Este sí que lo parla!» Y leído el último párrafo, que terminaba anunciando el próximo advenimiento de una era de perfecta libertad y bienestar absoluto, solían cruzar las manos, sonriendo y sintiéndose tan relajadas en sus fibras, tan blandas y dulces como un plato de huevos moles. Trabajo les costaba reprimir los impulsos de abrazarse que se les iban y venían.

En cambio, si el escrito pertenecía al género bélico y tocaba a somatén, parecía que les daban a beber una mixtura de pólvora y alcohol. Montaban en cólera tan aína como se encrespan las olas del mar. Sordas excla-

---

[26] Doña Emilia siente entusiasmo por la oratoria de Castelar; oye sus discursos en las Cortes y le dedica varios artículos.

maciones acompañaban y cubrían a veces la voz de la lectora. Era contagiosa la ira, y mujer había allí de corazón más suave que la seda, incapaz de matar una mosca, y capaz a la sazón de pedir cien mil cabezas de los pícaros que viven chupando la sangre del pueblo.

X

Estudios históricos y políticos

Más partido tenían en la fábrica los periódicos locales
que los de la corte. Naturalmente, los locales exageraban
la nota, recargaban el cuadro; sus títulos acostumbraban
ser por este estilo: *El Vigilante Federal*, órgano de la
democracia republicana federal-unionista; *El Represen-
tante de la Juventud Democrática; El Faro Salvador del
Pueblo Libre*. Y como, aparte de algunas huecas genera-
lidades del artículo de fondo, discurrían acerca de asuntos conocidos, era mucho mayor el interés que desper-
taban[27]. No es fácil imaginar cuán honda sensación
producía en el concurso alguna gacetilla rotulada, por
ejemplo: «Acontecimiento incalificable.»

—A ver, a ver. Oíd. Callad. Silencio, charlatanas.

Y reinaba un mutismo palpitante, escuchándose tan
sólo el retintín de los tijeretazos que cercenaban el rabo
de las tagarninas.

—«Acontecimiento incalificable —repetía Amparo—.
Se nos asegura que hará dos días entraron tres guardias
civiles francos de servicios en el café de la Aurora, y
un oficial que allí había los arrestó...»

—Arrestaría, arrestaría...

—Callad, bocas...

—«... los arrestó por tan enorme delito...»

—¿Por entrar en un café?

—¡Y dicen que hay *libertá*!

—¡Qué ha de haberla, mujer!

---

[27] Una fuente para esta efervescencia política es el folleto del médico
y político republicano Ramón Pérez Costales: *Apuntes para la historia*,
La Coruña, Librería de Vicente Abad, 1869.

—«Y preguntándoles la causa de su entrada en el local, le respondieron que su objeto era tomar café. No obstante tan naturales explicaciones, fueron arrestados por tres días, y hasta no faltan personas bien informadas que aseguren se ha dado orden para que los individuos del benemérito cuerpo no puedan entrar en los cafés de la Aurora ni del Norte. De ser cierto, sobre constituir un ataque infundado a los sagrados derechos individuales, lo es también a la industria libre y honrosa de los cafeteros, y...»

—¡Y le resobra la razón, así Dios me salve! ¿Y de qué come el pobre del cafetero si le espantan la parroquia?

—El pillo del oficial, como tiene su paga...

—¡Eso, eso!

—¡De ahí, de ahí!

—Habiendo *libertá* no hay injusticias. ¡Olé por ella!

—«¿Qué piensan los que así resucitan arranques del agonizante despotismo militar, propios de épocas terroríficas que pasaron a la Historia? ¿Se les ha figurado que estamos en aquellos siglos, cuando un señor tenía poder para abrir el vientre a sus vasallos?...»

Aquí se salió de madre el río. Exclamaciones, interjecciones, gritos y risas se cruzaron de un lado a otro; pero las risueñas estaban en minoría; dominaban las horrorizadas. Una vieja medio sorda se hizo una trompetilla con ambas manos, creyendo que sus oídos la engañaban.

—¡Ave María de gracia!

—¡En mi vida tal oí!

—¡Abrir la barriga!

—No sería en tierra de cristianos, mujer.

—¿Y eso fue a los pobrecitos civiles? —interrogó la sorda.

—¡Chis! —gritó Amparo—. Aquí viene lo bueno, señores: «...abrir el vientre a sus vasallos para calentarse los pies con su sangre...»

—¡Señor y Dios de los cielos!

—Parece que todo el estómago me da una vuelta.

—¡Pobre del pobre!

—¡Cuándo vendrá la federal para que se acaben esas infamias!

Otra cuerda que siempre resonaba en aquel centro político femenino era la del misterio. Cualquier periodiquillo, el más atrasado de noticias, contenía un suelto que, hábilmente leído, despertaba temores y esperanzas en el taller. Amparo empezaba por hacer señas al concurso para que estuviese prevenido a importantes revelaciones. Después comenzaba, con reposada voz:

—«Atravesamos momentos solemnes. De un día a otro deben cambiar de rumbo los acontecimientos...»

—Lo que yo digo. Esta situación, de por fuerza se la tienen que llevar los demonios.

—Hasta que llegue la nuestra...

—No, pues cuando éste lo huele ...Por Madrid andará buena la cosa.

—Así los parta a todos un rayo, comilones, tiránicos, chupadores.

—A ver si calláis.

—«La situación está próxima a entrar en el camino que desde el primer día de la revolución debió emprender. Hay que vencer grandes obstáculos...» (Movimiento general.) «Los enemigos encubiertos de la revolución...»

—¿Quién será? ¿Lo dirá por el alcalde?

—No, mujer... Por ese maldito de cuñado de la reina...

—Y por el Napoleón de allá de Francia, boba, que no nos puede ver.

—¡Chis! «...de la revolución están acechando el instante en que poder descargar sobre la situación un golpe decisivo y liberticida. No desmayemos, sin embargo. La revolución pasará triunfante por cima de tanto reaccionario como aparenta servirla con fines siniestros. En donde menos se piensa se esconde la reacción fijando su ojo de tigre...»

—Tiene razón, tiene razón. Está muy bien comparado.

—«...ojo de tigre... en la libertad, para estrangularla. Los más temibles son los que, llegados a la cima del poder, hacen traición a sus antiguos ideales, que les sirvieron de pedestal para escalar las grandezas...»

—Si es lo que yo os predico siempre —exclamó al llegar aquí la lectora, tomando la ampolleta—. Los peorcitos están arriba, arriba. Quien no lo ve, ciego es. Interin no agarre el pueblo soberano una escoba de silbarda[28], como esa que tenemos ahí... —y señaló a la que manejaba la barrendera del taller—, y barra sin

---

[28] De ramas de la planta liliácea llamada brusco.

misericordia las altas esferas..., ¡ya me entendéis! El mismo día en que se proclamó la libertad y se les dio el puntapié a los Borbones, había yo de publicar un decreto..., ¿sabéis cómo? —la oradora abrió la mano izquierda, haciendo ademán de escribir en ella con una tagarnina—: «Decreto yo, el pueblo soberano, en uso de mis derechos individuales, que todos los generales, gobernadores, ministros y gente gorda salgan del sitio que ocupan y se lo dejen a otros que nombraré yo del modo que me dé la realísima gana. He dicho.»

—¡Bien, bien!

—¡Venga de ahí!

—¡Esa es la fija! Y a mí que no me digan...

—¿Pues no estamos viendo, mujer, que hay empleados de los tiempos del *espotismo?* ¿Se mudó, por si acaso, la *oficialidá* de los regimientos? Si a hablar fuésemos...

Y la arenga bajó de tono y se hizo cuchicheo.

—¡Si a hablar va uno..., aquí mismo..., repelo! ¡Mudaron al jefe, por plataforma!... ¡Sólo faltaba! Pero los subalternos...

Aquí la maestra del partido, mujer alta y morena, de pocas y dificultosas palabras, que solía oír a las operarias con seria indiferencia, intervino.

—A tratar cada uno de lo que le importa... y a liar cigarritos...

—No decimos cosa mala... —alegó Amparo.

—Decir, no dirás; pero hablar, hablas sin saber lo que hablas... Pensáis que no hay más que mudar y mudar y tener pillos... Aquí se requiere honradez.

—Eso ya se sabe.

—Por de contado que sí... Demasiado.

—Pues el que os oiga... Y vamos acá. Si vierais, como yo vi, el último del mes, que se hace el arqueo, la caja abierta, con sacos de lienzo a barullo, a barullo, así de oro y plata... —y la maestra adelantó los brazos en arco, indicando un vientre hidrópico—. ¿Pues se os figura que si el contador y el depositario-pagador, y los oficiales, y los ayudantes, digo yo, fuesen, quiero decir...?

—¿Fuesen... de la uña?

—¡Pues! Ya veis que aquí no puede venir cualesquiera. Hay *responsabilidá.*

XI

Pitillos

Quiso Amparo mudarse de taller, y solicitó pasar al de cigarrillos, donde le agradaban más el trabajo y la compañía.

Entre el taller de cigarros comunes y el de cigarrillos, que estaba un piso más arriba, mediaba gran diferencia: podía decirse que éste era a aquél lo que el Paraíso de Dante al Purgatorio. Desde las ventanas del taller de cigarrillos se registraba hermosa vista de mar y país montañoso, y entraban sin tasa por ellas luz y aire. A pesar de su abuhardillado techo, las estancias eran desahogadas y capaces, y la infinidad de pontones y vigas de oscura madera que soportaban el armazón del tejado le daban cierto misterioso recogimiento de iglesia, formando como columnatas y rincones sombríos en que puede descansar la fatigada vista. Si bien en los desvanes se siente mucho el calor, el número relativamente escaso de operarias reunidas allí evitaba que la atmósfera se viciase, como en las salas de abajo. Asimismo la labor es más delicada y limpia, los colores más gratos y hasta parece que la claridad del sol entra más alegre a bañar los muros. La limpia blancura de los librillos, el amarillo bajo de las fajas, el gris de estraza de las cajetillas componían una escala de tonos simpáticos a la pupila. Y los personajes armonizaban con la decoración.

Preponderaban en el taller de pitillos las muchachas de Marineda; apenas se veían aldeanas; así es que abundaban los lindos palmitos, los rostros juveniles. Abajo, la mayor parte de las operarias eran madres de familia, que acuden a ganar el pan de sus hijos, agobiadas de trabajo, arrebujadas en un mantón, indiferentes a la compostura, pensando en las criaturitas que quedaron confiadas al cuidado de una vecina; en el recién, que llorará por mamar, mientras a la madre le revientan los pechos de leche...[29] Arriba florecen todavía las ilusiones de los primeros años y las inocentes coqueterías que cuestan poco dinero y revelan la sangre moza y la natural pretensión de hermosearse. La que tiene buen pelo lo peina con esmero y gracia, que para eso se lo dio Dios; la que presume de talle airoso se pone chaqueta ajustada; la que sabe que es blanca se adorna con una toquilla celeste.

Por derecho propio, Amparo pertenece al taller privilegiado.

Encontró en él muy buena acogida y dos amigas: a la una se aficionó de suyo, movida de un instinto protector; llamábanla *Guardiana;* era nacida al pie del santuario de Nuestra Señora de la Guardia, tan caro a Marineda, y según ella misma decía, la Virgen le había de dar la gloria en el otro mundo, porque en éste no le mandaba más que penitas y trabajos. *Guardiana* era huérfana; su padre y madre murieron del pecho, con diferencia de días, quedando a cargo de una muchacha, de dos lustros de edad, cuatro hermanitos, todos marcados con la mano de hierro de la enfermedad hereditaria: epiléptico el uno, escrofulosos y raquíticos dos, y la última, niña de tres años, sordomuda. *Guardiana* mendigó, esperó a los devotos que iban al santuario, rondó a los que llevaban merienda, pidiéndoles las sobras, y tanto hizo, que nunca les faltó a sus chiquillos de comer, aunque ella ayunase a pan y agua. Al raquítico dio en abultársele la cabeza, poniéndosele como un odre; fue preciso traerle médico y medicinas, todo para salir al cabo con que era una bolsa de agua, y que la bolsa se lo llevaba al otro mundo. A bien que el médico no sólo se negó a cobrar nada, sino que, compadecido de *la Guardiana*, tuvo la caridad de meterla en la fábrica, que fue como abrirle el cielo, decía ella. Después de la Virgen de la Guardia, la fábrica era su madre. Nunca

[29] Debemos destacar que *La Tribuna* es la única novela de protagonismo obrero, después de *Germinal*, pero antes de Blasco Ibáñez y de Gorki.

les había faltado nada a sus pequeños desde que era cigarrera, y aún le sobraban siempre golosinas que llevarles; fruta en verano, castañas y dulces en invierno. Amparo saqueaba la caja de los barquillos de Chinto con objeto de enviar finezas a la sordomudita. El taller entero tenía entrañas maternales para aquellos niños y su valerosa hermana, afirmando que sólo la Virgen era capaz de infundirle los ánimos con que trabajaba, sostenía las criaturas y vivía alegre y contenta como un cuco.

Del casco mismo de Marineda procedía la otra amiga de Amparo; aunque frisaba en los treinta, lo menudo de su cuerpo la hacía parecer mucho más joven. Pelirroja y pecosa, descarnada y puntiaguda de hocico, llamábanla en el taller *la Comadreja*, mote felicísimo que da exacta idea de su figura y movimientos. Bien sabía ella lo del apodo; pero ya se guardarían de repetírselo en su cara, o si no... Ana tenía por verdadero nombre, y a pesar de su delgadez y pequeñez, era una fierecilla a quien nadie osaba irritar. Sus manos, tan flacas que se veía en ellas patente el juego de los huesos del metacarpo, llenaban el tablero de pitillos en un decir Jesús; así es que el día le salía por mucho y alcanzábale su jornal para vivir y vestirse, y —añadía ella— para lo que le daba la gana. Conversaba con causticidad y cinismo; estaba muy desasnada; cogíanla de susto pocas cosas y tenía no sé qué singular y picante atractivo en medio de su fealdad indudable. Presumía de bien emparentada y relacionada; un primo suyo desempeñaba la secretaría del Casino de Industriales; una tía ricachona vendía percales, franelas y pañolería en la calle estrecha de San Efrén; la mayor parte de sus amigas *cosían por las casas* o eran oficialas de la mejor modista. Además, conocía mucho *señorío*, del cual hablaba con desenfado. ¡Buenas cosas sabía ella de personas principales!

Sentábanse las tres amigas juntas, no lejos de la ventana que daba al puerto. Al través de los sucios vidrios, barnizados de polvo de rapé que se había ido depositando lentamente, y en cuyos ángulos trabajaban muy a su sabor las arañas, se divisaban la concha de la bahía, el cielo y la lejana costa. La zona luminosa de un rayo de sol, bullendo en átomos dorados, cortaba el ambiente, y el molino de la picadura acompañaba las conversaciones del taller con su acompasado y continuo *tacatá, tacatá*. Agitábanse las manos de las muchachas con vertiginosa rapidez; se veía un segundo revolotear el papel como blanca mariposa, luego aparecía enrollado y cilíndrico, brillaba la *uña* de hojalata rematando el bonete y caía el pitillo en el tablero sobre la pirámide de los hechos ya, como otro copo de nieve encima de una nevada. No se sabía ciertamente cuál de las amigas despachaba más; en cambio, a su lado, encaramada sobre su almohadón, había una aprendiza, niña de ocho años, que con sus deditos amorcillados y torpes apenas lograba en una hora liar media docena de papeles. *Guardiana* la enseñaba y daba consejos (porque la chiquilla, silenciosa y triste, le recordaba su sordomudita, inspirándole lástima), mientras Ana contaba noticias de la ciudad, que sabía al dedillo. Un día que hablaron de lo que suelen hablar las muchachas cuando se reúnen, *la Comadreja* confesó que ella «tenía» un capitán mercante, que le traía de sus viajes mil monadas y regalos, y proyectaba casarse con ella, andando el tiempo, cuando pudiese. En cuanto a *la Guardiana*, declaró que no soñaba con tener novio, pues era imposible; ¿qué marido había de cargar con sus pequeños? ¡Y ella no los dejaba ni por el mismo general Serrano que la pretendiese! Muchos le decían cosas; pero si se trataba de boda, ¡quién los vería echando a sus niños al Hospicio! ¡Ángeles de Dios! Y pensar que ella se metiese en malos tratos, era excusado; así es que nada, nada; la Virgen es mejor compañera que los hombrones. Animada por las confidencias, Amparo insinuó que a ella un señorito, un militar, la seguía alguna vez por las calles.

—Ya sé quién es —chilló *la Comadreja*—. Es el de Sobrado.

—¿Quién te lo dijo, mujer? —exclamó Amparo, maravillada.

—Todo se sabe —afirmó magistralmente Ana.

—Pero ¡estás fresca, hija! Ese lo que quiere es pasar el tiempo, y a vivir. ¡Buena gente son los Sobrados! Los conozco lo mismo que si viviese con ellos, porque justamente la que les cose es hermana de una amiga mía íntima. Avaros, miserables como la sarna. La madre y el tío son capaces de llorarle a uno el agua que bebe; el padre no es tan *cutre*, pero es un infeliz; le tienen dominado y pide permiso a su mujer cuando corta pan del mollete. Para hacerles a las hijas un vestido echan cuentas seis meses, y a la chica que llaman a coserlo la hacen ir tempranísimo, para sacarle bien el jugo. Un día de convite parece que echan la casa por la ventana; pero todo se recoge y no va a la cocina ni tanto así. Y están achinados de dinero[30].

Amparo oía atónita. Nada más ajeno a su carácter rumboso, imprevisor, que la estrechez voluntaria.

—La madre..., ¿ves aquella risita falsa?, pues es terrible. No puede entrar en su casa una muchacha regular; en seguida abrasa al marido a celos. Esta chica que les cosía no pudo aguantar... Allí no hay nadie bueno sino la chiquilla mayor.

—Nos dio dulces una vez...; es bien natural —respondió Amparo, que sintió cruzar por su espíritu la visión de la noche de Reyes.

—¿Esa? Una santa... y no le hacen caso ninguno. La segunda, idéntica a su madre; le preguntaron un día con quién se había de casar, y dijo: «Con el tío Isidoro, que es rico.» ¡El hermano de su padre, aquel viejo gordo que parece una tinaja!

Guardiana soltó el trapo a reír con la mejor voluntad del mundo; Amparo, acordándose de una frase leída en un periódico, exclamó:

—¡Pero ha de poder tanto el vil interés! —y meneando la cabeza, añadió—: Lo diría de broma, mujer.

—¡Sí, sí..., buena broma te dé Dios! En esa familia todos son iguales, mujer; cortados por una tijera. Pues no digo nada del señorito, de tu adorador. Hace la rosca a la chiquilla de García, una empalagosa que no piensa más que en componerse y no sabe dar una puntada; pero el asunto es que se la hace por lunas, porque esas de García... ¿No te gusta el cuento?

—Sí, mujer —gritó la oradora, amostazada—. ¿Piensas tú que estoy muerta por semejante muñeco? Vaya, que me das ganas de reír. Cuenta, mujer, que también se pasa el tiempo.

—Digo que le hace la rosca por lunas, porque esas de García tienen allá un pleito en Madrid, de no sé

---

[30] *Achinado*, adjetivo gallego; significa rico, acaudalado. Se emplea también *achinadiño*.

qué intereses del marido, que era corredor y se metió en una sociedad por acciones... En fin, no será así; pero es lo mismo. Si ganan, quedarán millonarias o poco menos, y cuando hay esperanzas de eso, la madre del de Sobrado le manda que se arrime a la doña Melindritos, y cuando viene de Madrid una mala noticia, que se desaparte... ¡Huy, qué tipos!

Amparo, con la cabeza baja, enrollaba a más y mejor, febrilmente. *Guardiana* se hacía cruces.

—Es una pobre... —murmuraba—. Es una pobre, y no será capaz de acciones así...

—¿Y el otro? —siguió la implacable *Comadreja*, que estaba ya resuelta a vaciar el saco— ¿Y el amigote, el de los bigotazos, que parece que habla dentro de una olla?

—¿El que le llaman Borrén?

—Ése, ése... Un baboso con todas: a todas nos dice algo, y el caso es que con ninguna, chicas. Podéis creerme: ni esto. Tan aficionado a jarabe de pico, y tiene más miedo a una mujer que a los truenos.

Detúvose *la Comadreja*, y mirando fijamente a Amparo, añadió:

—Tú aún tienes otro obsequiante; pero te callas.

—¿Quién, mujer?

—El barquillero. ¡Sí, que no está derretido por ti!

—¡Aquel animal ! —exclamó Amparo—. Parece una patata cruda... Mujer, hazme más favor.

XII

Aquel animal

Aquel animal trabajaba entre tanto a más y mejor.
Si faltase él, ¿quién había de encargarse de toda la labor
casera? Muy cascado iba estando el señor Rosendo, y
la tullida a cada paso se hallaba mejor en su cama, y se
extendía entre sábanas más voluptuosamente, al ver el
ademán de fatiga con que soltaba su marido el cilindro
por las noches. Y cuenta que de algún tiempo acá, el
señor Rosendo no fabricaba barquillos sino en casos
de gran necesidad, porque el fuego le inyectaba la tez,
le arrebataba y sofocaba todo. Pero allí estaba Chinto
para dar vueltas a la noria y ser panacea universal de
los males domésticos, y comodín servicial y aplicable
a cuanto se ofreciese. No sólo se levantaba con estrellas,
a fin de emprender la labor de Sísifo[31] de llenar el tubo
—labor que desempeñaba con mecánica destreza y rapidez—, sino que antes de salir a la venta, quedábale
tiempo de barrer el portal y la cocina, de limpiar los
chismes del oficio, de ir por agua a la fuente, por sardinas al muelle o al mercado, y freírlas luego; de arrimar
el caldo a la lumbre, de partir leña; de cumplir, en suma,
todas las tareas de la casa, incluso las propiamente
femeniles, porque traía en la faltriquera un dedal per-
forado y un ovillo de hilo, y en la solapa, clavada, una
aguja gorda; y así pegaba un botón en los calzones de
su principal como echaba un remiendo de estopa en su
propia morena camisa. Y si no se ofrecía a coser las

---

[31] Aquí la alusión a «la labor de Sísifo» significa sólo trabajo duro
y repetido cada día; no tiene la compleja dimensión que le dará al
mito Albert Camus.

sayas de Amparo y no le hacía la cama, era por unos asomos de natural y rústico pudor, que no faltan al más zafio aldeano. A la tullida le daba vueltas, le sacudía los jergones y la sacaba en vilo del lecho, tendiéndola en un mal sofá comprado de lance, mientras se arreglaba su cuarto.

Lo gracioso del caso está en que, siendo el paisanillo tan útil, por mejor decir, tan indispensable, no hubo criatura más maltratada, insultada y reñida que él. Sus más leves faltas se volvían horribles crímenes, y por ellos se le formaba una especie de Consejo de guerra. Llovían sobre él a todas horas multitud de improperios, burlas y vejaciones.

La explotación del hombre por el hombre tomaba carácter despiadado y feroz, según suele acontecer cuando se ejerce de pobre a pobre, y Chinto se veía estrujado, prensado, zarandeado y pisoteado al mismo tiempo. Le habían calificado y definido ya: era un mulo, y nada más que un mulo.

Acertó un día Chinto a volver unas miajas más tarde de lo acostumbrado, y acercóse a la cama de la tullida para vaciar sus faltriqueras, donde danzaban los cuartos de la colecta diaria. Encontrábase allí Amparo, y le dio al punto en la nariz un desusado tufillo. Por sorprendente que parezca la noticia, la agudeza del sentido del olfato es notable en las cigarreras; diríase que la nicotina, lejos de embotar la pituitaria, aguza los nervios olfativos, hasta el extremo de que si entra alguien en la fábrica fumando, se digan unas a otras con repugnancia: «¡Puf, huele a hombre!» Así es que Amparo solía apartarse de Chinto —aunque sea inverosímil—, repelida por el olor de las malas colillas que chupaba en secreto; pero lo que a la sazón percibía era peor que el tabaco; así es que pegó un brinco.

—¡Vete de ahí —le gritó—; vete, maldito, que nos apestas! ¡Anda, pellejo, despabílate!

Chinto la consideraba atónito, con los brazos colgantes, abriendo cuanto podía los ojos, cual si por ellos oyese.

—Que te largues, ¡repelo contigo!, que no se aguanta ese olor: confundes a la gente.

—¿A qué apestas, demontre? —preguntó la tullida—. Serán esos puros del estanquillo.

—¡No, señora, que es a vino! —exclamó Amparo.

—¡A vino! —clamó la impedida, alzando los brazos tan escandalizada como si ella sólo catase el agua, porque en el pueblo los viejos, con sinceridad completa, se otorgan a sí propios el derecho de «echar un trago», que niegan a los mozos—. ¡A vino! ¡Tú quiéreste perder, condenado!

—Yo..., pero yo..., quiérese decir que yo... —balbució Chinto, abrumado por el peso de su culpa.

—¡Aún tendrás valor para contar mentira! —chilló la enferma—. ¡Llégate acá, bruto! —Chinto se llegó compungido—. Echa el aliento —Chinto lo echó—. Más fuerte, más fuerte... —y la tullida asió de los indómitos pelos al aldeano y le obligó, mal de su grado, a carearse con ella—. ¡Puf! ¡Pues es verdá y muy verdá! ¿Dónde te metiste? ¿Andas ya arrastrado por las tabernas, bribón?

—Yo..., no; no fue cosa mala ninguna..., no fue perrita, ni licor... Fue...

—Cuenta la verdad, borrachón de los infiernos, como si estuvieses difunto en el tribunal del divino Señor...

—No fue nada más sino que encontré un amigo de allí..., de la Erbeda, que cayó soldado..., allí..., me convidó, me dijo así: «¿Quieres una chiquita?» Y yo..., allí, le dije: «Bueno.» Y él me llevó allí..., a casa de...

—¡Calla, calla y recalla ya, que siquiera sabes lo que dices, con la mona que traes a cuestas! ¡Como otra vez te vea yo así perdido de vino, he de decirle a Rosendo que te arree una tunda con la correa de la caja, que te has de chupar los dedos; chiquilicuatro, mocoso, viciosón! Convidarte, ¿eh? Me convides. ¡Quien te da vino, no te da pan, mulo! ¡Anda fuera, que me mareas la cabeza toda!

Amparo ejecutó el decreto materno empujando a Chinto por los hombros a las tinieblas exteriores del portal, y Chinto, resignado, optó por acostarse. Lo único que sentía confusamente era no poder ver a la muchacha un rato. Ahora le entretenía casi tanto mirar a Amparo como antes contemplar la rueda del amolador y la bahía. Admirábale a él, rudo y tardío de habla como suele ser el aldeano, la facilidad y rapidez con que la pitillera se expresaba, la copia de palabras que sin esfuerzo salían de su boca. Si lo que experimentaba

Chinto era enamoramiento, podía llamarse el enamoramiento por pasmo. Ello es que se le venían con frecuencia suma impulsos de tratar a Amparo como a las chiquillas de su aldea las tardes de gaita; de pellizcarla, de soltarle un pescozón cariñoso, de echarle una zancadilla, de darle un varazo suave con la recién cortada vara de mimbre. Pero tan osados pensamientos no llegaban a realizarse nunca. Amparo sí que solía empujar a Chinto, y no por vía de halago, bien lo sabe Dios, sino de pura rabia que le tuvo siempre. Si pudiese leer en el alma del labriego, adivinar cómo le hervía la sangre al acercarse a ella, le hubiese cobrado asco, amén del odio inveterado ya.

Para Amparo, hija de las calles de Marineda, ciudadana hasta la médula de los huesos, Chinto era un idiota. Alguna duquesa confinada en oscuro pueblo, después de adornar los saraos de la corte, debe de sentir por los señoritos del poblachón lo que la pitillera por Chinto. Enfadábale todo en él: la necia abertura de su boca, la pequeñez de sus ojos, lo sinuoso y desgarbado de su andar, su glotona manera de comer el caldo. Le entraban irritaciones sordas a la vista de objetos dejados por él; un par de zapatos viejos y torcidos, una faja de lana roja pendiente de una percha, una colilla negra y pegajosa caída en el suelo. Y fortificaba su antipatía el que Chinto, con la desconfianza socarrona propia del labriego, lejos de resolverse a aceptar los ideales políticos de Amparo, daba a entender, a su modo, que le parecía huero y vano todo el bullicio federal. Con risa entre idiota y maliciosa, solía decir a veces a la muchacha:

—Andas metiéndote en cuentos... Aún han de venir a buscarte los civiles, para *te llevar* a la cárcel...

123

XIII

Tirias y troyanas

También en la fábrica observaba Amparo que las aldeanas eran las menos federales, las menos calientes. Llenas de escepticismo y de picardía, decían, meneando la cabeza, que a ellas la república «no las había de sacar de pobres». Alguna tenía sus puntas y ribetes de reaccionaria; y en conjunto, todas profesaban el pesimismo fatalista del labrador, agobiado siempre por la suerte, persuadido de que si las cosas se mudan, será para empeorarse. No se arrancaba de ellas la más leve chispa de fuego patriótico; empeñábanse en no exaltarse, sino cuando viesen que iban a menos las contribuciones y a más los frutos de la tierra. Así es que en la fábrica gozaban de detestable reputación, y eran tachadas de ávidas, tacañas y apegadas al dinero, y acusadas de cebarse en la ganancia, abandonando su casa por un ochavo, al par que las de Marineda se jactaban de rumbosas y se preciaban de mejores madres. No obstante, pronunció la revolución tres palabras áureas, que conmovieron a todas: «¡No más quintas!» Hasta las mismas rurales abrieron ansiosamente el corazón y el alma para beberse la dulce promesa.

¡Si la república fuese, como decían diariamente los periódicos favoritos del taller, la supresión del impuesto de sangre, vamos, merecía bien que una mujer se dejase hacer pedazos por ella! En el taller de cigarrillos, aunque dominaban las mocitas solteras, bastaba hablar de quintas para que se moviese una tempestad de federalismo.

—Miren ustedes —decía Amparo— que eso de que arranquen a una de sus brazos al hijo de sus entrañas y le lleven a que los cañones le despedacen por un rey, iclama al cielo, señores! Por lo mismo queremos la república republicana, la santa república democrática federativa. Con ella Marineda será capital, y Vilamorta[32], también, y hasta Aldeaparda será capital hecha y derecha. Sólo *Madrí*, que a ése se le acaba la ganga; ya no nos chupará la sustancia; se va a hacer una cosa *manífica*, que se llama *descentraizar*, y veremos cómo después se le baja el orgullo a la corte. ¡Si es inicuo y absolutista lo que está pasando! Aquí no nos mandan, pongo por caso, sino tabaco de segunda, filipino, y para eso espérelo usted un mes o dos. Las regalías y las conchas se hacen en *Madrí*... ¡Como si nuestros dedos no fuesen de carne humana! ¿Somos aquí esclavas o algunas torponas que no sabemos *perficionar* la labor? Y luego allí, paguita siempre corriente, consignas a barullo... ¡Ciudadanas, es preciso sacudir el yugo tiránico con nobleza y energía cuando venga lo que se aguarda! ¿Eh, chicas?

A las dos formas de gobierno que por entonces contendían en España se las representaba el auditorio de Amparo tal como las veía en las caricaturas de los periódicos satíricos; la monarquía era una vieja carrancuda, arrugada como una pasa, con nariz de pico de loro, manto de púrpura muy estropeado, cetro teñido en sangre y rodeada de bayonetas, cadenas, mordazas e instrumentos de suplicio; la república, una moza sana y fornida, con túnica blanca, flamante gorro frigio, y al brazo izquierdo el clásico cuerno de la abundancia, del cual se escapaba una cascada de ferrocarriles, vapores, atributos de las artes y las ciencias, todo gratamente revuelto con monedas y flores. Cuando la fogosa oradora soltaba la sin hueso, pronunciando una de sus improvisaciones, terciándose el mantón y echando atrás su pañuelo de seda roja, parecíase a la república misma, la bella república de las grandes láminas cromolitográficas; cualquier dibujante, al verla así, la tomaría por modelo.

Y la muchacha iba ascendiendo a personaje político. En la ciudad comenzaban a conocerla, y hasta oyó una vez, al pasar por la calle Mayor[33], que murmuraban en un corrillo de hombres: «Esa es la cigarrera guapa

---

[32] Nombre literario de Carballiño, la villa orensana en donde se ambienta *El cisne de Vilamorta*.
[33] La calle Real coruñesa.

que amotina a las otras.» En su barrio todas la embromaban: el mancebo de la barbería pronunciaba un festivo «¡Viva la república!» siempre que Amparo cruzaba ante su puerta; y la señora *Porreta* murmuraba con voz cascajosa y opaca: «Salú y liquidasión sosial.» Si alguien cree que fue rápida la metamorfosis de la niña callejera en agitadora y oradora demagógica, tenga en cuenta que más prontamente aún que la fábrica de tabacos de Marineda se *gaseó* la nación hispana. Ni visto ni oído. Contaba la gloriosa menos de un año, y ya nadie sabía a qué santo encomendarse, ni adónde íbamos a parar, ni dónde dar de cabeza. Abundaban las manifestaciones pacíficas, acabando siempre como el rosario de la aurora. En la frontera, agitación carlista; el Gobierno interna que te internarás, y los internados acá, volviendo a meterse en España media legua más allá, mientras en Madrid se fabricaban activamente, y sin gran reserva, fornituras, arneses y mantillas, que en los ángulos lucían una corona y las iniciales «C. VII», y en Vitoria recorrían las calles grupos de jóvenes con boina blanca y garrote en mano, vitoreando a las mismas iniciales. A bien que en Puerto Rico la guarnición aclamaba otras cosas, y en Écija mil republicanos protestaban contra «la presencia en España del intruso Antonio de Borbón[34]», y en las cercanías de Barcelona los payeses, armados de azadas y bieldos, perseguían a un alcalde y le obligaban a encastillarse en las casas consistoriales. A todo esto, el Poder, representado por el regente Serrano, al cual se tributaban honores casi regios, estaba realmente en las vigorosas manos de Prim, que olfateando la ruina de la gloriosa, como el marino vislumbra en el remoto horizonte el huracán, sin entretenerse en fruslerías demagógicas, sólo pensaba en traer un monarca, llamado a sosegar al país. España estaba próxima a la gran lucha de la tradición contra el liberalismo, del campo contra las ciudades; lid magna que tenía en la fábrica de Marineda su representación en pequeño.

Todas las mañanas, en efecto, al entrar las operarias en los talleres, al encontrarse en el camino, solían urbanas y rurales invectivarse ásperamente y dirigirse homé-

---

[34] Se refiere a Antonio Felipe de Orleans, duque de Montpensier, uno de los pretendientes al trono de Isabel II.

ricos insultos, ni más ni menos que si fuesen las avanzadillas de los dos partidos enemigos que pronto iban a encender la guerra civil. El pretexto de las riñas era que las de Marineda mostraban asombrarse de que las campesinas, viniendo quizá de tres leguas de distancia, estuviesen ya allí cuando apenas asomaba el día, y hacían rechifla de tal diligencia.

—¡Vaya, que es madrugar de Dios, hijas!

—¿Venidas a caballo del sol?

—¡Andar, lamponas![35] ¡Dejáis la cama por hacer y el chiquillo por mamar! ¡Madrastras!

—¡Ni os peinades tan siquiera!... ¡Andáis arañando en el pelo con los dedos por llegar seis minutos antes, ansiosas de Judas!

—¡Tú dormiste en el camino, avariciosa! Imposible que a tu casa llegases. Tanto madrugar, y tanto madrugar, y luego no hacedes[36] ni medio cigarro en to el día, que mismo no sabedes menear los dedos, que mismos los tenedes que parecen chorizos, que mismo Dios os hizo torponas, que mismo...

Aquí ya la sorna y flema de las interpeladas tocaba a su fin, y respondían coléricas, pero entre dientes:

—¿Y luego? Cada uno se vale como puede, y vusté tendrá otras rentas, y más otros señoríos..., y ganarálo de otra manera diferente, y Dios sabe cómo será..., que yo no lo sé ganar sino trabajando, *higa*[37].

—Yo lo gano con tanta honra como usté..., y no injuriar a nadie.

—Calle usté, que empezó. Yo no le dije cosa mala.

—¡Avarientas, rañas, ahorcádevos por un ochavo!

—¡Sinvergüenzas! —replicaban, furiosas, las campesinas.

—¡Servilonas, carlistas! —contestaban las ciudadanas, ya en actitud agresiva.

—¡Malvadas, que echades contra Dios! —rugían las insultadas.

Y en medio del tumulto se oía el agudísimo ¡ay! de una mujer, a la cual manos furibundas intentaban arran-

---

[35] Bribonas, desvergonzadas. La forma más corriente es *lapón*.

[36] Hacéis. La forma gallega es *facedes;* segunda persona de plural del presente, lo mismo que el «sabedes» que viene a continuación. En cambio, «tendes» en gallego sería *tendes* / «téndelos».

[37] Hija; ejemplo de geada.

car de un solo tirón la trenza entera de sus cabellos. Por espacio de diez segundos imperaban la confusión y el desorden, y había empujones, pellizcos convulsivos, arañazos, violentos repelones; pero apenas iban aproximándose a las cercanías de la fábrica, donde el severo reglamento prohibía los escándalos, cesaba el griterío, comenzaba el torrente femenil a precipitarse dentro del patio y restablecíase la paz, ya que no la serenidad interior, en la fiel imagen abreviada de la nación española.

XIV

Sorbete

Josefina García estaba aquella noche muy compuesta y emperejilada en el paseo de las Filas, y la acompañaban las de Sobrado. Cuanto se ponía Josefina ajustábase siempre a los últimos decretos de la moda, no sin cierta exageración y nimiedad, que olía a figurín casero. Era la condición del cuerpo de la señorita semejante a la de la gelatina que los escultores usan para vaciar sus estatuas, que recibe toda forma que se le quiera imprimir. Josefina entraba dócil en los moldes impuestos por la moda, sin rebelarse ni protestar jamás. Tenía su físico algo de impersonal, una neutralidad que le permitía variar de peinado y de adorno sin mudar de tipo. Mediana de estatura, su rostro prolongado y sus agradables facciones no frecían rasgos característicos. Sus ojos, ni chicos ni grandes, no eran feos, pero sí dominantes y escudriñadores más de lo que a su edad y doncellez convenía; su sonrisa, entre reservada y cándida, demasiado permanente en los labios para que no tuviese visos de fingida y afectada; su talle, modelado por el corsé, sería pobre de formas si hábiles artificios del traje, como un volante sobre los hombros, o en la cadera, no reforzasen sus diámetros. Sin aliño y despeinada, Josefina debía de parecer poca cosa; ayudada por el tocado adquiría cierta postiza morbidez. En realidad, era un fruto prematuramente caído del árbol, una doncella núbil antes de tiempo; a los trece, cuando tocaba habaneras, tenía ya las coqueterías, los celos, los caprichos de la mujer, y ahora aquella flor rápida y precoz se había deshojado, y en vez de la lozanía seductora de la juventud, notábase en Josefina la tiesura y empaque de una señora formal y los remilgos de una lugareña. Figurábase que la distinción, el buen tono, consistían en contrahacer los menores movimientos, ajustándolos a una pauta preestablecida; que había un modo elegante y otro cursi de reír, de estornudar, de abanicarse; que hasta existían opiniones distinguidas y bien vistas, y opiniones que ya no se llevaban; y que en todo, lo más selecto y fino eran las medias tintas, la insustancialidad, lo insípido, inodoro e incoloro. Hablando de cosas superficiales, no le faltaba cierta charla vivaz, semejante al trinar del jilguero; pero apenas se tocaban asuntos serios, creíase obligada, por su papel de niña elegante y casadera, a encogerse de hombros, hacer cuatro dengues y mudar de conversación. Tal cual era Josefina, muchas señoritas la imitaban, porque, según se decía, «sacaba las novedades»; y aunque tachándola de exagerada y rara, a veces, con el rabillo del ojo, observaban las innovaciones de indumentaria que lucía, para reproducirlas al punto.

Aquel año comenzaba a imperar el traje corto, revolución tan importante para el atavío femenino como la de septiembre para España; las avanzadas en ideas se habían apresurado a cercenar sus faldas, mientras las conservadoras no se resolvían a suprimir la cuarta de tela con que barrían las inmundicias del piso. Josefina, que en materia de vestir era radical, llevaba la moda nueva en todo su rigor, con túnica de seda negra adornada de bellotas de pasamanería, cayendo sobre redonda falda de glasé azul. Un velo de rejilla formaba a su rostro la misteriosa aureola de un confesionario, y los *cuernos* de su peinado bajaban con gracia y simetría hacia la nariz. Por la espalda y en la cintura, un lazo negro muy pronunciado servía para abultar lo que entonces quería la *voluble diosa* que abultase. Echaba la señorita los codos atrás con objeto de destacar el busto, actitud que escrupulosamente copiaba la segunda de los Sobrado, Clara. Lola, que iba en medio, era la única a poner el cuerpo como Dios se lo dio. La luz de la luna, que se alzaba iluminando el paseo de las Filas y el mar, la hora y la temperatura envidiable de una noche de verano, incitaban a amantes efusiones, o siquiera a galanteos, y hasta el ruido de la concurrencia se brindaba a ser cómplice de tiernas palabras pronunciadas a media voz; así lo comprendía Baltasar, que acompañaba a las muchachas, inamovible al lado de Josefina, y haciendo, sin escrúpulo, que sus hermanas llevasen la cesta. A lo lejos, el blando murmullo de las olas, que parecían un lago de plata, decía cosas embriagadoras y poéticas; cantaba un idilio intraducible al humano lenguaje. La conversación del grupo era, no obstante, por todo extremo vulgar.

—Está desanimado el paseo, ¿verdad, Sobrado?

—Sí, animadísimo lo encuentro yo. ¿Por qué dice usted eso?...

Y los ojos de Baltasar buscaron los de Josefina, y una mirada se cruzó entre ambos.

—¡Qué cosas tiene usted! Vaya, falta gente: usted no lo notará, pero sí falta.

—Yo —intervino Lola— me aburro con tanto dar y dar vueltas... En cualquier sitio me divertiría más. No hubiera salido hoy si no fuese por la octava de San Hilario... Pero ni aun la octava estuvo a mi gusto; faltó muchísima gente de la que acostumbra alumbrar... ¿Sabéis por qué?

—No —dijo maquinalmente Josefina.

—Sí —declaró Baltasar—, porque fueron a esperar al muelle a los delegados de Cantabria.

—¿Los delegados... de qué? —preguntó Josefina, jugando con el abanico.

—De Cantabria... Vienen a firmar la Unión del Norte... —explicó Lola—. ¡A mí me gustaría ver el desembarco! Si hubiese tenido con quién ir...

—Yo fui... ¡Qué lástima! —dijo Baltasar.

—Chica... ¡Vaya una idea! —exclamó Josefina, soltando menudas carcajaditas—. Yo huyo de esas confusiones... Me aterra pensar que pueden gentes sin educación apachucarme[38], pisarme...¡Qué fastidio! Y al fin, poco tendrá que ver... Diga usted, Sobrado: ¿se ha divertido usted mucho?

—No, por cierto... ¡Diversión! ¿Qué diversión ha de ser? Pero es curioso... ¡Hubo vivas, y mueras, y un silbido vergonzante, y abrazos, y apretones de manos!

—¡Bien por el que silbó! —dijo Lola, batiendo pal-

---

[38] Apretarme. Puede emplearse en gallego también *apachocar*.

mas—. ¡A eso, a eso quería yo ir: a silbar con la llave de la puerta!

—Dice el tío Isidoro —intervino Clara— que si esto sigue así, van a tener que cerrarse los comercios y se concluirá la industria.

—¡Y también se cerrarán las iglesias! —recalcó Lola con más calor aún—. ¡Malditos revoltosos! ¡A silbar, a silbar debió ir todo el mundo!

—¡Chis! ¡Por Dios! —suplicó Josefina—. Estamos llamando la atención... Luego dirán que nos metemos en política.

—Pues yo me meto..., ¿y qué? Ahora todo el mundo se mete —afirmó Lola.

—¡Ay!... ¡Yo, no! Qué ridiculez, ¿eh, Sobrado? Yo no entiendo de eso.

—¿No tiene usted opiniones, polla?

—No...; es decir, no me gustan los alborotos. ¡Cuando hay trifulca el teatro está tan soso!... Ni queda humor para vestirse y salir.

—Vamos, usted debe tener sus preferencias... ¿Será usted carlista?

—¡Ay, no! ¡La Inquisición me da un miedo!... —dijo riendo.

—¿Republicana?

—¡Qué horror! ¡Cosa más cursi!...

—Moderada, ea. Es usted moderada, de fijo.

—Tal vez, tal vez, algo moderada... La pobre reina me da mucha lástima.

—Bueno, ahora ya sé que es usted moderada y lo voy a divulgar por ahí para que la prendan a usted por conspiradora.

—No, por Dios, que no sueñen que hablamos de estas cosas... Se reirían de mí y dirían que parecemos un club. ¿No sabe usted alguna noticia? ¿Qué me cuenta usted del prestidigitador que trabaja en el teatro?

—¿El húngaro? ¡Bah! Como todas esas funciones... Muy pesado, mucho cubilete y los pistoletazos de cajón...

—¡Pistoletazos! Los odio; me asustan atrozmente. En viendo que preparan la pistola, ya estoy tapándome los oídos; las chicas se ríen y mamá me dice siempre: «Niña, que te miran...» Pero yo no puedo...

—¡Mejor! Si la miran a usted, ¿qué más quieren los espectadores? —declaró Baltasar, cediendo a la destreza con que Josefina traía el diálogo al terreno personal.

Mientras pasaba este coloquio, las madres, que venían detrás, se sentaron en un banco, sin que su plática, por versar sobre asuntos de muy otra especie, cediese en animación a la de la gente joven. Un momento, al pasar por delante de ellas, Lola se volvió a preguntarles no sé qué; al mismo tiempo Josefina tocó levemente en el codo a Baltasar, el cual se inclinó, y por un movimiento simultáneo cayeron los brazos de ambos y sus manos se unieron el espacio de un segundo, depositando la mano varonil en la femenina un papelito blanco, tamaño como una mariposa. Susurraban las acacias, llenaba el aire el misterioso silabeo de las conversaciones de última hora y el amoroso gemido del mar, besando el parapeto, completaba la sinfonía.

Ni se escapó el detalle del papel al ojo avizor de la viuda ni a la vigilante atención de doña Dolores, quien puso torcido y avinagrado gesto, levantándose al punto y anunciando que era hora de retirarse. Al tiempo que regresaban las dos familias, desde las Filas a la calle Mayor, la señora de Sobrado meditaba una épica pequeñez, una tontería trascendental y feroz que sirviese para dar despachaderas a las de García y quedarse sola con sus hijos. Y como llegasen cerca de las puertas del café de la Aurora, que dejaban pasar la luz amarilla y cruda del gas, ocurriósele, por fin, la liliputiense estratagema, y con felina amabilidad dijo a la viuda:

—Y ahora, ¿qué se hacen ustedes? Nosotros pensábamos entrar a tomar un refresco... ¿Nos acompañarán ustedes? Un sorbetito, cualquier cosa...

—¡Jesús..., pues no faltaba más! —contestó la viuda, abochornada como persona a quien ofrecen de mala gana y por fórmula un obsequio que cuesta dinero—. Nosotras tenemos que hacer, y nos retiramos.

—¡Baltasar! —gritó doña Dolores a su hijo, que iba delante con las muchachas—. ¡Baltasarito, entra aquí, que vamos a tomar un sorbete!...

—Vengan ustedes, señoritas —murmuró el teniente, creyendo que se trataba de convidar a la familia García.

—No, estas señoras no quieren nada —se apresuró a advertir la madre, clavando a su hijo a la puerta del café con una mirada elocuentísima.

A pesar del aplomo de buen género que creía Josefinita

poseer, se vieron a la claridad del gas sus ojos preñados de lágrimas de orgullo y su tez encendida, como si la abofeteasen. Dijo un seco «adiós» a Clara y Lola; a Baltasar y a doña Dolores, ni palabra. Cogióse del brazo de la viuda y pronto se confundieron en la oscuridad del fin de la calle sus espaldas, erguidas con dignidad propia de espaldas de destronadas reinas. Baltasar se volvió hacia su madre:

—Pero, mamá... —pronunció.

—¡Chis! —murmuró ella en voz baja, casi al oído del mancebo—. Eres un bolo [39], que te comprometes en público con ellas, y tienen medio perdido su asunto. Van a quedar en la calle, chiquillo... He confesado a la infeliz de la madre, y no pudo negármelo... Yo ya lo sabía por el regente. Va muy mal todo eso... Niñas, sentaos —añadió, dirigiéndose a Lola y Clara—. Mozo, cuatro medios de leche y barquillos.

—Yo no tomo... —dijo Baltasar.

—Mozo, tres medios no más... Pues mira cómo andas, porque esa mocosa, con su gesto de todo me fastidia, te va a envolver... La tendrás que mantener, y a las cuñaditas, y a la viuda...

—Pero si no pienso... Usted todo lo abulta. Sólo que las cosas hechas así de este modo se comentan y dan que hablar... ¿No se empeñó usted misma en que las acompañase?

—Con permiso de ustedes —dijo el mozo, colocando en la mesa tres vasos de leche amerengada coronados de canela, y un cestito de paja lleno de barquillos. Clara y Lola se pusieron a absorber su refresco, comprendiendo que no debían oír el diálogo de su madre y su hermano.

—Que las acompañases, sí..., porque no me figuraba yo que iba a resultar tal compromiso... Si pierde el pleito, ni sé cómo pagarán las costas... Han de acudir al bolsillo del prójimo..., acuérdate de lo que te digo; como si todo el mundo tuviese ahí el dinero a disposición.

—Pues yo —declaró Baltasar— no vuelvo a meterme en otra... Mire usted bien las cosas antes, porque esto de andar así, hoy tomo y mañana dejo, es ridículo y le pone a uno en evidencia. Dirá la gente que cazamos..., que cazo una dote... ¡Ya ve usted!

---

[39] Ignorante, torpe, que se compromete sin darse cuenta.

—¡Dios quiera que los cazados no seamos nosotros! —tartamudeó doña Dolores con las mejillas horriblemente sumidas por los esfuerzos de absorción que practicaba, a fin de convertir su barquillo en bomba ascendente de la leche garapiñada.

XV

Himno de Riego.
De Garibaldi. Marsellesa

Era Baltasar un hijo, no de este siglo, sino de su último tercio, lo cual es más característico y peculiar. Calificábanle las señoras de atento; sus compañeros, de muchacho corriente y agradable; su tío, de chico listo y con el cual se podía departir acerca de asuntos de comercio. Su temperatura moral no subía ni bajaba a dos por tres; no se le conocía ardor ni entusiasmo por ninguna cosa; la fiebre de la mocedad no le había causado una hora de franca y declarada calentura. Ni juego, ni bebida, ni mujeres le sacaban de quicio. En política era naturalmente doctrinario. Su madre le juzgaba mozo de gran porvenir y altos destinos, porque, dejándole la paga para gastos menudos y diversos, Baltasar ahorraba y nunca se halló sin un duro en el bolsillo del chaleco. Destinado a la carrera militar, más por vanidad de su familia que por vocación, no era, sin embargo, cobarde, pero sí yerto; prefería los ascensos a la gloria, y a la gloria y a los ascensos reunidos anteponía una buena renta que disfrutar sin moverse de su casa ni estar a merced del ministro de la Guerra. Secretamente, con cautela suma (porque Baltasar respetaba la opinión pública y todo lo que hay que respetar para vivir con sosiego), la ley y norte de su vida era el placer, siempre que no riñese con el bienestar. Tenía vanidad, pero vanidad encubierta y en cierto modo solitaria. A sus creencias, vacilantes y endebles, no quería tocar, como si fuesen un diente próximo a caerse y con el cual evitase morder cortezas duras. Vivía a su gusto y talente, sin meterse en más libros de caballerías. Físicamente tenía

Baltasar mediana estatura, la tez fina y blanca y de un rubio apagado el ralo cabello; pero la parte inferior de su fisonomía era corta y poco noble; la barbilla chica y sin energía, la boca delgada de labios, como la de doña Dolores. En conjunto, su rostro pareciera afeminado, a no acentuarlo la aguda nariz, diseñada correctamente, y la frente espaciosa, predestinada a la calvicie.

Al huir del café, como si huyese de sí mismo, dejando a su madre y a sus hermanas ocupadas en agotar los sorbetes, sintió que le daban una palmadica en la espalda, y, volviéndose, conoció a Borrén, que ya hacía días estaba de retorno de la Ciudad Real, contando que allí había unas chicas... hombre, ¡cosa notable! Se cogieron del brazo y se dieron a vagar por las calles, que no aconsejaba otra cosa la serenidad y hermosura de la noche de estío. Baltasar desahogó sus cuitas en aquel amigo pecho. El no estaba ciego por Josefina, ni cosa que lo valga; pero ahora recelaba que fuese mal visto plantarla de golpe y porrazo.

—Entreténgala usted —aconsejó maquiavélicamente Borrén— y distráigase por otro lado. ¿Va usted a vivir así a su edad? ¡Pues no faltaba más, hombre!

—Es una diablura; en este pueblo todo se sabe, y después, líos, historias, lances que molestan... Se me figura que voy a pedir que me destinen a Andalucía o a Cataluña... Si me quedo aquí, hay una muchacha que me da a veces en qué pensar..., ¿y para qué se ha de meter uno en un atolladero?

—Una muchacha... No es la de García, ¿eh?

—No, hombre... Esos son lances a la alta escuela y por todo lo fino, que no le quitan a uno el sueño... Es... una cigarrera.

—¡Hola..., picarón! ¿Esas tenemos, y tan callandito?

—Usted mismo me la enseñó y me habló de ella... La chica del barquillero.

Borrén chasqueó la lengua contra el paladar.

—¡Ya lo creo! ¡Toma, toma! ¡Pues si es una joyita, hombre! ¡Caramba con usted y cómo las gasta! ¿No se lo decía yo a usted?, ¿eh?

—Debo advertir que por ahora no hay nada... No se eche usted a maliciar ya.

—Principio quieren las cosas, hombre.

Hablaban así al atravesar una calle principal, cuando

de pronto les llamó la atención el corro de gente parada a la puerta de una sociedad de recreo. Dentro del marco de las iluminadas ventanas se veían agitarse figuras negras que gesticulaban animadamente, y detrás de ellas medio se columbraba una mesa servida con copas botellas y dulces. A veces se dibujaba sobre el fondo de luz la silueta de una mano que alzaba una copa, y el clamor que seguía al brindis era delatado por el retemblido de los cristales.

—El Círculo Rojo —dijo Borrén—. Están obsequiando a los delegados de Cantabria.

—¡Llegar por mar ahora mismo y tener humor para correrla! —exclamó el teniente—. ¡Lástima de naufragio!

—¿A usted qué le parece de estas algaradas, Sobrado?

—¿Qué me ha de parecer? Que antes de dos meses nos embromarán allá por Navarra los del Terso...

—¡Quiá! Eso nunca, hombre. Eso murió, y los muertos no resucitan.

—Usted entiende más de chicas guapas que de política, amigo Borrén. Nos van a divertir, créame usted. Ya anda en danza Elío[40], un militar si lo hay... Eso se va a organizar; verá usted cómo salen de la tierra igual que los hongos cuando llueve, pero equipaditos y con armamento. Y estos otros también van a sacar las uñas por Barcelona y donde haya blusas y fábricas. Lo peor de todo es que harán de España mangas y capirotes...

Un golpe de gente que desembocaba en la calle cortó la réplica de Borrén. A la luz del astro nocturno se veían blanquear los instrumentos de metal y los papeles de música. Al llegar ante el Círculo Rojo instaló la banda sus atriles en el centro del corro que aumentaba, y previas algunas palabras en voz baja y un golpe de batuta, rasgó los aires el bullanguero himno que todo español conoce y ama o detesta. Del concurso partieron gritos.

—¡Himno de Garibaldi!

—¡Marsellesa! ¡Marsellesa! —contestó un grupo más compacto.

Y enmudecieron los metales y, presto, volvió a alzarse

---

[40] Joaquín Elío y Ezpeleta, jefe del Estado Mayor carlista que no quiso el Convenio de Vergara. Fue condenado a muerte por haber participado en la conspiración de San Carlos de la Rápita e indultado por Isabel II. Tomó parte en la última guerra carlista. Murió en 1876.

su formidable acento, entonando la trágica Marsellesa[41].
Impensadamente se abrieron las ventanas del Círculo,
y fue como si la sala llena de claridad, de gente y de
tumulto se viniese a meter entre los espectadores.

En primer término asomaron las cabezas los recién
venidos, y al punto calló la música y se oyeron vivas a
los delegados, a Cantabria, dominando el clamoreo una
voz aguardentosa que desde la esquina repetía incansable:
«¡Viva la honradez!» Una mujer se adelantó, y entrando
en el círculo de luces, gritó con voz fresca y potente:

—¡Que brinden a la salud del pueblo!... ¡Que brinden!...

Volvióse uno de los delegados, y al punto le trajeron
una copa rebosando champaña, que elevó a los cielos
al pronunciar el brindis. Las luces de los atriles alumbraron su barba de nieve, sus mejillas sonrosadas como
las de los viejos santos bizantinos. Baltasar sacudió el
brazo de su confidente, señalando a la mujer:

—¿La ve usted?

—La veo. ¡Olé y qué guapa se pone todos los días,
hombre!

—Pero se me hace muy cargante con estas cosas
políticas. Las mujeres no tienen más oficio que uno.

—¡Sí, hombre...; quién la mete a ella...; tiene chiste!

—Es una epidemia. Almorzamos política y comemos
ídem. Se va volviendo España un manicomio. ¡Bah! Si no
estuviese aquí, donde todo el mundo me conoce, las
extravagancias de esa muchacha no dejarían de diver-
tirme... ¿La ve usted aplaudiendo a rabiar al del brindis?
¿Cómo se llamará ese ciudadano? Parece el Oroveso
de *Norma*.

—¡Pchs!... Mañana lo sabremos.

---

[41]   El signo calificador negativo, trágica, recuerda el nacimiento
de la Marsellesa como canción de guerra, divulgada en París por los
voluntarios marselleses en los episodios de la Revolución, en 1793.

XVI

Revolución y reacción, mano a mano

En la calle de los Castros estaba Carmela, la encajerita, descolorida como siempre y ocupada en oír de
boca de Amparo los sucesos de la víspera. Asomada
Carmela al tablero, disimulaba su talle encorvado ya
por la habitual labor; pero no sus ojos marchitos y
cansados de fijarse en la blancura del hilo. No obstante
su atareado vivir, la encajera gastaba humor apacible
e inalterable y poseía la dulzura de las personas melancólicas, una benevolencia claustral. Amparo narraba
animadamente; los delegados de Cantabria habían desembarcado entre inmenso gentío que llenaba el muelle
y la ribera; ella pensó por la mañana alumbrar en la
octava de San Hilario; pero ¡qué octava ni octava!, en
cuanto supo la venida del buque, allá se plantó, en el
desembarcadero, abriéndose calle a codazos... Los delegados son unos señores..., ¡vaya!, de mucho trato y de
mucho mundo; ¡saludan a todos y se ríen para todos!
¡Republicanos de corazón, ea! Y aquí Amparo se descargó una puñada en el pecho. A la señora María,
la Ricachona, mira tú, porque dijo que les quería dar
la mano, la abrazaron a vista de todo Dios... Luego
los había acompañado al Círculo Rojo, y oído la serenata
y el discurso que echó uno de ellos... ¡un viejo que parece
un santo!, y otro..., un señor serio, de mal color...

—Y ¿qué tal? ¿Predican bien?

—¡Dicen cosas... que se le hace a uno agua la boca
de oírlas! Quisiera yo que estuviesen allí los que creen
que la federal trae desgracias y belenes... El viejo no
habló sino de que ya no había tiranía..., de que todo
se iba a arreglar con moralidad y atención..., de que

140

nos quisiéramos mucho los republicanos, porque ya todo ha de ser concordia entre los hombres.

—Tú tienes un memorión... A mí se me iría el santo al cielo. Mi memoria es de gallo. Y el otro, ¿qué dijo?

—El otro, el otro..., el otro habla despacio, pero echa unos términos que a veces cuesta caro entenderlo... Predicó mucho de nuestros derechos y del trabajo, y de lo que representa esta Unión del Norte..., y de que las clases trabajadoras, si se unen, pueden con las demás... Habían de venir allí arrastrados de las orejas los que piensan que los republicanos dicen cosas malas. No señor; allí se cantaba clarito lo que somos: paz, libertad, trabajo, honradez y la cara y las manos muy limpias.

—Dime una cosa, mujer.

—Mas que sean dos.

—Y ¿qué significa eso de República federal?

—Significa..., ¿qué ha de significar, repelo? Lo que predicaron ésos.

—Pero no me hice bien de cargo... ¿Qué más tiene eso que el Gobierno que hay ahora?

—Tiene, tiene, tiene..., tiene que Madrí no se nos monte encima, y que haya honradez, paz, libertá, trabajo...

—Pero... vamos, una pregunta, por preguntar, mujer. ¿No decían, cuando vino el barullo de la revolución el año pasado, que nos iban a dar todo eso? Conforme aquéllos no lo dieron, también podrá cuadrar que no lo den estotros.

—No puede ser, y no, y no, porque éstos son otros hombres de otra manera, que miran por el bien del pueblo... No digas tontadas.

La encajerita se rió con su risa tenue.

—No, si lo que vienen a dar es trabajo, por acá no falta... Y digo yo y pregunto otra vez, si es verdá que quitan la estancación del tabaco, vamor a ver, ¿cómo os valéis las cigarreras? ¿Pidiendo limosna?

—¡Esa es una burrada de las gordas! —exclamó Amparo, fuerte ya en la controversia del punto concreto— Oye y atiende, mujer, te lo voy a poner claro como el sol. Ahora el Gobierno nos tiene allí sujetas, ¿no es eso? Ganamos lo que a él se le antoja; si vienen, un suponer, buenas consignas, porque vienen, y si no, fastidiarse. Él chupa y engorda y se hace de oro, y nosotras, infelices, lo sudamos. Que se desestanca, que se desestancó; ¡hala con ella! Las reinas somos nosotras, las que tenemos nuestra habilidad en los dedos; con nosotras han de venir a batir el consumidor y el estanquero, y si a mano viene, el ministro del ramo... ¿Aún no entendiste, tercona?

Meneaba suavemente la cabeza la encajerita, mientras los hilos de la labor se deslizaban, se cruzaban, se entretejían al través de sus dedos y los palillos de boj, chocando unos con otros, hacían una musiquilla flauteada.

—Es que... tú pintas las cosas... Pero dime...

—¡Qué porfiosa del dianche!

—Dime con verdad... ¿Falta ahora gente que pretenda entrar en la fábrica?

—¡Faltar! ¡Más empeños andan danzando!

—Pues catá... El día que quiten la estancación se echa medio mundo a trabajar en cigarros, y habiendo mucho quien trabaje, el trabajo anda por los suelos de barato. ¿Qué me está pasando a mí? Empezó la tía a hacer encajes, y le salieron dos o tres de Portomar a poner la competencia..., porque ahora son mucha moda estas puntillas, hasta para pañuelos; lo que estoy rematando es un pañuelo.

Descubrió ufana su almohadilla, alzando un pañizuelo que velaba parte de labor terminada ya y viose una afiligranada crestería, un alicatado de hilo, donde el menudo dibujo se desplegaba en estrellitas microscópicas, en finos rombos, en exquisitos rectángulos, todo ello unido con arte y gracia formando primorosa orla. Amparo aprobó.

—Está muy bonito —dijo.

—Pues con todo y que se lleva tanto, como ya somos muchas a menear los palitroques, hay que arreglar los precios... Yo —murmuró, suspirando levemente— no puedo hacer más; a veces trabajo con luz, pero no me lo resisten los ojos, y así me arrimo cuanto más puedo al tablero hasta que no se ve el día... La tía también se quedó medio ciega; ya ni puntillas gordas hace; sólo sirve para ir por las casas a vender lo que yo trabajo...

Batida en el terreno crematístico, Amparo tocó otra cuerda para seguir hablando de sus entusiasmos; que no se la cocía el pan en el cuerpo hasta desembuchar cuanto había visto y esperaba ver.

—¡El día que lleguen por tierra los delegados de Cantabrialta..., se prepara una buena! ¿No sabes?

—¿Mucha fiesta?

—Los han de esperar con coches... Y —Amparo se detuvo, bajando la voz para acrecentar el efecto de la estupenda noticia— los iremos a alumbrar con hachas.

—¡Ave María de Gracia! ¿Qué me dices, mujer? ¿Alumbrarlos como a los santos?

—Andando.

—¿Y quién? ¿Las de la fábrica?

—Ajá. Una ristra de ellas. Ya estamos habladas.

—¿Van tus amigas...? ¿Aquellas dos...?

—¡Espera por ellas! No, mujer, no. Ana, como se trata con un capitán mercante, no se quiere rebajar a que la vean alumbrando; dice que cuando llegue la *Bella Luisa* la avergonzaría su marino... ¡Y aquella tonta de *Guardiana* tuvo valor a decirme que ella sólo cogería un hacha para ir en la procesión de Nuestra Señora la Guardia!

—Pues yo digo otro tanto..., *mas* que te enfades, mujer. ¡Vaya unos dioses y unas imágenes que vais a llevar en procesión! Eso parece cosa de idólatras. Alumbrar solamente a las cosas de la Iglesia, el *veático*, las octavas...

—Calla, que eres más nea que los neos.

—¡Y para el favor que me están haciendo a mí esos señorones que predican la libertá! ¡Dicen que van a echar a todas las monjas a la calle y a no dejar convento con convento!

Amparo retrocedió tres pasos, se puso en jarras, enarcó las cejas y después se persignó media docena de veces, con extraña prontitud.

—Me valga San... Pero ¿tú hablas formal, mujer? ¿Te quieres meter en aquella prisión por toda, toda, toda la vida? Arreniégote [42].

—Querer, quiero... ¡Ay! Quise desde que fui así, pequeñita... Pero, ¡bah!, ¡no puedo! ¿Dónde te van a recibir ahora sin el dote? ¡Buenas están las monjas para

---

[42] Interjección con que uno se admira de algo, abomina o execra una cosa; la forma gallega es *arrenégote*.

meterse en despilfarros! Y yo, ¿cómo he de juntar el dote, dime tú? Si pido, nadie me dará... A no ser que Dios me mande una sorpresa...

—Mujer, rica no soy; pero un par de duros aún no me hacen falta para comer mañana —replicó espontáneamente Amparo.

La pálida sonrisa de la encajerita alumbró su rostro.

—Se estima la voluntá... Necesito una atrocidá de dinero para el caso, y ya sé que juntar, no lo he de juntar nunca... En fin, paciencia nos dé Dios.

—Y ¿tú estarías a gusto presa entre cuatro paredes?

—Bien presa vivo yo desde que acuerdo... Siquiera los conventos tienen huerta, y vería una árboles y verduras que le alegrasen el corazón.

XVII

Altos impulsos de la heroína

Eran las horas meridianas, las horas de calor, cuando salieron desempedrando las calles de Marineda carruajes en que iban las comisiones del partido a esperar a los delegados de Cantabrialta. Las dos leguas de camino real que van de la ciudad al ex portazgo (como se decía entonces) hallábanse cuajadas de gente en expectativa, asaz empolvada y sudorosa. Poca levita, mucha túina[43] y chaqueta; de higos a brevas, un uniforme; buen número de mujeres, roncas ya, con los labios secos, los ojos inyectados, arrebatadas las mejillas, más o menos descompuesto el peinado y el traje. Engalanadas con colgaduras ostentaba sus casas el pobre suburbio de la riberilla; quién había destinado a manifestar su civismo la colcha de la cama, quién las cortinas de la humilde alcoba, quién una sábana o mantel. Al ingreso de la barriada se alzaban arcos de triunfo, entretejidos con ramaje.

Cuando regresaron los coches, trayendo ya a los esperados viajeros, el contraste que ofrecía el espectáculo convidaba a parar la consideración en él. Acercábase el sol a su ocaso, y las colinas que limitaban el horizonte pasaban del suave azul ceniciento al lila más delicado. Las playas de la Barquera y el mar alternaban en zonas de nítida blancura y de limpio color de zafiro; a los últimos destellos del poniente, el arenal brillaba como si estuviese salpicado de plata, y vaporosas franjas de espuma, tan pronto formadas como deshechas, corrían un instante por el borde de las olas. Soberana y ma-

---

[43] Especie de chaquetón largo y holgado.

jestuosa paz, unida al recogimiento de la hora vesper-
tina, se elevaba de aquellas diáfanas lejanías al cielo
puro, donde apenas de trecho en trecho leves nubecillas,
semejantes a copos de algodón, se esparcían tiñéndose
de oro. Así se preparaba al sueño la Naturaleza, mientras
en la carretera, una multitud abigarrada y polvorosa se
desojaba mirando al punto por donde asomaría muy
luego la comitiva, y recreaba la vista en contemplar los
guiñapos y telas de colorines pendientes de los balcones,
y el marchito verdor de los arcos de triunfo; y se recibían
y daban pisotones recios, y *metidos* feroces, y algún
furtivo pellizco, y se tragaba y se mascaba el árido
polvo del camino, oyendo a poca distancia, como irónica
burla, el blando gemir de las ondas de la ría.

De tiempo en tiempo, las bombas de palenque[44] trataban de armar un escándalo en la atmósfera, pero en
balde; diríase que era la detonación de algún vergonzante petardo, que así alteraba la amplia serenidad del
ambiente, como el zumbido de un mosquito turbaría
el reposo de un gigante. Las tocatas de la banda de
música, hecha pedazos de puro soplar himnos y más
himnos patrióticos, se empequeñecían en el libre y anchuroso espacio, hasta asemejarse al estallido de una
docena de buñuelos al caer en el aceite hirviendo donde
se fríen. Y visto desde la playa, el mismo numeroso
gentío podía compararse a un avispero, y la bandera
roja, a un trapo de los que los chicos cuelgan de una
caña a fin de pescar ranas en las ciénagas.

Para que la comitiva adquiriese unos asomos de solemnidad, fue preciso que entrase en los mezquinos
arrabales del pueblo. Con la frescura de la noche que
caía, todo el mundo se halló más a gusto, los de los
coches respiraron, sin dejar de saludar a diestro y siniestro, y comenzaron a abrir en las tinieblas sus pupilas
de fuego los reverberos de la ciudad, las farolas y las
hachas de cera que encendían algunas mujeres para
alumbrar a los carruajes. Así que brilló el cordón de
luces, las portadoras de las hachas se alinearon en buen
orden, bajando los ojos modestamente porque aquello
olía a procesión. Entonces, algunos curiosos de Marineda
que no habían querido molestarse en ir más lejos para

---

[44] Cohetes de un solo estallido, muy potente.

ver la función, se abrieron paso y situaron convenientemente, con propósito de estudiar los semblantes de las que en otra ocasión se llamarían devotas. Si las encontraban mozas y lindas, decíanles cosas almibaradas; si viejas y feas, barbaridades capaces de enojar y abochornar a un santo de leño. Cuando pasaba Amparo, que iba una de las primeras, al lado del rojo estandarte, era un fuego graneado de piropos, una descarga cerrada de ternezas a quema ropa. Es que la muchacha se lo merecía todo; la luz del blandón descubría su rostro animado, encendía sus ojos rechispeantes y mostraba la crespa melena, desanudada por la agitación de la caminata y flotando en caprichosas roscas por su frente, hombros y cuello. Baltasar y Borrén, de americana y hongo, se colaron entre la apiñada muchedumbre y quizá le murmuraron al oído cien mil dislates; pero no estaba el alcacer para gaitas, es decir, no estaba Amparo de humor de requiebros, hallándose exclusivamente poseída del fervor político.

Sentíase sobreexcitada, febril, en días tan memorables. Por todas partes fingía su calenturienta imaginación peligros, luchas, negras tramas urdidas para ahogar la libertad. De fijo, de fijo, el Gobierno de Madrid sabía ya a tal hora que una heroica pitillera marinedina realizaba inauditos esfuerzos para apresurar el triunfo de la federal; y con estos pensamientos latíale a Amparo su corazoncillo y se le hinchaba el seno agitado. En medio de la vulgaridad e insulsez de su vida diaria y de la monotonía del trabajo siempre idéntico a sí mismo, tales azares revolucionarios eran poesía, novela, aventura, espacio azul por donde volar con alas de oro. Su fantasía inculta y briosa se apacentaba en ellos. Las enfáticas frases de los artículos de fondo, los redundantes períodos de los discursos resonaban en sus oídos como el *ritornello* del vals en los de la niña bailadora. Aquella llegada de los individuos de la Asamblea de la Unión fue para Amparo lo que sería la de los Apóstoles para un pueblo que oyese hablar del Evangelio y de pronto viese arribar a sus costas a los encargados de anunciarlo.

Tenía Amparo por cosa cierta que se acercaba la hora de señalarse con algún hecho digno de memoria; ansiaba, sin declarárselo a sí misma, emplear las fuerzas de abnegación y sacrificio que existen latentes en el alma de la mujer del pueblo. ¡Sacrificarse por cualquiera de aquellos hombres, venidos de Cantabria a vaticinar la redención; inmolarse por el más viejo, por el más feo, prestándole algún extraordinario y capital servicio! Llamar a su puerta a las altas horas de la noche; decirle con voz entrecortada que «ahí viene la Policía» y que se oculte; acompañarlo por recónditas callejuelas a un escondrijo seguro; meterle en la mano unos cuantos pesos ahorrados a fuerza de liar pitillos; recibir, en cambio, un haz de proclamas para repartir al día siguiente, con la advertencia de que «si se las cogen, puede contarse ánima del Purgatorio»; distribuirlas con sigilo y celo, y por recompensa de tantas fatigas, de riesgos semejantes, ganar un expresivo apretón de manos, una mirada de gratitud del proscrito... Si el heroísmo es cuestión de temperatura moral, Amparo, que se hallaba a cien grados, tal vez se dejara fusilar por la *causa* sin decir esta boca es mía, y quién sabe si andando los tiempos no figuraría su retrato al lado de Mariana Pineda [45], en los cuadros que representan a los mártires de la Libertad... Feliz o desgraciadamente, lo que ustedes quieran, que por eso no reñiremos, los tiempos eran más cómicos que trágicos, y los loables esfuerzos de Amparo no le conquistaron otra corona de martirio sino el que en la fábrica se prohibiese la lectura de diarios, manifiestos, proclamas y hojas sueltas, y que a ella y a otras cuantas que pronunciaron vivas subversivos y cantaron canciones alusivas a la Unión del Norte las suspendiesen, como suele decirse, de empleo y sueldo.

---

[45] Mariana Pineda (1804-1831) fue una entusiasta defensora de las ideas liberales; bordó una bandera con el lema «Ley, Libertad, Igualdad». Por su activismo, considerado como revolucionario, fue ajusticiada.

XVIII

Tribuna del pueblo

El Círculo Rojo echa el resto; no se habla en Marineda sino del banquete que ofrece a los delegados de Cantabria y Cantabrialta. No tiene el Círculo Rojo socios tan opulentos como el Casino de Industriales y la Sociedad de Amigos; pero sóbrale alma y desprendimiento, cuando la ocasión lo requiere, para sangrarse los bolsillos, empeñarse, si es preciso, hasta los ojos y salir con color y presentar una mesa que no lo avergüence.

Llamada a conferenciar con el presidente del Círculo la «persona de buen gusto», que nunca falta en los pueblos para dirigir las solemnidades, entró al punto en el desempeño de sus funciones, y se dio tal maña, que en breve pudo negociar un empréstito de candeleros de plata, centros de mesa, vajilla fina, mantelería adamascada y nueva, palilleros caprichosos y pureras sorprendentes. Obtenido lo cual, el correveidile se frotó las manos, asegurando al presidente que la mesa estaría regiamente exornada.

—Regiamente, no, señor —contestó el presidente, algo fosco—. Republicanamente, dirá usted.

No quiso el organizador de la fiesta discutir el adverbio, y satisfecho de haber encontrado los accesorios, se dio a buscar lo principal, o sea, la comida. Bregando con fondistas y cafeteros, consiguió combinar platos, vinos y helados del modo que le pareció más ortodoxo y elegante; pero quiso su desdicha que, a última hora, el entusiasmo político lo echase todo a perder, instigando a un bodegonero federal a enviar «la prueba» de sus vinos, y a un hornero, a remitir media docena

149

de robustas empanadas, que cayeron en el banquete como barbarismos en selecto trozo de latinidad clásica. Menudencias que la Historia no registrará, seguramente.

De propósito, se empezó tarde la comida, y circulaban aún las dos sopas de hierbas y de puré, cuando los camareros cerraron las maderas de las ventanas y encendieron las bujías de los candelabros y los aparatos de gas. Viose entonces salir de las vaguedades del crepúsculo la mesa, la larga mesa de sesenta cubiertos, con sus brillantes objetos de plata, sus ramos de flores simétricamente colocados, sus altos ramilletes de dulce, sus temblorosas gelatinas, donde la luz rielaba como en un lago. El presidente del Club tendió en derredor una mirada de orgullo. En verdad que el aspecto del banquete era majestuoso. Imperaba en él todavía la reserva de los primeros momentos; la gente comía con moderación y delicadeza; los camareros y mozos de servicio andaban discretamente, sin taconear; las cucharas producían leve música al tropezar con los platos; la virginidad del mantel alegraba los ojos, y el vaho aperitivo de la sopa no desterraba del todo las fragantes emanaciones de las rosas y claveles de los floreros. No obstante, al servirse la primera entrada, comenzaron a dialogar los vecinos de mesa y el rumor creciente de las conversaciones envalentonó a los mozos, que pisaron ya más recio.

Presidía la mesa el viejo de blanca barba, y la teatral nobleza de su figura completaba la decoración. A su derecha tenía al presidente del Círculo, y a su izquierda, al orador de tenebrosa faz, el que, según Amparo, «echaba términos» difíciles de entender. Seguían los demás delegados por orden de respetabilidad, alternando con individuos de la Junta, de la Prensa, del partido.

Fue poco a poco acrecentándose el ruido de la charla y desatándose las lenguas, por donde rebosaba ya la abundancia del corazón. El que, merced a su ancianidad venerable, podía ser llamado patriarca, sonreía, aprobaba, estaba de acuerdo con todo el mundo, mientras el delegado tétrico y ceñudo se las componía lo mejor posible para disputar. Al tercer plato disparó bala rasa contra la propiedad, el capital y la clase media, y el presidente del Círculo, patrón y dueño de establecimiento, hubo de amoscarse; poco después fue el patriarca mismo el enojado, a causa de no sé qué frases sobre el derecho de insurrección y el empleo de medios violentos y coercitivos. Ninguno le parecía al patriarca lícito; en su concepto, el amor, la paz, la fraternidad eran las mejores bases para fundar la unión federativa, no sólo de Cantabria y de España, sino del mundo. Cada cual alegaba sus razones; la discusión se hacía general; intervenían en ella periodistas y delegados, desde los más remotos extremos de la mesa; alguien brindaba sin ser oído; personas de voz escasa exclamaban, en tono suplicante: «Pero oigan ustedes, señores...; si ustedes oyesen una palabra...» Era en balde. El grupo central se lo hablaba todo; de su confuso vocerío sólo se destacaban frases sueltas, airadas, empeñadas en descollar: «Eso son utopías, utopías fatales... No, es que le convenzo a usted con la Historia en la mano... Sí, sí, hagámonos de miel... La Revolución francesa... Era en otro régimen, señores... No confundamos los tiempos... Está usted en un error... Un hecho no es ley general... Eso lo ha dicho Pi... Cantú[46] es un reaccionario... El bautismo de la sangre... Horrores infecundos...» Mientras duraba la polémica, los mozos no se entendían para pasar las fuentes del asado y para escanciar el champaña... Uno de ellos se inclinó hacia el presidente y le dijo al oído no sé qué... El presidente se levantó al punto y salió de la sala, volviendo a entrar presto, seguido de un grupo de mujeres.

Amparo lo capitaneaba. Penetró airosa, vestida con bata de percal claro y pañolón de Manila de un rojo vivo que atraía la luz del gas, el rojo del *trapo* de los toreros. Su pañolito de seda era del mismo color, y en la diestra sostenía un enorme ramo de flores artificiales: rosas de Bengala, de sangriento matiz, sujetas con largas cintas de lacre, donde se leía, en letras de oro, la dedicatoria. Diríase que era el genio protector de aquel lugar, el duende del Círculo Rojo; las notas del mantón, del pañuelo, de las flores y cintas se reunían en un vibrante acorde escarlata, a manera de sinfonía de fuego.

Adelantóse intrépida la muchacha, levantando en alto

---

[46] César Cantú (1804-1895). Historiador y político italiano, autor de la voluminosa *Historia Universal*.

el ramo y recogiendo con el brazo libre el pañolón, cuyos flecos le llovían sobre las caderas. Y como el conspicuo disputador, dejando su asiento, mostrase querer tomar el exvoto que la muchacha ofrecía en aras de la diosa Libertad, Amparo se desvió y fuese derecha al patriarca. El corro se abrió para dejarle paso.

La muchacha, sin soltar el ramo, miraba al viejo. Éste, en pie, con su barba plateada y levemente ondulada, como la de los ermitaños de tragedia, con su calva central guarnecida de abundantes mechones canos, con su alta estatura, un tanto encorvada ya, se le figuraba la ancianidad clásica, adornada de sus atributos, coronada la cima de los tiempos. Y el patriarca, a su vez, creía ver en aquella buena moza el viviente símbolo del pueblo joven. Ambos formularon en sus adentros el pensamiento de simpatía que los dominaba.

«Este señor mete respeto lo mismo que un obispo», se dijo Amparo.

«Esta chica parece la Libertad», murmuró el patriarca.

Entre tanto, la muchacha comenzaba su peroración. Temblábale la voz al principio; dos o tres veces tuvo que pasarse la mano, yerta, por la frente húmeda, y sin saber lo que hacía, accionó con el ramo, cuyas cintas culebrearon como serpientes de llama, y carraspeó para deshacer un nudo que le apretaba el galillo. Poco a poco, el rumor de la mesa, el cuchicheo de los convidados más distantes, la luz de los mecheros de gas que le calentaba los sesos, el aroma de los vinos y la espuma del champaña, que aún parecía bullir en la iluminada atmósfera, la embriagaron, y sintió fluir de sus labios las palabras y habló con afluencia, con desparpajo, sin cortarse ni tropezar. Los convidados se daban al codo sonriendo, pronunciando entre dientes algún «¡bravo!, ¡muy bien!», al oír que las operarias republicanas de la fábrica ofrecían aquel ramo a la Asamblea de la Unión del Norte y al Círculo Rojo en prueba de que..., y para manifestar cuanto..., y como testimonio de que los corazones que latían..., etc. El patriarca se colocaba la mano sobre el pecho, se la llevaba a la boca con sincerísima complacencia, mientras el disputador, tieso y serio, inclinaba de cuando en cuando, lentamente, la cabeza en señal de aprobación. Por fin, la oradora acabó su discurso, entregando el ramo al patriarca y gritando: «¡Ciudadanos delegados, salud y fraternidad!»

Tomó el viejo la ofrenda y se la pasó al presidente, que se quedó con ella muy empuñada y sin saber qué hacer. Confusas las compañeras de Amparo por el silencio repentino, miraban de reojo hacia todas partes, maravillándose del esplendor de la mesa y algo sorprendidas de que el banquete republicano fuese cosa de tanto orden y de que los delegados comiesen, en vez de salvar la patria. El patriarca se acercó a Amparo; sus mejillas arrugadas y marchitas tenían a la sazón sonrosados los pómulos.

—Gracias, hijas... —tartamudeó, cabeceando senilmente—. Gracias, ciudadanas... Acércate, Tribuna del pueblo..., que nos una un santo abrazo de fraternidad... ¡Viva la Tribuna del pueblo! ¡Viva la Unión del Norte!

—¡Viva! —balbució Amparo, toda enternecida, ahogándose—. ¡Viva usted... muchos años!

Y el viejo y la niña no estaban a dos dedos de romper a llorar, y algunos de los convidados se reían a socapa viendo aquel brazo paternal que rodeaba aquel cuello juvenil.

XIX

La Unión del Norte

¡Cuidado si hace calor!

Sobre el duro azul de un celaje no empañado por la más leve bruma ondean las flámulas, colocadas en mástiles a la veneciana alrededor del baluarte de la Puerta del Castillo, y sus gayos colores no desdicen del júbilo radiante del cielo y de la estrepitosa y alegre multitud. Arcos y ondas de follaje verde corren de mástil a mástil, disonando y contrastando con el tono cerúleo del firmamento. En mitad del anfiteatro se alza el palco destinado a la Asamblea de la Unión, con su tribuna al centro, y flanqueado de otros dos más bajos, pero mayores, destinados a las comisiones del partido. Bien podía la Asamblea Constitutiva de la Unión del Norte de la Costa Ibérica —que así se nombraba en sus documentos oficiales— ocupar oronda y satisfecha el palco presidencial: pocas sesiones y breves horas le habían bastado para sentar las bases del gran contrato unionista federativo; actividad gloriosa, sobre todo comparándola con la flema y machaconería de aquellas holgazanas de Cortes Constituyentes, que tardaban meses en redactar un código fundamental y definitivo para la nación.

Caminaba impetuosa hacia el anfiteatro la comitiva, compuesta del partido y *juventud* republicana, de mucha chiquillería, de los comités rurales, de los delegados y de todo fiel cristiano que, movido de curiosidad, quiso injerirse en la procesión. Apresuradamente, como si fuese un ser único animado por un solo soplo vital, y tuviese por voz la banda de música que aturdía el ambiente con himnos y más himnos, adelantábase la palpitante masa humana; y empujadas por la compacta muchedumbre, las banderas, coronadas de flores, vacilaban cual si estuviesen ebrias, y tan pronto daban traspiés y se inclinaban acá o acullá como tornaban a erguirse rectas y altivas. Y las casas del tránsito parecían contemplar el cuadro y entender su asunto, y de unas llovían flores, ramos, coronas, y otras, en menor número, cerradas a piedra y lodo, dijérase que fruncían el ceño y se ponían hurañas y serias al sentir el roce de la ola revolucionaria.

Cuando éstas llegaron a estrellarse en el baluarte, se esparcieron y derramaron por doquiera. El gentío trepó a las escaleras, cabalgó en el caballete de los bastiones, invadió los palcos de los comisionados y se extendió coronando las alturas vecinas; por los troncos de los mástiles se encaramó más de un granuja, resuelto a dominar la situación. Penetró majestuosamente en el palco de la Asamblea, y así que los delegados ocuparon sus asientos, el tumulto se apaciguó como por magia, y cerca de veinte mil personas guardaron silencio religioso. Sólo se oyó salir, de algún rincón del anchuroso escenario, el melancólico grito que pregonaba: «¡Agua de limón fría, barquillos, agua, azucarillos, agua!» Dos fotógrafos, situados en lugar oportuno para tomar la vista, enfocaban cubriéndose la cabeza con el paño de bayeta verde, y sus máquinas parecían los ojos de la Historia contemplando la escena. Casi se oiría el volar de una mosca, sobre todo en las cercanías del palco presidencial.

Procedióse a la firma y lectura del contrato de unión. Desde lejos se veía en el palco una agrupación de cabezas, entre las cuales se destacaba la negra cabellera melodramática del disputador y sus quevedos de oro, y la barba nívea del patriarca, resplandeciente al sol, como la de Jehová en los cuadros bíblicos. Estaban Baltasar y Borrén apoyados en un lienzo de parapeto, en pie sobre un sillar de piedra, lo cual les permitía ver cuanto ocurría. Ambos prestaban atención suma, comprendiendo que presenciaban un episodio interesante del drama político español.

—Aquí se cuece algo, hombre —exclamó Borrén, inclinándose hacia su amigo.

—¡Claro que se cuece! ¡El desbarajuste universal... y el picadillo que van a hacer de España estos señores!

—Hombre, dice que no... Dice que lo que desean es confederarnos, para que estemos más uniditos que antes... ¿No ve usted que esto se llama Unión?

—¡Sí, sí, corte usted un dedo y péguelo después con saliva!

—A bien que una nación no es ninguna naranja para hacer cuarterones tan fácilmente... ¿Sabe usted lo que contaron de ese viejecito..., del patriarca? Mire usted: yo me explico que sea republicano... ¡Había cosas en aquellos tiempos antiguos! ¡Era el segundo de una casa rica..., poderosa, hombre! Él mayorazgo arrambló con todo, ¿eh?, mimos y hacienda, y a él le quedó un palomar viejo y la memoria de las azotainas... Otro se hubiera hecho misántropo... Él se hizo filántropo, y luego progresista, y luego federal..., y es un bienaventurado que abraza a todo el mundo, y oye misa, y es incapaz de hacer daño a nadie... Acá, *inter nos*, lo tengo por algo chocho...

—¿Y aquel moreno..., el de los quevedos?

—¡Ah! Ése..., ése dicen que es de los que quieren perder las colonias y salvar los principios: hombre de línea recta, de geometría... Según Palacios, que lo conoce, la ecuación entre la lógica y el absurdo; no en balde es ingeniero. Si para lograr sus ideales tuviese que desollarnos..., ¡pobre pellejo!

—¿Y si tuviese que desollarse a sí mismo?

—¡Cáspita! De la epidermis ajena a la propia... Con todo, no seamos escépticos, hombre. Allí tiene usted a aquel otro..., al del bigote negro..., el que está a la izquierda del patriarca. Pues mire usted, hombre, que le ha costado ya dinero y disgustos esta mojiganga política..., emigrado, encausado, maltratado..., y se libró de ir a las Marianas... no sé cómo... Hay humor para todo en este mundo sublunar... ¡Y decir que cuando Dios produce chicas como ésa se ocupen en politiquear los muchachos!

Al pronunciar estas palabras, señalaba Borrén a Amparo, cuyos rojos atavíos la distinguían del círculo femenino que la rodeaba.

—Pues esa chica aún politiquea más que los barbudos... ¿No sabe usted...?

Y el incidente del banquete fue comentado, desmenuzado, acribillado por las dos bocas masculinas, que lo adornaron con festones satíricos. Entre tanto se leía el contrato de la Unión, y a pesar de que el sol no estaba en el cenit, ni mucho menos, la gente arracimada y prensada producía una temperatura insufrible, y se oían exclamaciones de este jaez:

—Nos morimos.

—Nos asfixiamos.

—¡Cuándo vendrá un poco de fresco!

—Pero, hombre, no nos estruje usté.

—Ave María, qué bárbaro.

—Estése usté quieto.

—Pues si no ve, fastidiarse; ¿s'a figurao que vemos los demás?

—¡Tan siquiera puede uno meter la mano en el bolsillo para sacar un triste pañuelo!

—Cuidado con el reloj; palpa si lo tienes.

Y la voz del lector del Pacto volaba por cima del mar de cabezas, y las palabras «garantías sacrosantas..., dogmas de libertad..., derechos invulnerables..., ideales benditos..., pueblo honrado y libre...» se dilataban en el cálido y sereno ambiente. Una lluvia de flores vino, de improviso, a oscurecerlo, y multitud de blancas palomas fueron lanzadas a él, abatiendo al punto el vuelo con aletear trabajoso, y cayendo sobre la muchedumbre, entorpecidas de tener tanto tiempo ligadas las patas. Un estruendoso cubo de cohetes de lucería salió bufando en todas direcciones; retumbó la música; hubo un minuto de gritos, vivas, estruendo y confusión, y nadie reparó en que un pobre viejo, un barquillero, salía del recinto mitad arrastrado y mitad en brazos de dos hombres.

—Le dio un accidente —decían al verlo pasar, sin añadir otro comentario.

XX

Zagal y zagala

Y del accidente se murió aquella noche misma, sin confesión, sin recobrar los sentidos. ¿Fue el sol abrasador? Mil veces le cayó verticalmente sobre el cráneo al señor Rosendo en sus épocas de vida militar, y vamos, que el de la isla de Cuba pica en regla... ¿Fue el haber vuelto a manejar las tenazas y a elaborar barquillos para el extraordinario consumo de aquellos días solemnes? ¿Fue, como dijeron algunas comadres, el orgullo de ver a su hija tan elocuente y bizarra, y tan agasajada por los señores de la Asamblea? Quédese para la posteridad el arduo fallo, si bien parece infundada la última suposición, por cuanto el señor Rosendo, lejos de manifestar complacencia cuando la chica se metía en semejantes trifulcas, había roto pocos días antes su mutismo para decirle cosas muy al alma sobre eso de buscar tres pies al gato y perder su colocación por locuras. El servicio militar había formado de tal suerte el carácter del viejo, que la insubordinación era para él el más feo delito, y su divisa, obediencia automática, pasiva; así es que amenazó a Amparo, poniendo los ojos fieros y la voz tartajosa, con romperle una costilla si volvía a leer periódicos en la fábrica. Algunos años antes no hubiera amenazado, sino ejecutado; pero la cigarrera, desde que lo es, sale en cierto modo de la patria potestad, y por eso se creyó el señor Rosendo en el caso de guardar consideraciones a su progenitura. Sabiendo cuánto influyen en los sacudimientos cerebrales y en las hemorragias internas los accesos de furor, puede creerse que tal vez la rabia, y no el orgullo, de ver a su hija elevada a la categoría de *Tribuna del pueblo* determinaron en la pletórica constitución del viejo la apoplejía fulminante.

En fin, a él le enterraron, y quedáronse las dos mujeres cual es de suponer en los primeros momentos: aturdidas, maravilladas de ver cómo «se va uno al otro mundo». Desequilibrio económico no lo hubo, porque Amparo, indultada, había vuelto a la fábrica, y Chinto, trabajando como un mulo porfiado que era, ganaba lo mismo que antes y traía fielmente la colecta todas las noches, según costumbre, con la diferencia de que ni recogía ni reclamaba su mezquino sueldo. Pareció el nuevo sistema muy ventajoso y cómodo a la tullida, que venía a estar como si tuviese dos hijos y ambos ganasen para sustentarla. Pero Amparo vivía inquieta, habiendo advertido cierto peregrino cambio en la actitud y modales de Chinto. Mostrábase éste mandón y muy interesado por las cosas de la humilde casa, que indicaba considerar como suya; se tomaba otra vez la libertad de esperar a la muchacha a la salida de la fábrica, y aun de acompañarla a la ida, si lo consentía la labor de los barquillos; gastaba con ella chanzas finas como tafetán de albarda, y, en suma, desde la muerte del viejo, se las daba de protector y cabeza de casa, sin que en modo alguno procediese como criado, único papel que Amparo le señalaba siempre, mortificada de ver que el tosco labriego le prestaba servicios. Indignada y ofendida, tratólo con más despego que nunca, y para colmo de disgustos, vio que Chinto correspondía a sus desaires con rústicas ternezas, y a sus pruebas de desvío, con pruebas de confianza y afición. Una vez le trajo un pliego de aleluyas, y otra, como la oyese alabar ciertos pendientes de cristal negro, fue y se los presentó a la noche, muy orondo.

Ella se negó a estrenarlos.

Hallábase una mañana Amparo en su cuarto vistiéndose para salir a la fábrica, cuando sintió que una mano indiscreta alzaba el pestillo, y con gran sorpresa encontró delante de sí a Chinto, de un talante como nunca lo había visto la muchacha, pues traía el sombrero ladeado sobre la oreja, los carrillos sofocados, el aire resuelto y un cigarro de a cuarto en la boca, preparativos todos que había juzgado indispensables el aldeanillo para realizar la proeza de *cantar claro*. La muchacha cruzó prestamente su bata, que aún tenía sin abrochar, y arrojó al osado una mirada olímpica; pero Chinto venía tal, que ni las ojeadas de un basilisco le hicieran mella.

—¿A qué entras aquí, a ver? —gritó la cigarrera—. ¿Qué se te ofrece?

—Se me ofrecía... dos palabritas.

—¿Palabritas? Tengo que hacer más que oír tus tontadas.

—No, pues yo te quería decir de que... allí..., como ya tengo aprendido el oficio..., es decir, vamos, que quedándome las herramientas por lo que me debía tu padre de soldada..., allí, yo, como ya en la quinta del mes pasado libré..., y como, vamos...

—¿Acabarás hoy o mañana? Habla expedito, que parece que estás comiendo sopas.

—Mujer, quiérese decir... que si tú admites el arriendo del trato, puedes, es decir, podemos... casarnos los dos.

La risa homérica que soltó la insigne *Tribuna* al verse requerida de amores por aquella montés alimaña se cambió presto en cólera al advertir que Chinto continuaba brindándole su mano y corazón con las discretas razones ya referidas.

—Porque yo, lo que es tenerte voluntá..., te tengo muchísima, ya desde mismo que te vi..., y me gustas que no sé, que parece que mismo no pienso sino en tus quereres..., así me veo yo tan destruido, que cuasimente no como y propiamente no me quiere dormir el cuerpo... Por trabajar, ya sabes que trabajaré hasta que me reviente el alma..., y por mantenerte...

—¡Mira..., si no te quitas de delante, te repelo, hago contigo una desgracia! —gritó, ya furiosa, Amparo, dando al mozo, que estaba próximo a la puerta, un soberano empellón para arrojarlo del aposento.

Pero el movimiento brusco y familiar despertó la sangre aldeana de Chinto, y con los brazos abiertos se fue hacia Amparo. Ésta, a su vez, sintió que renacía la chiquilla callejera de antaño, y bajándose prontamente, alzó del suelo una botita y estampó el tacón de plano en la inflamada mejilla que vio próxima a las suyas; y con tanto brío menudeó los golpes, que, a uno que lo alcanzó entre los ojos, el bárbaro galán hubo de exhalar imprecaciones sofocadas, retrocediendo y dejando el campo libre. Mal segura aún la muchacha, agarró una silla; mas sobraban ya los aprestos bélicos, porque el mozo, restituido a la razón por el vapuleo, se había arrojado de bruces sobre la cama, y escondiendo y revolcando el rostro en la ropa tibia aún del cuerpo de Amparo, lloraba como un becerro, alzando en su dialecto el grito primitivo, el grito de los grandes dolores de la infancia que reaparece en las sucesivas crisis de la existencia:

—¡Madre mía, madre mía!

Encogióse Amparo de hombros, y fuese a su fábrica, que urgía el tiempo y era preciso ganar el pan, porque el entierro del viejo había consumido sus menguados ahorros. Al regresar, contó a su madre lo ocurrido, y con no pequeña admiración oyó que la impedida la reprendía por no haber aceptado la propuesta matrimonial; y es el caso que la lógica de la tullida parecía contundente.

—Tú, ¿qué eres, mujer? —le decía—. Cigarrera, como yo. Y él, ¿qué es, mujér? Barquillero, como tu padre, que en paz descanse. Que te dicen por ahí si eres graciosa, si eres tal y cual... Conversación y más conversación. Él trabaja, ¿eh? Pues a eso vamos, que lo otro..., patarata.

Sin querer oír más, la muchacha declaró que no sólo repugnaba casarse con semejante bestia, sino que iba a echarlo de casa volando; no era cosa de tener que atrancar la puerta cada vez que se vistiese. No, y no; antes prefería que la espasen viva que sufrirlo allí a todas horas. Lamentóse la tullida; recordó que el jornal de Chinto las ayudaba a vivir: todo se estrelló contra la firmeza de la *Tribuna*. Y cuando volvió de fuera Chinto a soltar el cubo vacío y a entregar, cabizbajo y humilde como un borrego, sus ganancias del día, Amparo le intimó la orden de no dormir ya aquella noche en casa. El mozo la oyó con rostro entre abatido y atónito; y así que se convenció de que se le condenaba al ostracismo, salió de la estancia a paso redoblado. La tullida se inclinó hacia su hija cuanto pudo para decirle:

—Mira que le debemos cuartos.

—Se los restregaré por la cara —respondió Amparo, con magnífico desdén.

A los dos minutos se presentó otra vez Chinto, cargado con los chismes de la barquillería: tenazas, cargador, lebrillo y hasta un haz de leña. Amparo se puso en actitud defensiva cuando le vio blandir en el aire los hierros; mas no fue sino para desunirlos con fuerza bovina y tirarlos a un rincón desdeñosamente; y en seguida, juntando las tarteras, la leña y el cañuto de hojalata, lo pateó todo hasta reducir a añicos los cacharros y a un bollo informe el reluciente tubo. Ejecutada la hazaña, a puntapiés lanzó los tristes restos a la esquina de la habitación, de la cual se retiró sin volver atrás el rostro.

XXI

Tabaco picado

A los pocos días supo Amparo en la Granera, convento laico donde nada se ignora, que Chinto andaba pretendiendo ingresar en el taller de la picadura. Empezó a correr y comentarse en la fábrica la leyenda del mozo transido de amor, que por estar cerca de su adorado tormento se metía en los infiernos del picado, en el lugar doliente a cuya puerta hay que dejar toda esperanza. De qué manera se las compuso Chinto para lograr su deseo no hace al caso: lo cierto es que obtuvo la plaza y que Amparo se lo encontró frecuentemente a la entrada y a la salida, triste como can apaleado por su amo, y sin que le dijese nunca más palabras que «Adiós, mujer...; vayas muy dichosa». No cabía que Amparo, generosa de suyo, dejase de ser la primera en trabar otra vez conversación con él; hablaron de cosas indiferentes, de sus respectivas labores, y Amparo prometió visitar el taller de Chinto, que con venir diariamente a la Granera no lo conocía aún.

La Comadreja la acompañó en la visita. Descendieron juntas al piso inferior, con propósito de aprovechar la ocasión y verlo todo. Si los pitillos eran el Paraíso y los cigarros comunes el Purgatorio, la analogía continuaba en los talleres bajos, que merecían el nombre de Infierno. Es verdad que abajo estaban las largas salas del oreo, y sus simétricos y pulcros estantes; el despacho del jefe y el cuadro de las armas de España, trabajadas con cigarros, orgullo de la fábrica; los almacenes, las oficinas; pero también el lóbrego taller del desvenado[47] y el espantoso taller de la picadura.

---

[47] Lugar donde se separan las fibras de las hojas del tabaco, antes de labrarlas.

En el taller del desvenado daba frío ver, agazapadas sobre las negras baldosas y bajo sombría bóveda, sostenida por arcos de mampostería, y algo semejante a una cripta sepulcral, muchas mujeres, viejas la mayor parte, hundidas hasta la cintura en montones de hoja de tabaco, que revolvían con sus manos trémulas, separando la vena de la hoja. Otras empujaban enormes panes de prensado, del tamaño y forma de una rueda de molino, arrimándolos a la pared para que esperasen el turno de ser escogidos y desvenados. La atmósfera era a la vez espesa y glacial. *La Comadreja* andaba a saltos, por no pisar el tabaco, y a veces llamaba por su nombre a una de las desvenadoras.

—¡Hola..., señora Porcona! —exclamó, dirigiéndose a una que parecía tener los párpados en carne viva y los labios blancos y colgantes, con lo cual hacía la más extraña y espantable figura del mundo—. ¡Hola!... ¿Cómo le va? ¿Cómo están esos parientes? Tú no sabes —añadió, volviéndose a Amparo— que la señora Porcona es parienta, muy parienta, del señor de las Guinderas, aquel tan rico que tiene dos hijas y vive en el Malecón, y viene aquí a veces; y él se empeña en negarlo y en no darle un ochavo; pero ella se lo ha de ir a contar a las hijas el día que vayan más majas por el paseo. ¿Verdá, señora Porcona?[48].

—Yyyy..., y es como el Evangelio, hiiigas... —contestó una voz temblosa como el balido de la cabra, y aguardentosa además.

—Explíquenos el parentesco, ande —sugirió Amparo, prestándose a la broma de su amiga.

La vieja alzó sus manos sarmentosas, se las pasó por los sangrientos ojos, y con muchas oscilaciones del labio inferior:

—Aunque... Diiios en persona estuviese allí —pronunció, señalando a uno de los gigantescos panes de tabaco—, yo no he de contar mentira. Oíd, espectadores del caso. Es de saber que el padre del padre de mi madre, o quiérese decir mi bisabuelo, digo, el abuelo de mis padres, era cuñado carnal, o quiérese decir, medio hermano, de la abuela de la madre política del señor de las Guinderas... De modo y manera es que yo vengo a ser

---

48 Apodo que significa mujer sucia, desaliñada.

parienta de muy cerquita, por la infinida de la sangre...

—Y es mucha picardía que no le den siquiera un realito diario para aguardiente —sugirió malignamente *la Comadreja*.

—¡Aaaa...guardiente! —exclamó la vieja, acentuando el trémolo—. ¡Diera Diiios pan!

—Vamos, que un sorbito ya entró.

—Ni maldito olor dél me llegó tan siquiera; y eso que a mis añitos, hiiigas, ya os gustará calentar el estómago, que se pone como la pura nieve.

—¿Qué años tendrá, señora Porcona? Sin mentir.

—¡Busssss! —pronunció la desvenadora—. Así Dios me salve, ni sé de verdad el año que nací. Pero... —y bajó la temblona voz— sepades que cuando se puso aquí la fábrica, de las dieciséis primeritas fui yo que aquí trabajaron...

—¡Dónde irá la fecha! —murmuró *la Comadreja*.

Amparo la tiró del brazo, horrorizada de aquella imagen de la decrepitud que se le aparecía como vaga visión del porvenir. Recorrieron la sala de oreos, donde miles de mazos de cigarros se hallaban colocados en fila, y los almacenes, henchidos de bocoyes, que, amontonados en la sombra, parecen sillares de algún ciclópeo edificio, y de altas maniguetas de tabaco filipino envueltas en sus finos miriñaques de tela vegetal; atravesaron los corredores, atestados de cajones de blanco pino, dispuestos para el envase, y el patio interior, lleno de duelas y aros sueltos de destrozadas pipas; y por último, pararon en los talleres de picadura.

Dentro de una habitación caleada, pero negruzca ya por todas partes, y donde apenas se filtraba luz al través de los vidrios sucios de alta ventana, vieron las dos muchachas hasta veinte hombres vestidos con zaragüelles de lienzo muy arremangados y camisa de estopa muy abierta, y saltando sin cesar. El tabaco los rodeaba; habíalos metidos en él hasta media pierna; a todos les volaba por hombros, cuello y manos, y en la atmósfera flotaban remolinos de él. Los trabajadores estribaban en la punta de los pies, y lo que se movía para brincar era el resto del cuerpo, merced a repetido y automático esfuerzo de los músculos; el punto de apoyo permanecía fijo. Cada dos hombres tenían ante sí una mesa o tablero, y mientras el uno, saltando con rapidez, subía y bajaba la cuchilla picando la hoja, el otro, con los brazos enterrados en el tabaco, lo revolvía para que el ya picado fuese deslizándose y quedase sólo en la mesa el entero, operación que requería gran agilidad y tino, porque era fácil que, al caer la cuchilla, segase los dedos o la mano que encontrara a su alcance. Como se trabajaba a destajo, los picadores no se daban punto de reposo: corría el sudor de todos los poros de su miserable cuerpo, y la ligereza del traje y violencia de las actitudes patentizaban la delgadez de sus miembros, el hundimiento del jadeante esternón, la pobreza de las garrosas canillas, el térreo color de las consumidas carnes[49]. Desde la puerta, el primer golpe de vista era singular: aquellos hombres, medio desnudos, color de tabaco y rebotando como pelotas, semejaban indios cumpliendo alguna ceremonia o rito de sus extraños cultos. A Amparo no se le ocurrió este símil, pero gritó:

—Jesús... Parecen monos.

Chinto, al ver a las muchachas, se paró de pronto, y soltando el mango de la cuchilla y sacudiéndose el tabaco, como un perro cuando sale de bañarse sacude el agua, se les acercó todo sudoroso y con un sobrealiento terrible.

—Aquí se trabaja firme... —dijo, con ronca voz y aire de taco—. Se trabaja... —prosiguió jactanciosamente— y se gana el pan con los puños... ¡Se trabaja de Dios, conchas!

—Estás bonito; parece que te chuparon —exclamó *la Comadreja*, mientras Amparo lo miraba entre compadecida y asquillosa, admirándose de los estragos que en tan poco tiempo había hecho en él su perruno oficio. Le sobresalía la nuez, y bajo la grosera camisa se pronunciaban los omóplatos y el cúbito. Su tez tenía matices de cera, y a trechos manchas hepáticas; sus ojos parecían pálidos y grandes con relación a su cara enflaquecida.

—Pero, bruto —exclamó *la Tribuna*, con bondadoso acento—, estás sudando como un toro, y te plantas

---

[49] Este procedimiento acumulativo de signos secundarios y signos caracterizadores de la actividad laboral demuestra la influencia del naturalismo.

aquí, entre puertas, en este pasillo tan ventilado..., para coger la muerte.

—Bah... —y el mozo se encogió de hombros—. Si reparásemos a eso... Todo el día de Dios estamos aquí saliendo y entrando, y las puertas abiertas, y frío de aquí y frío de allí... Mira dónde afilamos la cuchilla.

Y señaló una rueda de amolar colocada en el mismo patio.

—La calor y el abrigo, por dentro... Ya se sabe que en no teniendo aquí una gota... —y se dio una palmada en el diafragma.

—Así apestas, maldito —observó Ana—. Anda, que no sé qué sustancia le sacáis al condenado vinazo.

—Antes —pronunció sentenciosamente Amparo— sólo probabas vino algún día de fiesta que otro... Pues aquí no tienes por qué tomar vicios, que, gracias a Dios, la borrachera, a las cigarreras, poco daño nos hace...

—Las de arriba bien habláis, bien habláis... Si os metieran en estos trabajitos... Para lo que hacéis, que es labor de señoritas, con agua basta... Quiérese decir, vamos..., que un hombre no ha de ponerse chispo; pero un rifigelio..., un tentacá... ¿Queréis ver cómo bailo?

Volvió a manejar la cuchilla, mostrando su agilidad y fuerza en el duro ejercicio. De esta entrevista quedaron reconciliados la pitillera y el picador, que la acompañó algunas veces por la cuesta de San Hilario abajo, sin renovar sus pretensiones amorosas.

XXII

El carnaval de las cigarreras

Unos días antes de carnavales se anuncia en la fábrica la llegada del *tiempo loco*, por bromas de buen género que se dan entre sí las operarias. Infeliz de la que, fiada en un engañoso recado, se aparta de su taller un minuto; a la vuelta le falta su silla, y vaya usted a encontrarla en aquel vasto océano de sillas y de mujeres que gritan a coro: «Atrás te queda. Delante te queda.» A las víctimas de estos alegres deportes les resta el recurso de llevar bien escondido debajo del mantón un puntiagudo cuerno, y enseñarlo, por vía de desquite, a quien se divierte con ellas. También se puede, por medio de una tira estrecha de papel y un alfiler doblado a manera de gancho, aplicar una *lárgala* en la cintura, o estampar, con cartón recortado y untado de tiza, la figura de un borrico en la espalda. Otro chasco favorito de la fábrica es, averiguado el número del billete de lotería que tomó alguna bobalicona, hacerle creer que está premiado. Todos los años se repiten las mismas gracias, con igual éxito y causando idéntica algazara y regocijo.

Pero el jueves de Comadres es el día señalado entre todos para divertirse y echar abajo los talleres. Desde por la mañana llegan las cestas con los disfraces, y obtenido el permiso para bailar y formar comparsas, las oscuras y tristes salas se transforman. El Carnaval que siguió al verano en que ocurrieron los sucesos de la Unión del Norte se distinguió por su animación y bullicio; hubo nada menos que cinco comparsas, todas extremadas y lucidas. Dos eran de mozas y mozos del país, vestidos con ricos trajes que traían prestados de las aldeas cercanas; otra, de grumetes; otra, de *señoritos* y *señoras*, y la última comparsa era una estudiantina. Las dos de labradores se diferenciaban mucho. En la primera se había buscado, ante todo, el lujo del atavío y la gallardía del cuerpo; las cigarreras más altas y bien formadas vestían con suma gracia el calzón de rizo, la chaqueta de paño, las polainas pespunteadas y la montera ornada con su refulgente pluma de pavo real, y para las mozas se habían elegido las muchachas más frescas y lindas, que lo parecían doblemente con el dengue de escarlata y la cofia ceñida con cinta de seda. La segunda comparsa aspiraba, más que a la bizarría del traje, a representar fielmente ciertos tipos de la comarca. Enrollada la saya en torno de la cintura; tocada la cabeza con un pañuelo de lana, cuyos flecos le formaban caprichosa aureola; asido el ramo de tejo, de cuyas ramas pendían rosquillas, ved a la peregrina que va a la romería famosa, a que no se eximen de concurrir, según el dicho popular, ni los muertos; a su lado, con largo redingote negro, gruesa cadena de similor, barba corrida y hongo de anchas alas, el *indiano;* acompáñanlo dos mozos de las rías saladas, luciendo su traje híbrido, pantalón azul con cuchillos castaños, chaleco de paño con enorme *sacramento* de bayeta en la espalda, faja morada, sombrero de paja con cinta de lana roja. Los estudiantes habían improvisado manteos con sayas negras y tricornios de cartón; con cuchara y tenedor de palo cruzados completaban el avío; los grumetes tenían sencillos trajes de lienzo blanco y cuellos azules; en cuanto a la comparsa de *señores*, había en ella un poco de todo, guantes sucios, sombreros ajados, vestidos de baile ya marchitos, mucho abanico y disfraces de terciopelo.

En mitad del taller de cigarros comunes se formó un corro y se alzó gran vocerío alrededor de *la Mincha*[50], barrendera vieja, pequeña, redonda como una tinaja, que bailaba vestida de moharracho, con dos enormes jorobas postizas, un serón por corona, una escoba por cetro, un ruedo por manto real, la cara tiznada de hollín y un letrero en la espalda que decía, en letras gordas:

---

[50] Apodo que significa pequeña de cuerpo. Aquí parece significar pequeña, redonda y achaparrada, en comparación con el pequeño caracol marino, adherido a las rocas, llamado *mincha* en gallego.

«Viva la broma.» Incansable, pegaba brincos y más brincos, llevando el compás con el cuento de la escoba sobre las carcomidas tablas del piso. Pero bien pronto le robó la atención de sus admiradoras la estudiantina, que estaba toda encaramada en una mesa de metro y medio de largo por un metro escaso de ancho. Cómo danzaban allí unas doce chicas es difícil decirlo; ellas danzaban, acompañándose con panderetas y castañuelas y coreando al mismo tiempo habaneras y polcas. En aquella comparsa, la más alborotada y risueña, figuraba *Guardiana*. Nunca el júbilo y la feliz improvisación de los pocos años brillaron como en el rostro de la pobre chica, que a tan poca costa y con tan poca cosa divertía sus penas. Era la valerosa pitillera chiquita y delgada; tenía a la sazón el rostro encendido, ladeado el tricornio, y con picaresco ademán repicaba un pandero roto ya, y muy engalanado de cintas.

Ana y Amparo figuraban entre los grumetes. *La Comadreja* hacía un grumete chusco, travieso y cínico; Amparo, el más hermoso muchacho que imaginarse pueda. Todo lo que su figura tenía de plebeya lo disimulaba el traje masculino; ni las gruesas muñecas ni el recio pelo dañaban a su gentileza, que era de cierto notable y extraordinaria. La comparsa recorrió los talleres bailando y cantando, recibiendo bromas de las *señoras*, y alegrando la oscuridad de las salas con la nota blanca y azul de sus trajes. Sin embargo, no se podía dudar que la victoria quedaba por los labradores. A la cabeza de éstos estaba una mujer, casada ya, celebrada por buena moza, Rosa, la que llenaba con mayor presteza los *faroles* de picadura. Con el traje propio de su sexo, Rosa era un tanto corpulenta en demasía; con el del labrador no había que pedirle. La camisa de lienzo labrado dibujaba su ancho pecho; el calzón se ajustaba a maravilla a sus bien proporcionadas caderas; pendiente del cuello llevaba un ancho escapulario de raso, bordado de lentejuelas y sedas de colores. Debajo de la montera, un pañuelo de fular [51] azul, atado a la usanza de los labriegos, le cubría el pelo. Apoyábase en la *moca* o porra claveteada de clavos de plata, y con acento melancólico y prolongado cantaba una copla del país, y

---

[51] Tela de seda, especie de tafetán.

contestábala desde enfrente una morenita vestida de ribereño, con su chaleco muy guarnecido de botones de filigrana y su faja recamada de pájaros y flores extravagantes, *echando la firma*, consistente en tres versos irregulares, improvisados siempre con sujeción al asunto de la copla; al concluir la *firma*, salían del corro de espectadores varios ¡ju..., jurujú! agudísimos. Lo que hacía maravilloso efecto era oír, en los intervalos en que callaban las cantoras, unas malagueñas resonando en el otro extremo de la sala, mientras, por su parte, la estudiantina se consagraba a las habaneras, cual si la anarquía de los trajes se comunicase a las canciones. En la comparsa de las *señoras* había una chica poseedora de bien timbrada voz y de muchísimo donaire para las coplas propias de la ciudad, tan distintas de las rurales, que, al paso que en éstas las vocales se alargan como un gemido, en las otras se pronuncian brevemente, produciendo al final de algunos versos una inflexión burlesca:

> En el medio de la mar
> suspiraba una ballenaú,
> y entre suspiros deciaú,
> «Muchachas de Cartagenaú».

Y ¿quién tenía valor para trabajar en medio de la bulliciosa carnavalada? Algunas operarias hubo que al principio se encarnizaron en la labor, bajando la cabeza por no ver las máscaras; pero a eso de las tres de la tarde, cuando la inocente saturnal llegaba a su apogeo, las manos cruzadas descansaban sobre la tabla de liar, y los ojos no sabían apartarse de los corros de baile y canto. Ocurrió un incidente cómico. El taller del desvenado quiso echar su cuarto a espadas, y organizó una comparsa numerosa; empeñáronse en formar parte de ella las más ancianas, las más felices, y la mascarada se improvisó de la manera siguiente: envolviéndose todas por la cabeza los mantones, sin dejar asomar más que la nariz, o una horrible careta de cartón, y colocándose en doble fila, haciendo de batidores cuatro que llevaban cogida por las esquinas una estera, en la cual reposaba, con los ojos cerrados, muy propia en su papel de difunta, la decana del taller, la respetable señora Porcona. Así colocadas y con extraño silencio recorrieron los talleres, dando no sé qué aspecto de aquelarre a la bulliciosa fiesta. Al punto recibió título aquella nueva y. lúgubre comparsa: llamáronla la *Estadea*[52], nombre que da la superstición popular a una procesión de espectros.

Diríase que el mago Carnaval, con poderoso conjuro, había desencantado la fábrica, y vuelto a sus habitantes la verdadera figura en aquel día. Muchachas en las cuales a diario nadie hubiese reparado quizá, confundidas como estaban entre las restantes, resplandecían, alumbradas por una ráfaga de hermosura, y un traje caprichoso, una flor en el pelo, revelaban gracias hasta entonces recónditas. Y no porque la coquetería desplegada en los disfraces llegase al grado que alcanza entre la gente de alto coturno que asiste a bailes de trajes y suele reflexionar y discurrir días y días antes de adoptar un disfraz —habiendo señorita que se viste de *Africana* por lucir una buena mata de pelo, o de *Pierrette* por mostrar un piececito menudo—; no, por cierto. Semejantes refinamientos se ignoraban en la fábrica. Ni a las viejas se les daba un comino de enseñar en la· fuga del baile la seca anatomía de sus huesos, ni a las mozas un rabano de desfigurarse, verbigracia, pintándose bigotes con carbón. El caso era representar bien y fielmente tipos dados; un mozo, un quinto, un estudiante, un grumete. Habíalas con tan rara propiedad vestidas, que cualquiera las tomaría por varones; las feas y hombrunas se brindaban sin repulgos a encajarse el traje masculino, y lo llevaban con singular desenfado. Y de un extremo a otro de los talleres, entre el calor creciente y la broma y bullicio que aumentaban, corría una oleada de regocijo, de franca risa, de diversión natural, de juego libre y sano; una afirmación enérgica de la femineidad de la fábrica. No cohibidas por la presencia del hombre, gozaban cuatro mil mujeres de aquel breve rayo de luz, aquel minuto de júbilo expansivo situado entre dos eternidades de monótona labor.

Hacia las cuatro de la tarde no cabía ya la algazara y bulla en las salas; todo el mundo perecía de calor; a las disfrazadas de aldeanos las ahogaba su traje de

---

[52] Cortejo fúnebre que, según la creencia popular, recorría de noche los caminos de la aldea. Se denomina comúnmente *Santa Compaña*.

paño, y se apoyaban, descoyuntadas de tanto reír, molidas de tanto bailar, roncas de tanto canticio, en los estantes, abanicándose con la montera. *La Comadreja*, que ya no sabía cómo procurarse un poco de fresco, tuvo una idea.

—Si nos dejasen armar un corro en el patio, chicas, ¿eh?

Pareció de perlas la ocurrencia, y salieron al patio de entrada, y de allí al árido campillo colindante, perteneciente también a la fábrica. Estaba el día sereno y apacible; el sol doraba las hierbas quemadas por la escarcha, y se colaba en tibios rayos oblicuos al través de los desnudos árboles. El ambiente era más templado que otra cosa, como suele suceder en el clima de Marineda durante los meses de febrero y marzo. Al desembocar en el campo la alegre multitud, huyeron espantadas unas cuantas gallinas y algunos borregos sucios y torpes patos, que correteaban por allí y eran los únicos pobladores del mezquino oasis, limitado de una parte por la vetusta tapia, de otra, por cobertizos atestados de fardos de vena [53], y de otra, por el taller de cigarros peninsulares, aislado del edificio de la Granera. Al punto se formaron dos corros con más espacio que arriba, y la frescura de la tardecita restituyó las ganas de bailar a las exhaustas máscaras.

¡Oh, si ellas hubiesen sabido que, desde las próximas alturas de Colinar, las miraban dos pares de ojos curiosos, indiscretos y osados! De la cima de un cerrillo que permite otear todo el patio de la fábrica, dos hombres apacentaban la vista en aquel curioso cuanto inesperado espectáculo. Uno de ellos rondaba muchas veces las cercanías de la Granera, pero nunca en aquel predio había visto más seres vivientes que canteros picando sillares de granito y aves de corral escarbando la tierra. Baltasar ignoraba los detalles del Carnaval de las cigarreras, y apenas entendería lo que estaba viendo, si Borrén, mejor informado, no se tomase el trabajo de explicárselo.

—Generalmente, estas mascaradas son de puertas adentro; pero hoy, como hace calor y el día está bueno, salen al fresco a bailar... ¡Qué casualidad, hombre!

---

[53] Fibras que sobresalen en el envés de las hojas de tabaco; se separan antes de elaborarlo.

—Casualidad es, tiene usted razón. En todas partes he de encontrármela.

Y al decir así señalaba el teniente al corro de los grumetes. Mientras los paisanos punteaban y repicaban un paso de baile regional, los grumetillos habían elegido el zapateado, donde la viveza del meridional bolero se une al vigor muscular que requieren las danzas del Norte. Bien ajena a que la viese ningún profano, puesta la mano en la cadera, echada atrás la cabeza, alzando de tiempo en tiempo el brazo para retirar la gorrilla que se le venía a la frente, Amparo bailaba. Bailaba con la ingenuidad, con el desinterés, con la casta desenvoltura que distingue a las mujeres cuando saben que no las ve varón alguno, ni hay quien pueda interpretar malignamente sus pasos y movimientos. Ninguna valla de pudor verdadero o falso se oponía a que se balancease su cuerpo siguiendo el ritmo de la danza dibujando una línea serpentina desde el talón hasta el cuello. Su boca, abierta para respirar ansiosamente, dejaba ver la limpia y firme dentadura, la rosada sombra del paladar y de la lengua; su impaciente y rebelde cabello se salía a mechones de la gorra, como revelación traidora del sexo a que pertenecía el lindo grumete —si ya la suave comba del alto seno y las fugitivas curvas del elegante torso no lo denunciasen asaz—. Tan pronto, describiendo un círculo, hería con el pie la tierra, como, sin moverse de un sitio, zapateaba de plano, mientras sus brazos, armados de castañuelas, se agitaban en el aire, y bajaban y subían a modo de alas de ave cautiva que prueba a levantar el vuelo.

XXIII

El tentador

Al descender de su observatorio, echados por las sombras de la noche, que envolvían el patio de la fábrica y cubrían la estruendosa retirada de las cigarreras vestidas ya con sus trajes usuales, Baltasar iba silencioso y concentrado, Borrén muy locuaz. El bueno del capitán no cabía en sí de gozo, ni más ni menos que si la aventura de ver bailar a *la Tribuna* le importase a él directamente. Hay en el mundo aficiones y gustos muy diversos: éste chochea por monedas roñosas; aquél, por libracos viejos; el de más acá, por caballos, y el de más allá, por sellos y cajas de fósforos... Borrén había chocheado, chocheaba y chochearía toda su arrastrada vida por la hermosura, encantos y perfecciones de la mujer. Había adquirido para conocer la belleza, y sobre todo el atractivo, ese golpe de vista, ese tino especial que permite a los expertos, sin ejercer ni dominar las artes, apreciar con exactitud el mérito de un cuadro, el estilo de un mueble, la época de un monumento. Nadie como Borrén para descubrir beldades inéditas, para predecir si una muchacha valdría o no «muchas pesetas» andando el tiempo y decidir si poseía la quisicosa llamada gracia, salero, gancho, ángel, *chic*, buena sombra y de otros mil modos, lo cual prueba que es indefinible.

La originalidad del caso está en que, con toda su afición a las faldas y sus profundos conocimientos de estética aplicada, no se refería de Borrén la más insignificante historieta. Viviendo siempre en una atmósfera fuertemente cargada de electricidad amorosa, nunca lo hirió la chispa. Practicaba, en materia de amoríos, el más puro y desinteresado altruismo. Si no podía andar entre las muchachas asegurándoles que Fulanito se alampaba[54] por ellas, o que Zutanito se moría por sus pedazos, se arrimaba a los jóvenes, calentándoles los cascos, encendiéndoles la sangre, hablándoles del pie de tal chica: «Hombre, un pie que me cabe en la palma de la mano»; o del color de cual otra: «Hombre, si parece que se da agua de Barcelona, y no me consta que aquello es natural.» Borrén sabía de las criadas que llevan y traen cartitas, de los paseos retirados donde es fácil tropezarse cuando hay buena voluntad, de los peladeros de pava, de las butacas que en el teatro ofrecen más comodidad para hacer el oso; era el primero en olfatear los trapicheos, las bodas, los escandalillos y los truenos incipientes. No era Borrén un casamentero, porque, generalmente hablando, el casamentero se propone un fin moral, y a Borrén, la moral —hombre, con franqueza— le tenía sin cuidado. Si el cuento acababa en boda, bien, y si no, lo propio; Borrén hacía arte por el arte; el amor le parecía objeto suficiente de sí mismo.

Para todo enamorado de Marineda, especialmente si pertenecía a la guarnición, el complemento de la dicha era esta idea: «Voy a contárselo a Borrén.» Y Borrén, como un espejo complaciente, de los que hacen favor, le devolvía la imagen de su felicidad, no exacta, sino aumentada, embellecida, multiplicada, radiante. «Vamos a pasearle la calle a la novia», le decían sus amigos, cogiéndolo del brazo. Y Borrén giraba tardes enteras delante de una manzana de casas, parafraseando las observaciones de algún amador novel que exclamaba: «Ya alzó el visillo..., se asoma..., no; es la hermana... Ahora, sí... ¡Cómo me mira...! ¡Hola!, tiene la mantilla puesta...» Jamás mostró Borrén cansarse de su papel de reflector y comentador; y cuentan que las chicas, guiadas por infalible instinto, lo trataban como se trata a los inofensivos y a los mandrias; aunque él se derretía, acaramelaba y amerengaba todo, jamás lo tomaron por lo serio.

Baltasar no lo había buscado para confidente; Borrén se ofreció, y es más, atizó el incendio, echó leña a la hoguera con sus frases de pólvora y dinamita. Aquella tarde, cuando juntos bajaban hacia la ciudad, el más

---

[54] Se enardecía, se apasionaba.

animado, el más exaltado era Mefistófeles; Fausto callaba, meditando en lo comprometidos y engorrosos que son ciertos enredos en poblaciones de provincia, donde uno tiene madre y hermanas. Mefistófeles, ¡pobre diablo!, no se cansaba, entre tanto, de ponderar los primores del grumete. Cada vez que el confidente y el enamorado pasaban cerca de un farol, la luz se proyectaba en la fisonomía de Borrén, siempre movida, agitada y descompuesta, cómica, a pesar del exagerado carácter viril que a primera vista le imprimían los cerdosos mostachos, las pobladas cejas y la prominente nuez. En su aspecto, Borrén era semejante a los guardias civiles de madera que suelen colocarse en el frontispicio de los hórreos y molinos del país: a despecho de sus bigotazos formidables, bien se les conoce que son muñecos.

—Dígole a usted, Borrén —exclamó Baltasar, resolviéndose por fin a formular en voz alta su pensamiento—, que no comprende usted lo que es Marineda... ni lo que es mi madre. Me resultarían mil disgustos, mil complicaciones... Aborrezco los escándalos.

—¡Hombre, qué juventud más sosa son ustedes! Parece mentira que habiendo visto lo que vimos...

—No me conviene, lo dicho; me alegraré de que me destinen a cualquier parte. Si me quedo aquí, es fácil... Y después, ¿sabe usted lo que es esa fábrica? Una masonería de mujeres, que, aunque hoy se arranquen el moño, mañana se ayudan todas como una legión de diablos. Me desacreditarían; me crearían un conflicto.

—No le hacía a usted tan medroso.

—La verdad, Borrén; tengo más miedo a las hablillas, si cuadra, que a un balazo. Será una tontería, pero me fastidia infinito ser el héroe de la temporada.

—Vamos, hombre, franqueza. Usted también recela verse envuelto en las redes de esa chica, y tener que casarse...

Baltasar sonrió sin afectación, pero con tal señorío de sí mismo, que Borrén se encogió de hombros.

—Pues entonces...

—Por un lado, sí, lo acierta usted: soy un majadero en abrigar tales escrúpulos. Pasa uno así los mejores años de su vida, y ¿qué? Llega uno a viejo sin haber vivido...

Aquí el teniente se detuvo; una idea burlesca le impulsaba a sonreírse otra vez, pensando que el capitán se hallase justamente en el caso de declinar hacia la edad madura sin tener qué ofrecer a Dios ni qué contar al diablo. Borrén, entre tanto, aprobaba calurosamente las últimas palabras de Baltasar, las desenvolvía, las consideraba desde nuevos aspectos; en suma, soplaba a fin de que la llama prendiese mejor. Tan bien desempeñó su oficio mefistofélico, que Baltasar convino en reunirse al día siguiente con él para meditar un plan de ataque que debelase la republicana virtud de la oradora. Pero al acudir a la entrevista, que era, por más señas, en el terreno neutral del café, Borrén conoció que Baltasar traía alguna extraordinaria nueva.

—Ya no hay necesidad de concertar planes —declaró el teniente con forzada risa—. ¿No se lo decía yo a usted? Me destinan allá..., a Navarra. La cosa anda mal.

—¡Bah!... Cuatro bandidos que salen de aquí y de acullá; hombre, partidillas sueltas.

—Partidillas sueltas... Ya, ya me lo contará usted dentro de unos meses. El cariz del asunto se pone cada vez más feo. Entre esos salvajes que quieren entrar en burro en las iglesias y fusilan por chiste a las imágenes, y los otros caribes que cortan el telégrafo y queman las estaciones..., verá usted, verá usted qué tortilla se nos prepara. Aquí nadie se entiende. ¡Mire usted que hasta Montpensier, que parecía formal, meterse en ese desafío estúpido! El quería ser rey; pero el haber matado al perdis de su primo le cuesta la corona[55] y a nosotros un ojo de la cara, porque como no venga Satanás en persona a arreglarnos, no sé lo que sucederá... Déme usted un cigarro... si lo tiene usted ahí.

Borrén le alargó la petaca, y Baltasar encendió nerviosamente un pitillo.

—Vamos, ¿cuántos candidatos dirá usted que hay al trono? —prosiguió, echando leve bocanada de humo al techo—. Vaya usted contando por los dedos, si la paciencia le alcanza. Espartero..., uno. Dirá usted que es un estafermo; bien, pero los restos del partido progresista, todo cuanto gastó morrión, y algunos chiflados de

---

[55] El duque de Montpensier, casado con la hermana de Isabel II, María Luisa Fernanda, mata en duelo a pistola a Enrique de Borbón, hermano del rey consorte. Este duelo malogra sus deseos de reinar.

buena fe, le aclaman. ¿No ha visto usted en las tiendas el retrato de Baldomero Primero con manto real? El hijo de Isabel Segunda, dos; su madre abdicó o abdicará. Éste, al menos, representa algo; pero es un rapaz: para jugar a la pelota serviría. El pretendiente, tres..., y mire usted, lo que es ése dará mucho juego; ya empieza todo el mundo a llamarle Carlos Séptimo. Reúne él solo más partidarios que todos los demás juntos, y gente cruda, de trabuco y pelo en pecho. El duque de Aosta, un italiano..., cuatro. Un alemán, que se llama Ho... ho[56]..., en fin, un nombre difícil; los periódicos satíricos lo convierten en *Ole, ole, si me eligen...*, cinco. La regencia trina..., seis o, por mejor decir, ocho. Y Angel Primero..., nueve. ¡Ah! Se me olvidaba el de Portugal, que anda remiso... y Montpensier. Once. ¿Qué tal?

—Pero..., así, candidatos formales... ¡Mozo, café y coñac!

—No, gracias, lo tomé en casa... Claro: candidatos serios, por hoy, don Carlos y la república. El caso es que entre todos no nos dejarán hueso sano... Por de pronto, yo me las guillo. ¿Quiere usted algo para aquellos vericuetos?

—Hombre..., ¡qué lástima! Ahora que íbamos a emprenderla con la pitillera, que es de oro.

—¡Pchs!... Si algún trabucazo no lo impide..., a la vuelta.

[56] Se refiere a Leopoldo de Hohenzollern, uno de los pretendientes al trono de España.

XXIV

El conflicto religioso

Desde que las Cortes Constituyentes votaron la monarquía, Amparo y sus correligionarias andaban furiosas. Corría el tiempo, y las esperanzas de la Unión del Norte no se realizaban, ni se cumplían los pronósticos de los diarios. ¡Que hoy!... ¡que mañana!..., ¡que nunca, por lo visto! ¡En vez de la suspirada federal, un rey, un tirano de fijo, y tal vez un extranjero! Por estas razones en la fábrica se hacía política pesimista y se anunciaba y deseaba que al Gobierno «se lo llevase Judas». Dos cosas, sobre todo, alteraban la bilis de las cigarreras: el incremento del partido carlista y los ataques a la Virgen y a los santos. A despecho de la acusación de «echar contra Dios», lanzada por las campesinas a las ciudadanas, la verdad es que, con contadísimas excepciones, todas las cigarreras se manifestaban acordes y unánimes en achaques de devoción. Ellas serían más o menos ilustradas, pero allí había mucha y fervorosa piedad. Es cierto que sobre el altar de pésimo gusto dórico existente en cada taller depositaban las operarias sus mantones, sus paraguas, el hatillo de la comida; mas este género de familiaridad no indicaba falta de respeto, sino la misma costumbre de ver allí el ara santa, ante la cual nadie pasaba sin persignarse y hacer una genuflexión. Y es lo curioso que a medida que la revolución se desencadenaba y el republicanismo de la fábrica crecía, tomaban incremento las prácticas religiosas. El cepillo colocado al lado del altar, donde los días de cobranza cada operaria echaba alguna limosna, nunca se vio tan lleno de monedas de cobre; el cajón que contenía la cera de alumbrar estaba atestado de blandones y velas;

más de sesenta cirios iluminaban los días de novena el retablo; primero les faltaría a las cigarreras agua para beber que aceite a la lámpara encendida diariamente ante sus imágenes predilectas, una Nuestra Señora de la Merced de doble tamaño con los cautivos arrodillados a sus plantas, un San Antón con el sayal muy adornado de esterilla de oro, un Niño-Dios con faldellines huecos y su mundito azul en las manos. Nunca se realizó con más lucimiento la novena de San José, que todas rezaron mientras trabajaban, volviéndose de cara al altar para decir los actos de fe y la letanía, y berreando el último día los gozos con mucha unción, aunque sin afinación bastante. Jamás produjo tanto la colecta para la procesión del Santo Entierro y novena de los Dolores; y, por último, sin ocasión alguna tuvo el numen protector de la fábrica, la Virgen del Amparo, tantas ofertas, culto y limosnas, sin que por eso quedase olvidada su rival Nuestra Señora de la Guardia, estrella de los mares, patrona de los navegantes por la bravía costa.

Bien habría en la Granera media docena de espíritus fuertes, capaces de blasfemar y de hablar sin recato de cosas religiosas; pero dominados por la mayoría, no osaban soltar la lengua. A lo sumo se permitían maldecir de los curas, acusarlos de inmorales y codiciosos, o renegar de que se «metiesen en política» y tomasen las armas para traer el «escurantismo y la Inquisición»: cuestiones más trascendentales y profundas no se agitaban, y si a tanto se atreviese alguien, es seguro que le caería encima un diluvio de cuchufletas y de injurias.

—¡Está el mundo perdido! —decia la maestra del partido de Amparo, mujer de edad madura, de tristes ojos, vestida de luto siempre desde que había visto morir de viruelas a dos gallardos hijos que eran su orgullo—. ¡Está el mundo revuelto, muchachas! ¿No sabéis lo que pasa allá por las Cortes?

—¿Qué pasará?

—Que un diputado por Cataluña dice que dijo que ya no había Dios, y que la Virgen era esto y lo otro... Dios me perdone, Jesús mil veces.

—¿Y no le mataron allí mismo? ¡Pícaro, infame!

—¡Mal hablado, lengua de escorpión! ¡No habrá Dios para él, no; que él no lo tendrá!

—No, pues otro aún dijo otros horrores de barbaridá, que ya no me acuerdan.

—¡Empecatado! ¡Pimiento picante le debían echar en la boca!

—¡Ay! ¡Y una cosa que mete miedo! Dice que por esas capitales toda la gente anda asustadísima, porque se ha descubierto que hay una compañía que roba niños.

—¡Ángeles de mi alma! ¿Y para qué? ¿Para degollarlos?

—No, mujer; que son los protestantes, para llevarlos a educar allá a su modo en tierra de ingleses.

—¡Señor de la justicia! ¡Mucha maldad hay por el mundo adelante!

Conocido este estado de la opinión pública, puede comprenderse el efecto que produjo en la fábrica un rumor que comenzó a esparcirse quedito, muy quedo, y, como en el aria famosa de la «calumnia», fue convirtiéndose de cefirillo en huracán. Para comprender lo grave de la noticia, basta oír la conversación de *la Guardiana* con una vecina de mesa.

—¿Tú no sabes, Guardia? *La Píntiga* se metió protestanta.

—Y eso, ¿qué es?

—Una religión de allá de los *inglis manglis*.

—No sé por qué se consiente por acá esas religiones. Maldito sea quien trae por acá semejantes demoniuras. Y la bribona de *la Píntiga*, mire usted. Nunca me gustó su cara de intiricia...

—Le dieron cuartos, mujer, le dieron cuartos...; ¡sí que tú piensas...!

—A mí... ¡más y que me diesen mil pesos duros en oro! Y soy una pobre, repobre, que sólo para tener bien vestidos a mis pequeños me venían... ¡juy!

—¡Condenar el alma por mil pesos! Yo tampoco, chicas —intervenía la maestra.

—Saque allá, maestra, saque allá... Comerá uno borona toda la vida, gracias a Dios que la da, pero no andará en trapisondas.

—Y diga..., ¿qué le hacen hacer los protestantes a *la Píntiga?* ¿Mil indecencias?

—Le mandan que vaya todas las tardes a una cuadra, que dice que pusieron allí la capilla de ellos..., y le hacen que cante unas cosas en una lengua, que... no las entiende.

—Serán palabrotas y pecados. Y ellos, ¿quiénes son?

—Unos clérigos que se casan...

—¡En el nombre del Padre! ¿Pero se casan... como nosotros?

—Como yo me casé..., vamos al caso, delante de la gente..., y llevan los chiquillos de la mano, con la desvergüenza del mundo.

—¡Anda, salero! ¿Y el arcebispo no los mete en la cárcel?

—¡Si ellos son contra el arcebispo, y contra los canónigos, y contra el Papa de Roma de acá! ¡Y contra Dios, y los santos, y la Virgen de la Guardia!

—Pero esa lavada de esa *Píntiga*..., ¡malos perros la coman! No, pues como se arrime de esa banda, ¡yo le diré cuántas son cinco!

—¡Y yo!

—¡Y yo!

Así crecía la hostilidad y se amontonaban densas nubes sobre la cabeza de la apóstata, a quien por el color de su tez biliosa y de su lacio pelo, por lo sombrío y zafio del mirar, llamaban *Píntiga*, nombre que dan en el país a cierta salamandra manchada de amarillo y negro. Era esta mujer capaz de comer suela de zapato a trueque de ahorrar un maravedí y no ajena a su conversión una libra esterlina, o doblón de a cinco, que para el caso es igual. Si lo cobró, y pudo coserlo en una media con otras economías anteriores, bien lo amargó aquellos días. Acercábase a una compañera, y ésta le volvía la espalda; su mesa quedó desierta, porque nadie quiso trabajar a su lado; ponía su mantón en el estante, y al punto se lo empujaban disimuladamente desde la otra parte de la sala, para que cayese y se manchase; dejaba su lío de comida en el altar, y lo veía retirado de allí con horror por diez manos a un tiempo; la maestra examinaba sus mazos de puros, antes de darlos por buenos y cabales, con ofensiva minuciosidad y además desconfiado. Un día de gran calor pidió a la operaria que halló más próxima que le prestase un poco de agua; y ésta, que acababa de destapar un colmado frasco de cristal para beber por él, le contestó secamente: «No tengo *meaja*.» Señaló *la protestanta* el frasco, con ira silenciosa, y la operaria, levantándose, lo tomó y derramó por el suelo su contenido sin pronunciar una palabra.

Púsose verde *la Píntiga*, y llevó la mano, sin saber lo que hacía, al cuchillo semicircular; pero de todos los rincones del taller se alzaron risas provocativas, y hubo de devorar el ultraje, so pena de ser despedazada por un millar de furiosas uñas. En mucho tiempo no se atrevió a volver a la fábrica, donde la corrían.

XXV

Primera hazaña de *la Tribuna*

Extramuros, al pie de las fortificaciones de Marineda, celebrábase todos los años una fiesta conocida por «Las comiditas»; fiesta peculiar y característica de las cigarreras, que aquel día sacan el fondo del cofre a relucir y disponen de una colación más o menos suculenta para despacharla en el campo; campo mezquino, árido, donde sólo vegetan cardos borriqueros y ortigas. Desde el lavadero público hasta el alto de Aguasanta, ameno y risueño, se había esparcido la gente, sentándose, si podía, a la sombra de un vallado o en la pendiente de un ribazo, y si no, donde Dios quería, al raso, sin paraguas ni quitasol. Y cuenta que ambos chismes podrían ser igualmente necesarios, porque el astro diurno, encapotado por nubarrones que amenazaban chubasquina, despedía claridad lívida y sorda, y a veces por la ahogada calma de la atmósfera atravesaban soplos de aire encendido, bocanadas de solano que amagaban tempestad.

No por eso había menos corros de baile y canto, menos puestos de rosquillas y *jinetes*, menos meriendas y comilonas. Aquí se escuchaba el rasgueo de guitarras y bandurrias; más allá retumbaba el bombo, y la gaita exhalaba su aguda y penetrante queja. Un ciego daba vueltas a una *zanfona*[57] que sonaba como el obstinado zumbido del moscardón, y al mismo tiempo vendía romances de guapezas y crímenes. A pocos pasos de la gente que comía, mendigos asquerosos imploraban la caridad: un elefantíaco enseñaba su rostro bulboso, un herpético descubría el cráneo pelado y lleno de pústulas,

---

[57] Instrumento popular de cuerda, hoy prácticamente desaparecido.

éste tendía una mano seca, aquel señalaba un muslo ulcerado, invocando a Santa Margarita para que nos libre de «males extraños». En un carretoncillo, un fenómeno sin piernas, sin brazos, con enorme cabezón envuelto en trapos viejos, y gafas verdes, exhalaba un grito ronco y suplicante, mientras una mocetona, en pie al lado del vehículo, recogía las limosnas. En el aire flotaban los efluvios de dos toneles de vino que ya iban quedando exangües, y el vaho del estofado, y el olor de las viandas frías. Oíanse canciones entonadas con voz vinosa y llantos de niños, de los cuales nadie se cuidaba.

Componíase el círculo en que figuraba Amparo de muchachas alegres, que habían esgrimido briosamente los dientes contra una razonable merienda. Allí estaba *la Comadreja*, a quien no era posible aguantar, de puro satisfecha y vana, porque tenía en Marineda al capitán de la *Bella Luisa*, y si él no había querido convidarse a merendar por el *aquel del bien parecer*, contaba con que la acompañaría al terminarse la función. Allí también *la Guardiana*, penetrada de alegría por otra causa diversa: porque había traído consigo a dos de sus pequeños, el escrofuloso y la sordomudita; en cuanto al mayor, ni se podía soñar en llevarle a sitio alguno donde hubiese gente, porque le entraba en seguida la *aflicción*. La niña sordomuda miraba alrededor, con ojos reflexivos, aquel mundo, del cual sólo le llegaban las imágenes visibles; por su parte el niño, que ya tendría unos trece años, y que hubiera sido gracioso a no desfigurarle los lamparones y la hipertrofia de los labios, gozaba mucho de la fiesta y se sonreía con la risa inocente, semibestial, de los *bobos* de Velázquez. *La Guardiana* no se mostró muy comedora: los mejores bocados los reservó para sus hermanos.

—¿Qué tienes, Guardia? —le preguntó la radiante Ana.

—Mujer, algunos días parece que estoy así…, cansada. He de ir a que me levanten la paletilla, porque imposible que no se me cayese.

—Aprensiones, aprensiones. Canta *El joven Telémaco*, Amparo.

Amparo y otras dos o tres del taller de cigarrillos, rendidas de calor y ahítas de comida, se habían tendido en una pequeña explanada, que formaba el glacis de la fortificación, adoptando diversas posturas, más o menos cómodas. Unas, desabrochándose el corpiño, se hacían aire con el pañuelo de seda doblado; otras, tumbadas boca abajo, sostenían el cuerpo en los codos y la barba en las palmas de las manos; otras sentadas a la turca, alzaban cuándo la pierna izquierda, cuándo la derecha, para evitar los calambres. Por la seca hierba andaban esparcidos tapones de botellas, papeles engrasados, espinas de merluza, cascos de vaso roto, un pañuelo de seda, una servilleta gorda.

Fuese efecto de la comida y del vinillo del país, ligero · y alegre como unas Pascuas, o del aire solano, que tiene especial virtud excitante para los nervios, hallábanse las muchachas alborotadas, deseosas de meterse con alguien, de gritar, de hacer ruido. Estaban ebrias, no del mareo de la romería, de los colores chillones, de los sonidos discordantes; sólo la sordomuda permanecía indiferente, con su límpida mirada infantil. La casualidad proporcionó a las briosas mozas un desahogo que tuvo mucho de cómico y pudo tener algo de dramático.

Es el caso que vieron adelantarse y dirigirse hacia ellas a un individuo de extraña catadura, alto y delgado, vestido con larga hopalanda negra y acompañado de otro que formaba con él perfecto contraste, pues era rechoncho, pequeño y sanguíneo, y llevaba americana gris rabicorta. Al aspecto de la donosa pareja llovieron los comentarios.

—El del gabanón parece un cura —dijo *la Guardiana*.

—No es cura —afirmó *la Comadreja*—. ¿No le ves unas patillitas como las de un padronés?

—Pero, mujer, si lleva alzacuello.

—¡Qué alzacuello! Corbata negra.

—El gordo, es un *inguilis*.

—¡Ay Jesús! ¡Parece que le pintaron la barba con azafrán!

—¿Y aquello qué es? ¡Madre mía de la Guardia; un anteojo en un ojo sólo, y colgado en el aire! ¡Mira, mira!

—Callad, que vienen para acá.

—Vienen aquí en derechura.

—No, mujer.

—¡Dale! Viene y vienen. ¿Te convences, porfiosa?

—Es que les gustaste.

—No, tú. El del azafrán viene a casarse contigo.

—Pues a ti te mira mucho el clérigo mal comparado.

—¡Chis! Callad, que están cerca, alborotadoras de Judas.

—¡Callad! Que callen ellos si les da la gana.

Y Amparo y Ana cantaron a dúo.

> Me gusta el gallo,
> me gusta el gallo,
> me gusta el gallo
> con azafrán...

No obstante estos primeros indicios de hostilidad, los dos graves personajes se aproximaban al corro, con mucha prosopopeya. El de la hopalanda, no bien se acercó lo suficiente, pronunció un «a loz piéz de uztedes, zeñoras», que hubiese provocado explosión de carcajadas, si al pronto no pudiese más la curiosidad que la risa. ¡Tenía el bueno del hombre una voz tan rara, ceceosa, a la andaluza, y una pronunciación tan recalcada!...

—Tengo el honor —prosiguió, metiendo las manos en los bolsillos de su inmenso tabardo— de ofrecer a uztedes un librito de lectura muy provechosa para el ezpíritu, y ezpero me dispensarán el ozequio de repazarlo con atención. Yo les ruego reflexionen sobre el contenido impreso, zeñoras míaz.

Diciendo y haciendo, les presentaba tres o cuatro volúmenes empastados y un haz de hojas volantes. Nadie estiró la mano para recoger los *imprezo*, y él fue depositando suavemente en los regazos de las muchachas el alijo. El inglés tripudo observaba el reparto con su fulgurante monóculo.

—¡Así Dios me salve —Ana fue la primera en hablar—; yo conozco a estos pajarracos! Oyes tú, Bárbara: ¿este no es el que puso la capilla en la cuadra?

—El mismo... es el que berrea allí por las tardes.

—¿El que dio los cuartos a *la Píntiga?*

—Sí, mujer.

—Y éste, ¿no dice que fue cura?

—Dice que sí, allá en su país, y que ahora es cura de ellos y está casado.

—¡Casado!

—Bueno, está... con una viuda. Ya tienen... —y la muchacha remedó burlescamente el llanto de un recién nacido.

—¿Y el otro bazuncho?

—Es el que... —y frotó el índice con el pulgar, ademán expresivo que significa en todas partes soltar dinero.

Mientras duraban estas explicaciones en voz baja, Amparo había leído el título de algunos folletos: *La verdadera Iglesia de Jesús...*, *La rendición del alma...*, *Cristo y Babilonia...*, *La fe del cristiano purificada de errores...*, *Roma, a la luz de la razón...* Entre los retazos de diálogo que llegaban a sus oídos y los fragmentos de hoja impresa en que fijaba la vista, penetró el misterio. Levantóse grave, determinada, como el día que peroró en el banquete del Círculo Rojo.

—Oiga usté —pronunció en tono despreciativo—, esto que nos ha dado usté no nos hace falta, ni para nada lo queremos. Vaya usté a engañar con ello a donde haya bobos.

—Zeñora, no ha zío mi ánimo...

—Pensará usté que somos como otras infelices, que las compran ustés por una triste peseta; pues sepa usté, ¡repelo!, que acá ni por las minas del Potosí renegamos como San Judas.

—Zeñora..., hermanaz mía..., tómense usté la molestia de reflexionar, y verán la pureza de mi intencionez, que zon darle a conocé la doctrina de Jezú nuetro Zalvaor...

Pronta como un rayo, y con fuerzas que duplicaba la cólera, Amparo desbarató la encuadernada Biblia, hizo añicos las hojas volantes, y lo disparó todo a la cara afilada del catequista y a la rubicunda del silencioso inglés, los cuales, habituados, sin duda, a tal género de escenas, volvieron grupas y trataron de escurrirse lo más pronto posible entre el concurso. Por su mal, era éste tan apretado y numeroso en aquel sitio, que o tenían que retroceder, dar un rodeo y volver a cruzar ante el grupo de muchachas, o aguardar una ocasión de filtrarse entre la gente. Optaron por lo primero, y avínoles mal, porque Amparo, como el coronel de batalla que ha olido la sangre, dilatadas las fosas nasales, brillantes los ojos, se preparaba a renovar la lid, animando a sus compañeras.

—Son los protestantes. A correrlos.

—A correrlos. ¡Viva!

—Van a pasar otra vez por aquí... Ánimo..., a ver quién les acierta mejor.

—¡Que vengan, que vengan! ¡Ahora entra lo bueno!

Recelosos, arrimados el uno al otro, probaron a deslizarse los dos apóstoles sin ser observados de las mozas, que ya los aguardaban haldas en cinta. Así que los vieron a tiro, enarbolaron cuál medio pan, cuál un trozo de empanada, cuál una pera, y Ana, rabiosa, no encontrando proyectil a mano, cogió a puñados la tierra para arrojársela. Cayó la granizada sobre los protestantes cuando menos se percataban de ello; un queso se aplanó sobre la faz del inglés, rompiéndole el monóculo; un gajo de cerezas desprendido por el hermano de *la Guardiana* se estrelló en la nuca del ministro, y la embadurnó lastimosamente. Al par que bombardeaban, denostaban las intrépidas muchachas al enemigo.

—Toma, a ver si reventáis —chillaba *la Comadreja*.

—De parte de Nuestra Señora —gritaba *la Guardiana*.

—Para que volváis a dar dinero por hacer maldades —vociferaba Amparo, lanzando con notable acierto un tenedor de palo al cura.

Cerrados los puños como para boxear, inyectando el rostro, fieros los azules ojos, vínose sobre el grupo el hijo de la Gran Bretaña, resuelto, sin duda, a hacer destrozos en las heroínas; amenazadora actitud que redobló el coraje de éstas.

—Venga usted, venga usted, que aquí estamos —le decía Amparo con voz vibrante, bella en su indignación como irritada leona, asiendo con la diestra una botella; mientras Ana, pálida de ira, se apoderaba de la cazuela en que había venido el guisado, y las restantes amazonas buscaban armamento análogo.

Pero ya, al ruido de la escaramuza, se arremolinaba la gente, y gente adversa a los catequistas, a quienes conocían bastantes de los espectadores; y el ministro, verde de miedo, con turbada lengua aconsejaba a su acompañante una prudente retirada.

—Éjelas, miter Ezmite... (Smith). Éjelas, que no zaben lo que jazen... Éjelas, que aquí nadie noz ofenderá, de zeguro... Yo debo dar ejemplo de manzedumbre...

No hizo caso míster Ezmite, por demás mohíno y amostazado con el bombardeo de comestibles; pero antes de que llegase al grupo cumplióse la profecía del ministro, interponiéndose más de treinta personas, que rodearon a los malaventurados apóstoles apretándolos en términos que no les dejaban respirar. A poca distancia un agente de Policía presenciaba una rifa, y aunque harto veía con el rabo del ojo el motín, no dio el más leve indicio de querer intervenir en él, y hasta que vio a los dos catequistas abrirse paso trabajosamente y huir como perro con maza, perseguidos por la rechifla general, no volvió la cabeza ni se acercó, preguntando al descuido:

—¿Qué pasa aquí, señores?

XXVI

Lados flacos

Para *la Comadreja* el desenlace de la romería fue
delicioso: comenzaron a llover gotas anchas cuando ya
se aproximaba la noche, y vino el capitán mercante a
ofrecerle el brazo y un paraguas. A la luz de los faroles
de la calle, que rielaba en el mojado pavimento, Amparo
vio alejarse a la pareja y quedóse poseída de una especie
de tristeza interior que rara vez domina a los tempera-
mentos sanguíneos, alegres de suyo. Aquella melancolía
atacaba a *la Tribuna* desde que no alimentaba su viva
imaginación con espectáculos políticos y desde que al
bullicio de la Unión del Norte sucedió la habitual y
uniforme vida obrera de antes, sin asomo de conspiración ni de otros romancescos incidentes. Por distraerse,
habló más con Ana de amoríos y menos de política.
Ana se prestaba gustosa a semejantes coloquios. Llegó
la Tribuna a saber de memoria al capitán de la *Bella
Luisa*. Sus hábitos, sus viajes, sus caprichos, y el eterno
proyecto de matrimonio, diferido siempre por altas razones de conveniencia, que explicaba Ana con sumo
juicio y cordura. Si ella se quisiese casar con algún
artista de esos ordinarios, un· zapatero, verbigracia,
cansada estaría de tener marido; pero ¿para qué? Para
cargarse de familia, para vivir esclava, para sufrir a un
hombre sin educación. No en sus días.

—¿Y si te deja plantada Raimundo? —preguntaba
Amparo nombrando al galán de su amiga, como lo
hacía ésta, por el nombre de pila.

—¡Qué ha de dejar, mujer..., qué ha de dejar! ¡Diez
años de relaciones! Y luego, aquel señorío de estar tanto
tiempo con un chico fino, eso no me lo quita nadie.

192

Amparo protestó: ella no entraba por cosas de ese jaez; quería poder enseñar la cara en cualquier parte; quería como dijeron los señores de la Unión, moralidad y honradez ante todo.

—¿Si pensarás tú —replicó Ana viperinamente— que el de Sobrado venía a casarse contigo?

—¿El de Sobrado? ¿Y qué tengo yo que ver con el de Sobrado?

—Anduvo tras de ti, y si no estuviese fuera, sabe Dios... No digas, mujer, no digas, que bastantes veces le encontré yo por los alrededores de la fábrica.

—Bueno, bueno, ¿y qué? ¿Por qué, un suponer, no se había de casar conmigo? Yo seré de igual madera que otras que pertenecían a mi clase, y ahora... Tú conoces a la de Negrero..., aquella tan guapa que lleva abrigo de terciopelo y capota de tul blanco... Pues, hija mía, sardinera del muelle primero, cigarrera después, y luego la vino Dios a ver con ese marido tan rico... ¿Y a la de Álvarez? A esa la acuerdan aquí liando puros, y en el día tiene una casa de tres pisos y un buen comercio en la calle de San Efrén... ¿Y la que casó con aquel coronel del regimiento de Zaragoza?... Una chiquilla que también hacía pitillos... En la actualidad, para más, hay el aquel de que las clases son iguales; ese rey que trajeron dicen que da la mano a todo el mundo, y la mujer abrazó en Madrid a una lavandera; y si viene la federal, entonces...

—Sí, sí, vele con eso a doña Dolores la de Sobrado.

—Pues... Jesús, ¡Ave María! ¡No se allegue usted, que mancho! Me parece a mí que los de Sobrado no son de allá de la aristocracia, ni del barrio de Arriba. Aún hay quien los vio cargando fardos en el almacén de Freixé, el catalán; que por ahí empezaron, ¡repelo! Hijos del trabajo como tú y como yo.

—Pero, mujer, si ya se sabe que son así; nada y nada, y vanidá que les parte el alma. Como el hijo es de tropa, piensa que sólo la princesa de Asturias sirve para él... Mira tú cómo ahora que las de García pierden el pleito están medio reñidas con ellas... Y eso que la mayor de Sobrado, la Lolita, no quiso apartarse de la amiga y sigue yendo allá...

—Corriente; ellos no nos querrán a los demás; pero los demás bien nos valemos sin ellos... Para comer yo no les he de pedir, y el hijo, si me quiere decir algo, ha de ser con el cura de la mano, que si no...

Echóse a reír *la Comadreja* y citó ejemplos dentro de la misma fábrica. ¿Qué les había sucedido a Antonia, a Pepita, a Leocadia? Y eran las que más hablaban y más se la echaban de plancheta. La que se conformaba con los de su clase, aún menos mal; pero la que andaba con señores...

—Esas cosas —añadió *la Comadreja*— no tienen remedio; nos hacen ver lo negro blanco...

—Si me quisiera perder —exclamó ofendida Amparo— no me faltaría por dónde, como a todas.

—¡Bueno! No cuadró, mujer, que lo demás... también no te gustarían los que no se te pusieron delante, porque hay hombres que se tiraría uno a la bahía por ellos, y otros que ni forrados de onzas... Y a veces los que le chistan a una no se dan por entendidos... Y al fin y al cabo, hija, ¿qué se gana con vivir mártir? Nadie cree en la dinidá de una pobre.

—¿Y por qué ha de ser así? ¡Esa no es la ley de Dios!

—No, pero... ¿qué quieres tú?

Quedábase Amparo pensativa. Cuantas sugestiones de inmoralidad trae consigo la vida fabril, el contacto forzoso de las miserias humanas; cuantas reflexiones de enervante fatalismo dicta el convencimiento de hallarse indefenso ante el mal, de verse empujado por circunstancias invencibles al principio, pesaban entonces sobre la cabeza gallarda de *la Tribuna*. Acaso, acaso tenía sobrada razón *la Comadreja*. ¿De qué sirve ser un santo si al fin la gente no lo cree ni lo estima; si, por más que uno se empeñe, no saldrá en toda la vida de ganar un jornal miserable; si no le ha de reportar el sacrificio honra ni provecho? ¿Qué han de hacer las pobres, despreciadas de todo el mundo, sin tener quien mire por ellas, más que perderse? ¡Cuántas chicas bonitas, y buenas al principio, había visto ella sucumbir en la batalla, desde que entró en su taller! «Pero... vamos a cuentas —añadía para su sayo la oradora—: diga lo que quiera Ana, ¿no conozco yo muchachas de bien aquí? ¡Está esa *Guardiana*, que es más pobre que las arañas y más limpia que el sol! Y de fea no tiene nada; es... así..., delgadita... Ella se confiesa a menudo..., dice que el confesor la aconseja bien...»

Amparo se quedó cada vez más pensativa después de esta observación.

«Yo, confesar, me confesaría... Pero luego..., si el cura sabe que me meto en política... ¡Bah! Bien basta en Semana Santa... Tampoco yo, gracias a Dios, soy ninguna perdida..., me parece.»

XXVII

Bodas de los pajaritos

Regresó Baltasar de Navarra y las Provincias firme-
mente resuelto a estrujar la vida, como si fuese un limón,
para exprimirle bien el zumo. Habiendo visto de cerca
la guerra civil, comprendió que no hacía sino empezar
y que prometía ser encarnizada y duradera, a pesar de
que la *Gaceta* anunciaba diariamente la dispersión de
las últimas partidas y la presentación del postrer cabecilla.
Desde luego, Baltasar traía un grado más, y ganas de
precipitarse en algún abismo cubierto de flores, ya que
las balas carlistas no se lo toleraban. Vista de lejos, la
opinión pública de su ciudad natal le pareció mucho
menos temible, y resolvióse a arrostrarla en caso de
necesidad, si bien con maña y no provocándola de
frente.

Más de una vez, bajo la ligera tienda de campaña o
en algún caserío vascongado, se acordó de *la Tribuna*
y creyó verla con el rojo mántón de Manila o con el
traje blanco y azul de grumete. Las mujeres que encontraba por aquellos países no le distrajeron, porque eran
generalmente toscas aldeanas curtidas del sol, y si tropezó con alguna beldad éuscara, ésta, en vez de sonreír
al oficial amadeísta, le echó mil maldiciones. Además,
Baltasar, frío y concentrado, no era de los que toman
por asalto un corazón en un par de horas. De suerte
que al volver a Marineda, en vez de rondar la fábrica,
como antes, se resolvió, desde el primer día, a acompañar
a Amparo cuando la viese salir, y ejecutó la resolución
con su serenidad habitual. Mucho le favoreció para
estos acompañamientos el cambio de domicilio de la
muchacha, que vivía cerca del alto de la cuesta de San

Hilario, en una casita que daba a la Olmeda, desde que faltando el señor Rosendo y Chinto, el bajo de la calle de los Castros se hizo muy caro y muy lujoso para dos mujeres solas. Como la Olmeda puede decirse que es un rincón campestre, prestóse al naciente idilio con el género de complacencia que hace de la Naturaleza amiga perenne de todos los enamorados, hasta de los menos poéticos y soñadores.

Febrero vio la aurora de aquel amor en un día clásico, el de la Candelaria, en que, según el dicho popular, celebran los pajaritos sus bodas sobre las ramas todavía desnudas de los árboles, para que con la llegada de la primavera coincida la fabricación del nido. Las vísperas de la fiesta eran muy señaladas en la fábrica: andaban esparcidos por las estanterías, sobre los altares, ocultos en los justillos de las mujeres, mezclados con la hoja, haces de rama de romero, y su perfume tónico y penetrante vencía al del tabaco mojado. En el centro de los haces se hincaban candelicas de blanca cera, y había otras candelas largas y amarillas, compradas por varas y que cortaban en trozos para hacer cuantas luces se quisiese; siendo el origen de traer estas candelas la creencia de que los niños muertos antes del bautismo y sepultados en las tinieblas del limbo, sólo el día de la Candelaria ven un rayo de claridad —la de la luz que encienden, pensando en ellos, sus madres—. Al día siguiente, en la iglesia, envueltas en el romero bendito, habían de arder todas las velitas microscópicas[58].

Ya se comprende que entre las cigarreras marinedinas —cuatro mil mujeres, al fin y al cabo— había muchas que querían enviar a sus hijos difuntos aquella caricia de ultratumba, fundir el hielo de la muerte al calor de la pobre candelilla; por otra parte, aun las que no tenían niños vivos ni difuntos, habían comprado romero, gustándoles su olor, y propuestas a llevarlo a la misa de la Candelaria, que al fin, como decía la señora Porcona con tono sentencioso, era «un día de los más grandes..., hiiigas..., porque fue cuando la Virgen sintió el primer dolorito, por razón de que un cura que le llamaban Simeón le anunció lo que tenía que pasar Cristo en el mundo».

[58]   La Candelaria era una de las fiestas populares gallegas. Se encendía una candela por cada uno de los hijos muertos.

La tarde de la Candelaria, Amparo, llevando el romero bendito oculto en el pecho, despedía un aroma balsámico, que pudiera tomarse por suyo propio; tal era la lozanía y vigor de su organismo, cuya robustez, vencedora en la lucha con el medio ambiente, había crecido en razón directa de los mismos peligros y combates. Si la labor sedentaria, la viciada atmósfera, el alimento frío, pobre y escaso, eran parte a que en la fábrica hiciesen estragos la anemia y la clorosis, el individuo que lograba triunfar de estas malas condiciones ostentaba doble fuerza y salud. Así le acontecía a *la Tribuna*.

Como era día festivo, Baltasar no la esperó a la salida de la fábrica, sino en la Olmeda, a corta distancia de su casita. Había llegado Baltasar al mayor número de pulsaciones que determinaba en él la calentura amorosa. Su pasión, ni tierna, ni delicada, ni comedida, pero imperiosa y dominante, podía definirse gráfica y simbólicamente llamándola apetito de fumador que a toda costa aspira a consumir el más codiciadero cigarro que jamás produjo, no ya la fábrica de Marineda, sino todas las de la Península. Amparo, con su garganta mórbida gallardamente puesta sobre los redondos hombros, con los tonos de ámbar de su satinada, morena y suave tez, parecíale a Baltasar un puro aromático y exquisito, elaborado con sigular esmero, que estaba diciendo: «Fumadme.» Era imposible que desechase esta idea al contemplar de cerca el rostro lozano, los brillantes ojos, los mil encantos que acrecentaban el mérito de tan preciosa *regalía*. Y para que la similitud fuese más completa, el olor del cigarro había impregnado toda la ropa de *la Tribuna*, y exhalábase de ella un perfume fuerte, poderoso y embriagador, semejante al que se percibe al levantar el papel de seda que cubre los habanos en el cajón donde se guardan. Cuando por las tardes Baltasar lograba acercarse algún tanto a Amparo e inclinaba la cabeza para hablarle, sentíase envuelto en la penetrante ráfaga que se desprendía de ella, causándole en el paladar la grata titilación del humo de un rico veguero y el delicioso mareo de las primeras chupadas. Eran dos tentaciones que suelen andar separadas y que se habían unido; dos vicios que formaban alianza ofensiva: la mujer y el cigarro íntimamente enlazados y comunicándose encanto y prestigio para transformar una cabeza masculina.

El día expiraba tranquilamente en aquella alameda, que en hora y estación semejante era casi un desierto. Sentáronse un rato Baltasar y *la Tribuna* en el parapeto del camino, protegidos por el silencio que reinaba en torno, y animados por la complicidad tácita del ocaso, del paisaje, de la serenidad universal de las cosas, que los sepultaba en profunda languidez y que relajaba sus fibras infundiéndoles blanda pereza muy semejante a la indiferencia moral. El sol languidecía como ellos; la Naturaleza meditaba. Hasta la bahía se hallaba aletargada; un gallardo queche blanco se mantenía inmóvil; dos paquebotes de vapor, con la negra y roja chimenea desprovista de su penacho de humo, dormitaban, y solamente un frágil bote, una cascarita de nuez, venía como una saeta desde la fronteriza playa de San Cosme, impulsado por dos remeros, y el brillo del agua, a cada palada, le formaba movible melena de chispas. Por donde no las alcanzaba el último resplandor solar, las olas estaban verdinegras y sombrías; al poniente, dorada red de movibles mallas parecía envolverlas.

A medida que avanzaba la sombra, levantábase del mar una brisa fresca, que agitaba por instantes los picos del pañuelo de Amparo y los cabellos rubios de Baltasar, en los cuales se detenían las postreras luces del sol, haciendo de su cabeza una testa de oro. Pronto la abandonaron, sin embargo, y también las montañas del horizonte empezaron a confundirse con el agua, mientras la concha blanca del caserío marinedino se destacaba aún, pero perdiéndose más cada vez, como si al ausentarse la claridad se llevase consigo la piña de edificios y el encendido fulgor de los cristales en las galerías. Marineda, la *Nautilia* de los romanos, se envolvía en una clámide de tinieblas. En breve comenzaron a distinguirse algunas luces que oscilaban sobre la masa oscura de la población, y presto se cubrió toda ella de puntos lucientes como estrellas de oro en un celaje sombrío. La noche, que ya reinaba, era de esas entreclaras y lácteas, pero frías, en que el equinoccio de primavera se anuncia por no sé qué vaga transparencia del cielo y del aire, y en modo alguno por la temperatura, que más bien parece recrudecerse. Baltasar y la muchacha, molestados quizá por el helado ambiente, se aproximaban el uno al otro, hablando no obstante de cosas de poca sustancia.

—No, Bilbao no es más bonito..., ni tampoco Santander, digan lo que quieran los santanderinos, que son muy patriotas. ¿Sabe usted lo que ha mejorado Marineda? ¿Y lo que está llamada a mejorar todavía? Esto crece a cada paso; vamos a tener barrios nuevos, magníficos, a la americana, ahí, donde usted ve aquella lucecita..., cabal: todo por ahí, a lo largo del baluarte.

—¿Y Madrí? ¿Es mucho mejor que Marineda? —interrogó Amparo, por decir algo, enrollando un cabo de su pañuelo.

—¡Ah! Madrid, ya ve usted..., al fin y al cabo, es la corte... Sólo la calle de Alcalá...

Este apacible diálogo encubría en Baltasar tempestuosos pensamientos; pero como no carecía de penetración y sabía que la muchacha era honrada y orgullosa, y vivía de su trabajo, comprendió que no debía tratarla como a cualquier criatura abyecta, sino empezar mostrándole cierta deferencia y aun respeto, género de adulación a que es más sensible todavía la mujer del pueblo que la dama de alto copete, habituada ya a que todos le manifiesten miramientos y cortesía. Lisonjeó mucho a *la Tribuna* el ver que se habían con ella lo mismo que con las señoritas, y auguró bien del rendido galán. Mas al caer la noche, Baltasar creyó poder apoderarse a hurto de una mano morena, hoyosa y suave al tacto como la seda. Amparo pegó un respingo.

—Estése usted quieto... Y ya van dos veces que se lo digo, caramba.

—¿Por qué me trata usted así? —preguntó con pena fingida Baltasar, que en sus adentros renegaba de la virtud plebeya—. ¿Qué mal hay en...?

—¿Por qué? —repitió Amparo con sumo brío—. Porque no me conviene a mí perderme por usted ni por nadie. ¡Sí que es uno tan bobo que no conozca cuándo quieren hacer burla de uno! Esas libertades se las toman ustedes con las chicas de la fábrica, que son tan buenas como cualquiera para conservar la conducta. ¿A que no hace usted eso con la de García, ni con las señoritas de la clase de usted?

—«¡Diantre! —pensó Baltasar—, no es boba.»

Y al punto, mudando de táctica, habló con gran rapidez, diciendo que estaba enamorado, pero de veras; que para él no había categorías, distinciones ni vallas sociales, encontrándose el amor de por medio; que Amparo valía tanto como la más encopetada señorita, y que el desliz no provenía de falta de respeto, sino de sobra de cariño; todo lo cual esforzó con mil dulces e insinuantes inflexiones de voz. Amparo respondió *cantando* su credo y sus principios: ella no quería ser como otras chicas conocidas suyas, que por fiarse de un pícaro allí estaban perdidas; ella bien sabía lo que pasaba por el mundo, y cómo los hombres pensaban que las hijas del pueblo las daba Dios para servirles de juguete; lo que es ella, bien se había de librar de eso; bueno que se hablase un rato, en lo cual no hay malicia; pero ciertas libertades, no; ya podía saberlo el que se arrimase a ella. Baltasar juró y perjuró que su amor era de la más probada y acendrada pureza, y que sólo limpios e hidalgos propósitos cabían en él; y en el calor de la discusión, los dos interlocutores se volvieron a hallar sentados en el parapeto, y la mano antes esquiva se mostró más tratable, consintiendo que la prendiesen dos manos ajenas.

—Hoy se casan los pajaritos —murmuró Baltasar, después de un breve instante de silencio.

—Día de la Candelaria... Hoy se casan —repitió ella con turbada voz, sintiendo en la palma de la mano el calor de la diestra de Baltasar, que amorosamente la oprimía.

Pero él fue discreto y no quiso abusar de la victoria, por temor de perder las ventajas adquiridas, y también porque empezaba a correr agudo frío en la solitaria alameda, y Amparo se levantó quejándose del relente y del aire, que cortaba como un cuchillo. Cruzáronse dos protestas de ternura, en voz baja, envueltas en el último apretón de manos, delante de la casa de la pitillera.

XXVIII

Consejera y amiga

Alguna que otra vez volvía Amparo a visitar su antigua calle, por ver a los amigos que allí había dejado. Pocos días después del de la Candelaria sintió deseos de realizar una expedición hacia aquella parte. Halló todo en el mismo estado; el barbero, muy ocupado en descañonar a un sargento, la saludó jovialmente; a la puerta de su casa divisó a la señora Porreta tomando el fresco, o el sol, que ambas cosas faltaban dentro del tugurio de la comadrona, la cual hacía extraña y risible figura sentada en una silleta baja, y muy esparrancada; sus pies, calzados con zapatillas de orillo, miraban uno a Poniente y otro a Levante; tenía caídas las medias, por deficiencia de ligas sin duda; en el formidable hueco del regazo descansaban sus manos, y mientras una chiquilla encanijada, nieta suya, le peinaba las canas greñas y le hacía dos *chicos* tamaños como bellotas, la insigne matrona no perdía el tiempo, y calcetaba con diligencia, manejando las metálicas agujas, que despedían vivos fulgores. Al ver a *la Tribuna*, se echó a reír con opaca risa.

—Hola, chica..., salú y fraternidá... ¿Cómo está tu madre? ¿Y la revolusión, cuándo la hasemos? ¿Cuándo me proclamas a mí reina de España?

Y como Amparo procurase escabullirse, la vieja subió el tono de sus carcajadas, semejantes al chirrido de una polea, y que hacían retemblar su vientre de ídolo chino.

—Sí, escápate, escápate... —murmuró—. Ahora bien te escapas... Ya bajarás la soberbia cuando yo te haga falta..., ¿oyes, Amparo? Cuando necesitáis a la señora Pepa, venís como corderitos... ¡Quién te verá aquel día! ¿Eh?...

—Dios delante, señora Pepa —contestó, altiva y picada Amparo—, otras la llamarán más pronto, señora. A no ser que me case...

—¡Sí, sí..., echar por la boca! El tiempo todo lo vense —afirmó con profético acento la comadre, cogiendo una hilera de puntos, que se le habían soltado al reír.

Siguió Amparo calle adelante, y llamó al tablero de Carmela, la encajera; pero con gran sorpresa suya, en vez de abrirse éste, se entreabrió la puerta interior que comunicaba con el portal, y se asomó Carmela animada, encendida la tez y con un júbilo nunca visto en ella.

—Entra, entra —dijo a la pitillera.

Ésta entró. El cuartito estaba en desorden; recogida la almohadilla de los encajes; había un baúl abierto y ya casi colmado, y los cuadros de lentejuela y estampas devotas, que solían adornar las paredes, faltaban de ellas.

—Hola... ¿Parece que vamos de viaje? —preguntó Amparo.

La respuesta de la encajera fue echarle al cuello los brazos, y pronunciar, con voz entrecortada de alegría:

—¿Luego tú no sabes, no sabes que Dios me dio la sorpresa? ¡Ya tengo el dote, chica...; me voy a Portomar a ver si me reciben allá en el convento!...

—¡Ahora que dicen que se acaban las monjas!

—Las de Portomar, no mujer...; ésas no... Hay un señorón liberal, allá en Madrí, que pidió por ellas...

—Pero... ¿y cómo, quién te dio el dote?

—Verás... Yo echaba todos los meses un décimo a la lotería..., todos los meses. Tú ya sabes que la tía me hacía trabajar los domingos por la mañana; pero por las tardes me decía: «Anda, distráete..., vete un poco a rezar a la iglesia.» Bien. Pues, señor, yo, en vez de rezar, iba, ¿y qué hacía? Trabajaba unas puntillas estrechas, sin que la tía lo supiese, y se las vendía a una mujer del mercado, diciéndole a Nuestra Señora: «No es pecado esto que hago, porque es para sacar a la lotería, y si saco es para entrar monja...» Pues etaquí que cada mes me tomaba mi décimo, y para que saliese bien, siempre echaba con algún santo. Unas veces llevaba de compañero a San Juan Bautista; otras, a San Antonio; otras, a Santa Bárbara..., y nada: ni tristes cinco duros. Entonces dije yo para mí: «Hay que ir a la fuente limpia; estos compañeros no valen.» ¿Y qué se me ocurrió? Tomé un decimito con un número muy lindo, mil ciento veintidós, y se lo fui a llevar al Niño Dios de las Madres Descalzas... y le dije: «Mira, Jesusito, si sale premiado, la metá para ti... Tenía una carita tan alegre cuando se lo dije, lo mismo que si me entendiese. Pues ¿quién te dice, mujer...?

Pausa de gran efecto.

—¿Quién te dice a ti... que al sorteo voy y miro la lista, y me veo un mil ciento veintidós como un sol? Me quedé aturdida, y mucho más porque el premio era de los grandes: cerca de mil pesos. Sólo que, como la metá es del Niño, a mí me queda el dote limpio y pelado...

—¿Y tu tía? —preguntó Amparo, como si censurase el regocijo de Carmela.

—¿Y sabes, mujer, que yo quise depositar el dote para cuando ella muriese y quedarme en su compañía, y no quiso? Dice que no, que bien claro está que Dios me llama para sí... Ella tiene buscada colocación en casa de un cura... Como está así, medio ciega, sólo en un sitio de poco trabajo puede servir. ¡Ay Niño Jesús de mi alma! ¡Cuántas lagrimitas tengo lloradas aquí sin que nadie me viese! ¡Qué días! Es mejor hacer pitillos que encajes, chica. ¡Fumar, siempre fuma la gente; pero los encajes en invierno... es como vivir de coser telarañas!

Y levantándose, cogió un tiesto que estaba en la ventana y lo entregó a Amparo.

—Toma, me alegro de que hayas venido... Cuídame mucho la malva de olor, que por el camino tengo miedo de que se rompa el tarro.

Amparo cogió el tiesto y respiró el perfume de la planta, hundiendo la faz entre las aterciopeladas hojas. La encajera la miraba con sus pupilas siempre melancólicas y serenas.

—Amparo —dijo de pronto.

—¿Eh?... —respondió *la Tribuna*, sorprendida como si la despertasen de golpe.

—¿Te enfadas si te digo una cosa?

—No, mujer... ¿Y por qué me he de enfadar? —contestó fijando sus ojos gruesos y brillantes en la futura concepcionista.

—Pues quería decirte... que por ahí te pusieron un mote.

—¿Un mote? ¿Y es cosa mala?

—Mala..., ¡qué sé yo! Te llaman *la Tribuna*.

—¿Y quién me lo llama?

—Los señoritos..., los hombres. Dicen que fue porque el día del convite..., no te parezca mal, que a mí me lo contaron así, inocentemente..., te dio un abrazo uno de aquellos señores de la *Samblea*... y que te dijo...

—¡Me llamó *Tribuna del pueblo!* —exclamó orgullosamente la muchacha—. ¡Ya se ve que me lo llamó!

—Y eso, ¿qué es, mujer?

—¿Lo qué?

—¡Eso de *Tribuna del pueblo!*

—Es...; ya se sabe, mujer, lo que es. Como tú no lees nunca un periódico...

—Ni falta que me hace...; pero dímelo tú anda.

—Pues es... así a modo de una..., de una que habla con todos, supongamos.

—¿Que habla con todos?... ¿Y te lo dijo en tu cara?... ¡El Dulce Nombre de María!

—Pero no hablar por mal, tonta; si no es por eso... Es hablar de los deberes del pueblo, de lo que ha de hacer; es istruir a las masas públicas...

—Vamos, como una maestra de escuela... Jesús, si pensé que..., ya decía yo; ¿había de ser tan descarado que se lo encajase allí, sin más ni más? Pero como por ahí se ríen cuando mentan eso...

—¡Bah!... No tienen qué hacer, y velay.

—Y... mira, ¿te digo otro cuento?

—Tú dirás...

—Me contaron..., no tomes pesadumbre, que son dichos, que andaba tras de ti un señorito... de la oficialidá.

—¿Y si anda?

—Y si anda, haces muy mal en hacer caso de un oficial, mujer... A las chicas pobres no las buscan ellos para cosa buena, no y no... Y a las que son pobres y formales no se arriman, porque ven que no sacan raja...

—¡Eh! A modo...; no la armemos, Carmela. A mí nadie se arrima por la raja que saque, sino por el aquel de que le gustaré y vamos andando, que cada uno tiene sus gustos... Hoy en día, mas que digan los reaccionarios, la istrucción iguala las clases, y no es como algún tiempo... No hay oficial ni señorito que valga...

—Mujer, yo no hablé por mal... Te quise avisar, porque siempre te tuve ley, que eres así... una infeliz, un pedazo de pan en tus interioridades... Déjate de políticas, no seas tonta, y de señoritos... Fuera de eso, ¿a mí qué se me importa? Es por tu bien...

Se dispuso Amparo a marcharse, cogiendo debajo del brazo su tarro; pero la afectuosa encajera la quiso abrazar antes.

—No quiero que quedemos reñidas... ¿Vas enfadada? Bien sabe Dios mi intención... Escríbeme a Portomar... Ya te contaré todo, todo.

Y se asomó a la puerta para ver alejarse a la garbosa muchacha, cuyo vestido de percal proyectó, por espacio de algunos segundos, una mancha clara sobre las oscuras paredes de las casas de enfrente.

XXIX

Un delito

Desde la venida de Amadeo I tenían las cigarreras de Marineda a quién echar la culpa de cuantos males afligían a la fábrica. Cuando caminaba hacia España el nuevo rey[59], leíanse en los talleres, con pasión vehe-mentísima, todos los periódicos que decían: «No vendrá.» Y el caso es que vino, con gran asombro de las operarias, a quienes la Prensa roja había vaticinado que la monarquía era «un yerto cadáver, sentenciado por la civilización a no abandonar su tumba». Alguna cigarrera abogó por el hijo de Víctor Manuel, rey liberal al cabo, que daba la mano a todos y no tenía maldita la soberbia; pero la inmensa mayoría convino en que, al fin, un rey era siempre un rey, y en que la monarquía no era la república federal, verdades tan palmarias que, por último, las disidentes hubieron de reconocerlas.

Otros motivos de irritación ayudaban a soliviantar los ánimos. Escaseaban las consignas y la hoja tan pronto era quebradiza y seca, como podrida y húmeda. No, trabajo habían de pasar los que fumasen semejante veneno; pero las que lo manejaban también estaban servidas. Al ir a estirar la hoja para hacer las capas, en vez de extenderse, se rompía, y en fabricar un cigarro se tardaba el tiempo que antes en concluir dos; y para mayor ignominia, había que echarle remiendos a la capa por el revés lo mismo que a una camisa vieja, lo cual era gran vergüenza para una cigarrera honrada y que

---

[59] El duque de Aosta, hijo segundo de Víctor Manuel II, fue proclamado rey de España, con el nombre de Amadeo I, el 16 de noviembre de 1870. Llegó a Madrid el 2 de enero de 1871.

sabe su obligación al dedillo. Las operarias alzaban los brazos ejecutando la desesperada pantomima popular, llevándose ambas manos a la cabeza, a la frente, al pecho, señalando con enérgicos ademanes el tabaco averiado e inútil, de imposible elaboración. Tan alteradas estaban, que al pasar las maestras les metían puñados de hoja en las narices, gritando que «olía a berzas»; y envalentonándose, lo hicieron también con los inspectores, y si el jefe se hubiese presentado en los talleres, apostaban que con el jefe repetirían la escena. En vano algunas maestras intentaron calmar el oleaje, prometiendo para el entrante mes, nuevas consignas: seguían las turbulencias, porque aquel Gobierno maldito, no contento con enviarles hoja de desperdicio, para más, daba en la flor de no pagarles. Pasaban días y días sin que la cobranza se abriese, y las pobres mujeres, tímidamente al principio, después en voz alta y angustiosa, preguntaban a las maestras: «Y luego, ¿cuándo nos darán los cuartos?» Fue en *crescendo* el runrún y se convirtió en formidable marejada. El instinto que impele a los amotinados a ponerse a las órdenes de alguien, aconsejó a las operarias del taller de cigarrillos arrimarse a Amparo buscando el calor de su tribunicia frase. Halláronse chasqueadas: Amparo no dio fuego. Oyó a todas y convino con ellas en que, efectivamente, era una picardía no pagarles lo suyo; y, ventilando este punto, siguió liando pitillos, sin añadir arenga, excitación, sermón político ni cosa que lo valiese. Admiradas se quedaron las turbas de semejante frialdad. ¡Si pudiesen penetrar en lo íntimo del alma de Amparo, en aquellos inexplicables rincones donde quizá ella misma no sabía con total exactitud lo que guardaba! ¡Si hubiesen visto brotar una figurita chica, chica, remotísima, como las que se ven con los anteojos de teatro cogidos a la inversa, pero que iba creciendo con rapidez asombrosa, y que en la nomenclatura interior de las ilusiones se llamaba *señora de Sobrado!* ¡Si advirtiesen cómo esa *señora*, microscópica, aún vestida del color del deseo, iba avanzando, avanzando, hasta colocarse en el eminente puesto que antes ocupaba *la Tribuna*, que se retiraba al fondo envuelta en su manto de un rojo más pálido cada vez!...

Atribuyóse a otras causas la indiferencia de la oradora. Amparo tenía los dedos listos y una boca no más que mantener; la crisis económica no podía importarle tanto como a las que reunían seis hijos, tres o cuatro hermanos, familia dilatada, sin más recursos que el trabajo de una mujer. El tiempo corría, y en la tienda se cansaban de fiarles; se veían perdidas; ¿cómo salir del apuro? ¡A los angelitos no era cosa de darles a comer las piedras de la calle! *La Guardiana*, hablando de su sordomuda, partía el corazón; ella primero consentía morir que privar a la niña de su cascarillita con azúcar y de su pan fresco de trigo; si era preciso, pediría una limosna: no sería la primera vez; y al oír esto todas sus amigas la atajaron: ¡Pedir limosna! ¡Qué humillación para la fábrica! No: se ayudarían mutuamente, como siempre; las que estaban mejor se rascarían el bolsillo para atender a las más necesitadas; y, en efecto, así se hizo, verificándose numerosas cuestaciones, siempre con fruto abundante.

Cierto día se difundió por la fábrica siniestro rumor: Rita de la Riberilla, una operaria, había sido cogida con tabaco. ¡Con tabaco! ¡Jesús, si parecía una santa aquella mujer chiquita, flaca, con los ojos ribeteados de llorar, que solía atarse a la cara un pañuelo negro a causa, quizá, del dolor de muelas! Pero algunas cigarreras, mejor informadas, se echaron a reír: ¿Dolor de muelas? ¡Ya baja! Era que su marido la solfeaba todas las noches, y ella, por tapar los tolondrones y cardenales, se empañicaba así; también una vez se había presentado arrastrando la pierna derecha y diciendo que tenía reúma, y el reúma era un lapo atroz del esposo. Cuando llevaron a la culpable al despacho del jefe, lo primero que hizo fue llorar sin responder; y al cabo, hostigada ya, asaeteada a preguntas, se resolvió a confesar que «su hombre» la abría a golpes si no le llevaba todos los días tres cigarros de a cuarto... *La Comadreja*, con su carilla puntiaguda, cómicamente fruncida, remedaba a la perfección los entrecortados sollozos, el hipo y las súplicas de la delincuente.

—Tres cig...aaarros, señor menistrad...ooor, tres cig...aaarros sólo, que aun yo de aquí viva no saaal...ga si otra triste hilacha de taaab...aco apañé...; que yo no lo hiiiice por cubicia[60], tan cierto como que Dios

---

[60]   Codicia, ambición. Las formas correctas en gallego son: *cobiza* y *cubiza*.

bendito está en los diiiivinos sielos, sino que el hombre me da con el formón, que, perdonando la cara de usté, en una pierna me cortó la carne, que puedo enseñar la llaga, que aún no curó... Y él sólo quiere el tabaco para fuuuumar, que no es para vender ni haber negocio... Y ahora yo pierdo el pan, y mis hijos también... Porque, escuche y perdone; él me decía: ya que no traes cuartos hace un mes a la casa, tan siquiera trae cigarros, bribona...

El taller entero, a vueltas de la risa que le causaba la graciosa mímica de Ana, rompió en exclamaciones de lástima: robar no estaba bien hecho, claro que no; pero también hay que ponerse en la situación de cada uno: ¿Cómo se había de gobernar la infeliz, si su marido la tundía y hacía picadillo con ella? ¡Ay! ¡Dios nos libre de un mal hombre, de un vicioso! En fin, no era razón dejar morir de hambre a los chiquillos de la Rita; la fábrica daba limosnas a bastantes pobres de fuera: con más motivo a los de dentro; y la maestra recorrió el taller con el delantal hecho bolsa, y llovieron en él cuartos, perros y monedas de diferentes calibres en gran abundancia. Al llegar frente a Amparo, ésta tuvo un rasgo que fue aplaudidísimo y le conquistó otra vez gran popularidad. Hacía ya una semana que la pitillera vivía del crédito, porque sus gastos de vestir la traían siempre atrasada; y cuando la cuestora se acercó a pedir, no tenía la futura señora de Sobrado ni un ochavo roñoso en el bolsillo. Pero, cosa de un mes antes, había realizado uno de sus caprichos, comprando con las economías, en otro tiempo destinadas a salvar a la Asamblea, un par de pendientes largos de oro bajo, que eran su orgullo: quitóselos sin vacilar, y los echó en el delantal de la maestra. Alzóse un clamoreo, una aprobación ruidosa y vehemente, gritos agudos, voces humedecidas por el llanto, bendiciones casi inarticuladas, y al punto dos o tres objetos más de escaso valor, una sortija de plata, un dedal de lo mismo, vinieron despedidos desde las mesas próximas, cayeron en el delantal y se mezclaron con la calderilla.

Aquella tarde, al salir de los talleres, vieron las operarias, colgado cerca del quicio de la puerta, el cartel de rigor:

«Habiendo sido cogida con tabaco en el acto del registro la operaria del taller de cigarros comunes Rita Méndez, del partido número 3, rancho 11, queda expulsada para siempre de la fábrica.—*El administrador jefe*, FULANO DE TAL.»

Colocadas a ambos lados de la escalera, las cuadrilleras vigilaban para que el despejo se hiciese con orden; y sentadas en sus sillas, esperaban las maestras, más serias que de costumbre, a fin de proceder al registro. Acercábanse las operarias como abochornadas, y alzaban de prisa sus ropas, empeñándose en que se viese que no había gatuperio ni contrabando... Y las manos de las maestras palpaban y recorrían con inusitada severidad la cintura, el sobaco, el seno, y sus dedos rígidos, endurecidos por la sospecha, penetraban en las faltriqueras, separaban los pliegues de las sayas... Mientras, los bandos de mujeres iban saliendo con la cabeza caída —humilladas todas por el ajeno delito—; y el reloj antiguo de pesas, de tosca madera, pintado de color ocre con churriguerescos adornos dorados, que grave y austero como un juez adornaba el zaguán, dio las seis.

XXX

Donde vivía la protagonista

El barrio de Amparo era de gente pobre; abundaban en él las cigarreras, pescadores y *pescantinas*[61]. Las diligencias y los carruajes, al cruzar por la parte de la Olmeda, lo llenaban de polvo y ruido un instante, pero presto volvía a su mortecina paz aldeana. Sobre el parapeto del camino real que cae al mar, estaban siempre de codos algunos marineros, con gruesos zuecos de palo, faja de lana roja, gorro catalán; sus rostros curtidos, su sotabarba poblada y recia, su mirar franco, decían a las claras la libertad y rudeza de la vida marítima; a pocos pasos de este grupo, que rara vez faltaba de allí, se instalaba, en la confluencia de la alameda y la cuesta, el mercadillo: cestas de marchitas verduras, pescados, mariscos; pero nunca aves ni frutas de mérito.

Lo más característico del barrio eran los chiquillos. De cada casucha baja y roma, al salir el sol en el horizonte salía una tribu, una pollada, un hormiguero de ángeles, entre uno y doce años, que daba gloria. De ellos los había patizambos, que corrían como asustados palmípedos; de ellos, derechitos de piernas y ágiles como micos o ardillas; de ellos, bonitos como querubines, y de ellos, horribles y encogidos como los fetos que se conservan en aguardiente. Unos daban indicios de no sonarse los mocos en toda su vida, y otros se oreaban sin reparo, teniendo frescas aún las pústulas de la viruela o las ronchas del sarampión; a algunos, al través de las capas de suciedad y polvo que les afeaban el semblante, se les traslucía el carmín de la manzana y el brillo de la

---

[61] Pescadera, vendedora de pescado al por menor.

salud; otros ostentaban desgreñadas cabelleras, que si ahora eran zaleas o ruedos, hubieran sido suaves bucles cuando los peinaran las cariñosas manos de una madre. No era menos curiosa la indumentaria de esta pillería que sus figuras. Veíanse allí gabanes aprovechados de un hermano mayor, y tan desmerusadamente largos, que el talle besaba las corvas y los faldones barrían el piso, si ya un tijeretazo no los había suprimido; en cambio, no faltaba pantalón tan corto que, no logrando encubrir la rodilla, arregazaba impúdicamente descubriendo medio muslo. Zapatos, pocos y esos muy estropeados y risueños, abiertos de boca y endeblillos de suela; ropa blanca, reducida a un jirón, porque, ¿quién les pone cosa sana para que luego se revuelquen en la carretera y se den de mojicones todo el santo día, y se cojan a la zaga de todos los carruajes, gritando: «¡Tralla, tralla!»

De lo que ninguno carecía era de cobertera para el cráneo: cuál lucía hirsuta gorra de pelo, que le daba semejanza con un oso; cuál un agujereado fieltro sin forma ni color; cuál un canasto de paja tejido en el presidio, y cuál un enorme pañuelo de algodón, atado con tal arte, que las puntas simulaban orejas de liebre. ¡Oh, y qué cariño profesaban los benditos pilluelos a aquella parte de su vestimenta! Antes se dejarían cortar el dedo meñique que arrancar la gorra o el sombrero; nada les importaba volver a casa de noche sin una pierna de calzón o sin un brazo de la chaqueta; pero con la cabeza descubierta, sería para ellos el más grave disgusto.

Vivía el barrio entero en la calle, por poco que el tiempo estuviese apacible y la temperatura benigna. Ventanas y puertas se abrían de par en par, como diciendo que donde no hay no importa que entren ladrones; y en el marco de los agujeros por donde respiraban trabajosamente los ahogados edificios, se asomaba ya una mujer peinándose las guedejas, y de la cual sólo distinguía el transeúnte la rápida aparición del brazo blanco y la oscura aureola del cabello suelto; ya otra, remendando una saya vieja; ya lactando a un niño, cuyas carnes rollizas doraba el sol; ya mondando patatas y echándolas, una a una, en grosera cazuela... Esta vecina atravesaba con la *sella*[62] de relucientes aros camino de la fuente;

---

[62] Herrada.

aquélla se acomodaba a sacudir un refajo o a desocupar, mirando hacia todos lados con recelo, una jofaina; la de más acá salía con ímpetu a administrar una mano de azotes al chico que se tendía en el polvo; la de más allá volvía con una *pescada*[63], cogida por las agallas, que se balanceaba y le flagelaba el vestido. Todas las excrecencias de la vida, los prosaicos menesteres que en los barrios opulentos se cumplen a sombra de tejado, salían allí a luz y a vistas del público. Pañales pobres se secaban en las cancillas de las puertas; la cuna del recién nacido, colocada en el umbral, se exhibía tan sin reparo como las enaguas de la madre... y, no obstante, el barrio no era triste; lejos de eso, los árboles próximos, el campo y mar colindantes, lo hacían por todo extremo saludable; el paso de los coches lo alborotaba; los chiquillos, piando como gorriones, le prestaban por momentos singular animación; apenas había casa sin jaula de codorniz o jilguero, sin alhelíes o albahaca en el antepecho de las ventanas; y no bien lucía el sol, las barricadas de sardinas arenques, arrimadas a la pared y descubiertas, brillaban como gigantesca rueda de plata.

Tampoco faltaban allí comercios que, acatando la ley que obliga a los organismos a adaptarse al medio ambiente, se acomodaban a la pobreza de la barriada. Tiendecillas angostas, donde se vendían zarazas catalanas y pañuelos; abacerías de sucio escaparate, tras de cuyos vidrios un galán y una dama de pastaflora se miraban tristemente viéndose tan mosqueados y tan añejos, y las cajas tremendas de fósforos se mezclaban con garbanzos, fideos amarillos, aleluyas y naipes; figones que brindaban al apetito sardinas fritas y callos; almacenes en que se feriaban cucharas de palo, cestería, cribas y zuecos: tal era la industria de la cuesta de San Hilario. Allí se tuvo por notable caso el que un objeto adquirido se pagase de presente, y el crédito, palanca del moderno comercio, funcionaba con extraordinaria actividad.

Todo se compraba fiado; cigarrera había que tardaba un año en saldar los chismes del oficio. Reinaba en el barrio cierta confianza, una especie de compadrazgo perpetuo, un comunismo amigable: de casa a casa se

---

[63] Merluza.

pedían prestados no solamente enseres y utensilios sino «una sed» de agua, «una nuez» de manteca, «un chiquito» de aceite, «una lágrima» de leche, «una nadita» de petróleo. Avisábanse mutuamente las madres cuando un niño se escapaba, se descalabraba o hacía cualquier diablura análoga; y como el derecho de azotar era recíproco, las infelices criaturas estaban en peligro de ser vapuleadas por el barrio entero[64].

Pronto se acostumbró la madre de Amparo a su nueva vecindad: tenía la cama próxima a la ventana, y nadie pasaba por allí sin detenerse a conversar un rato... Las pescaderas le referían sus *lances*, y la tullida compraba desde su lecho sardinas, pedía agua, oía chismes sin número, forjándose en cierto modo la ilusión de que tomaba el aire libre... Por lo que hace a Amparo, fue presto la reina del barrio: reíanse los marineros, abierta la boca de oreja a oreja, dilatando sus anchos semblantes de tritones, cuando la veían pasar; los carabineros del Resguardo le echaban flores... Casi todos manifestaban sentimiento al saber que «andaba» con un oficial, un señorito de allá del barrio de Abajo.

---

[64] Este barrio de la protagonista es uno de los polos de exploración de la escritora para trazar la «historia de la pobreza» del cinturón suburbano coruñés.

XXXI

Palabra de casamiento

Desde que tuvo secretos que confiar, por natural instinto Amparo se arrimó a *la Comadreja* más que a *la Guardiana*. Ésta andaba no sé cómo, medio enferma, con la paletilla caída, según decía; y por más que se la levantó una saludadora[65] con los rezos y ensalmos de costumbre, la paletilla seguía en sus trece, y la muchacha tristona, pensando en cómo quedaban sus pequeños si se muriese ella. Hallaba Amparo en el semblante de *la Guardiana* no sé qué limpidez, qué tranquilidad honesta, que le helaban en los labios el cuento de amores cuando iba a empezarlo; al paso que Ana, con su nervioso buen humor, su cara puntiaguda rebosando curiosidad, convidaba a hablar. Amparo la tomó por confidenta y hasta por compañera. Ana, viuda a la sazón de su capitán mercante, que andaba allá por Ribadeo, se prestó gustosa a ser, en cierto modo, la dueña guardadora de *la Tribuna*. Por su parte, Baltasar se apoderó de Borrén. Estaban aún los dos enamorados en el período comunicativo.

—¿Te dio palabra de casarse contigo? —preguntó a su amiga.

—No cuadró que yo se la pidiese... Una vez, con disimulo, le indiqué algo... ¡Si no fuese por la familia! ¡La madre, sobre todo, que es así!

Y Amparo cerraba el puño.

—¡Bah! Ve tomando paciencia once añitos, como yo... ¡Y si después no consigues!...

—No, pues si no quiere casarse..., me parece que le doy despachaderas.

---

[65] Curandera que emplea jaculatorias y fórmulas mágicas.

Ana notó, en estas bravatas, que se tambaleaba el alcázar de la firmeza tribunicia. Desde entonces su curiosidad perversa la espoleó, y en cierto modo la halagó la idea de que todas, por muy soberbias que fuesen, paraban en caer como ella había caído. Organizóse una especie de sociedad compuesta de cuatro personas: Amparo, Ana, Borrén y Baltasar; cada vez que celebraba sesión esta sociedad, ya se sabía que *la Comadreja* «cargaba» con el ronco y galanteador Borrén. Enteníale con pesadas bromas, con todo género de indirectas y burletas, subrayadas por la risa de sus labios. flacos, por el fruncimiento de su hocico de roedor. Ana sabía, como acostumbraba saberlo todo, la historia de Borrén, o, por mejor decir, su carencia de historia; y este carácter inofensivo del incansable faldero daba pie a *la Comadreja* para crucificarle a puras chanzas, para clavarle mil alfileres, para abrasarle. La travesura de pilluelo vicioso que distinguía a Ana le sirvió para olfatear la horrible timidez, el pánico extraño que afligía a aquel hombre tan pródigo en requiebros, tan aficionado al aroma del amor, y tan incapaz, por carácter, de gustarlo, como los soñadores que contemplan la luna [66] [con ánimo] de descolgarla del firmamento. ¡Pobre Borrén! Desde el sarcasmo hasta la mal rebozada injuria, todo lo devoró con resignación que podría llamarse angelical, si virtudes de este linaje negativo no fuesen más dignas del limbo que del cielo.

Vestía la primavera de verdor y hermosura cuanto tocaba, y convidados por la amable estación, los cuatro socios acostumbraban aprovechar las tardes de los días festivos, solazándose en los huertos que abundan en la vega marinedina, dominada por el camino real. Pese a su temperamento calculador y enemigo del escándalo, Baltasar cedía a la vehemente codicia del aromático veguero, hasta el punto de acompañar en público a la muchacha, si bien concretándose a aquel apartado rincón de la ciudad. Hacíalo, sin embargo, con tales restricciones, que Amparo se figuraba que le comprometía dejándose ver a su lado.

En la vega se cultivaban hortalizas y algún maíz; pero la prosa de este género de labranza la encubría la

---

[66] Aparece el texto así en la 1.ª ed. y posteriores.

estación primaveral, vistiéndola con apretada red de floración; la col lucía un velo de oro pálido; la patata estaba salpicada de blancas estrellas; el cebollino parecía llovido de granizo copioso; las flores de coral del haba relucían como bocas incitantes, y en los linderos temblaban las sangrientas amapolas, y abría sus delicadas flores color lila el erizado cardo. Los sembrados de maíz, cuyos cotiledones comenzaban a salir de la tierra, hacían de trecho en trecho cuadrados de raso verdegay. Sobre todo un rincón había en la vega donde la Naturaleza, empeñada en vencer con su espontaneidad los artificios de la horticultura, lograba juntar, alrededor de un rústico pozo que suministraba muy fresca agua, dos o tres olmos más anchos que copudos, un grupo gracioso de mimbres, helechos y escolopendras, un rosal silvestre, algo, en fin, que rompía la uniformidad de la hortaliza. Aquel paraje era el favorito de Amparo y Baltasar, sobre todo desde que al lado, en los fresales, cuajados de flor blanca, empezaba a madurar el rojo fruto. El día de San José, Baltasar consiguió ya recoger para la muchacha media docena de fresas en una hoja de col. Hasta mediados de abril aumentó la cosecha de fresilla; a principios de mayo comenzaron a disminuir, y escasearon los fresones de pulpa azucarosa, que tan suavemente humedecían la lengua. Un domingo del hermoso mes, hallándose reunida la *partie carrée*[67] en la huerta a pretexto de fresas, ya a duras penas se rastreaba alguna escondida entre las hojas y gulusmeada[68] de babosas y caracoles.

—Don Enrique —exclamaba Ana, dirigiéndose a Borrén—, ¿cuántas ha cogido usted ya? ¿Una y media? A ese paso, dentro de quince días las probaremos. No sirve usted... ni para coger fresas.

—¿Cómo que no? Mire usted una preciosa que pillé ahora mismo... Le digo a usted, Anita, que sirvo para el caso.

—¿A ver? ¡Eso es lo que usted encuentra! Comida de bicharracos... ¡Huuuuy!

—¿Qué pasa? —exclamó, solícito, Borrén.

—¡Un babosón! —chilló ratonilmente Ana, sacudien-

---

[67] Partida de recreo de cuatro personas.

[68] Hollada, mordisqueada.

do los dedos y disparando el glutinoso animalucho al rostro de Borrén, que se pasó apaciblemente el pañuelo por las mejillas, amenazando a *la Comadreja* con la mano.

Amparo y Baltasar estaban un poco más desviados, y cerca del pozo que sombreaban los árboles. Picaban por turno las pocas fresas que tenía Amparo en el regazo sobre una hoja de berza. Las habían recogido juntos, y al hacerlo, sus manos trémulas y ávidas se encontraron entre el follaje.

—¡Eh..., dejad algunas! —les gritaba inútilmente Ana.

Amparo comía sin saber qué, por refrescarse la boca, donde notaba sequedad y amargor. Borrén miraba paternalmente al grupo, con ojos lánguidos de carnero a medio morir. *La Tribuna* pedía cuentas; Baltasar estaba por todo extremo obediente y cortés.

—¿Conque no fue usted a las *Flores de María?*

—No, mujer...; por quien soy que no fui. ¿No ves? Hoy es domingo; estarán llenas de gente las Flores, y el paseo brillante, con música y todo; y yo no pienso poner los pies en él.

—Los días de fiesta..., ¡vaya que! Sólo faltaba... ¡Es el único día que uno tiene libre; y se había usted de ir al paseo! ¿Pero ayer? ¿No entró usted ayer en San Efrén? ¿No cantaba la de García?

—¡Para lo bien que canta, hija! Parece un grillo.

—Pues ella dicen que se alaba de que va allí toda la oficialidad por oírla.

—Alabará..., ¿qué sé yo? Si no la veo hace mil años... Esa fresa es mía —exclamó arrebatando una que Amparo llevaba a sus labios. Ella se la dejó robar, ruborizada y satisfecha.

—Y a su casa..., ¿tampoco va usted?

—Tampoco..., no seas celosa, chica. ¿Por qué hemos de hablar siempre de la de García y no de ti? ¡De nosotros! —añadió con expresión de contenida vehemencia.

Sintió la muchacha como una ola de fuego que la envolvía desde la planta de los pies hasta la raíz del cabello, y después un leve frío que le agolpó la sangre al corazón. Borrén se aproximó a la amante pareja, abriendo las manos llenas de tierra y de fresas despachurradas.

—Ya me duelen los riñones de andar a gatas —dijo—.

Podíamos merendar, si a ustedes no les molesta, pollos.

—Por mí... —murmuró Amparo.

Ana se acercaba también, trayendo una servilleta anudada, que desató y tendió sobre el brocal del pozo. Réducíase la merienda a unos pastelillos de dulce y una botella de moscatel, regalo de Baltasar. Fueles preciso beber por el mismo vaso, único que había, y Ana, que era asquillosa y aprensiva, prefirió echar tragos por la botella, sin recelo de cortarse con los agudos cristales del roto gollete. Sus carrillos chupados se colorearon, su lengua se desató más que de costumbre; y por vía de diversión empezó a coger tierra a puñados y a esparcirla por la cabeza de Borrén. Después, levantándose, le propuso que «hiciese el remolino». Borrén no quería ni a tres tirones; pero *la Comadreja* le asió de las manos, estribó en las puntas de los pies, muy juntas y arrimadas a las de su pareja, y echando el cuerpo atrás y dejando caer la cabeza hacia la espalda, empezó a girar, con gran lentitud al principio; poco a poco fue acelerando el volteo, hasta imprimirle vertiginosa rapidez. Cuando pasaba se veían un punto sus pómulos encendidos, sus ojos vagos y extraviados, su boca pálida, abierta para respirar mejor, su garganta espasmódica, rígida; mas no tardaba ni medio segundo en presentarse la asustada faz de Borrén, que se dejaba arrastrar sin que acertase a decir más palabra que «por Dios..., por Dios», con no fingida congoja. De repente se detuvo la peonza humana, con brusco movimiento, y se oyó un grito gutural. Ana se aplanó en el suelo.

Al ir a socorrerla, notó Amparo que ya no estaba sonrosada, sino del color de la cera, y que se le veía el blanco de los ojos. Baltasar subió precipitadamente el cubo del pozo, y casi lleno se lo volcó encima a la mareada *Comadreja*. Frotáronle mucho los pulsos y las sienes con el fresco líquido, y al fin la pupila fue bajando al globo de la córnea, mientras el pecho se dilataba con ruidoso suspiro. Dos minutos después estaba Ana en pie; pero quejándose de la cabeza, del corazón; declarando que tenía los huesos rotos, que se moría de frío; todo en voz baja y lastimera, que nadie la tomaría por la petulante moza de antes del desmayo.

—Mujer, vente a mi casa, te daré ropa seca —dijo Amparo.

—No, a la mía, a la mía... El cuerpo me pide cama.

—Duermes conmigo.

—No, a mi casita —insistió la abatida *Comadreja*—. Si va conmigo una fiebre, quiero estar en mis reales. ¡Ea!, adiós.

—Toma mi mantón siquiera —porfió *la Tribuna*.

—Bueno, venga... ¡Brrr! Estoy hecha una sopa.

Y Ana, saludando con su esqueletada mano, ademán que indicaba un resto de intención festiva que aún retoñaba en ella, tomó el sendero que conducía al camino real. Entonces Baltasar miró a Borrén fijamente, con ojos expresivos más claros y categóricos que palabra alguna. Hay que decir —en abono del confidente universal— que titubeó. Sin alardear de moralista, bien puede un hombre blanco, que viste uniforme y peina barbas, encontrar que ciertos papeles son desairados y tontos. Una cosa es hablar, acompañar y animar, y otra... Por lo menos así pensaba Borrén, que más tenía de sandio rematado que de perverso. Y no obstante su repulsión, no supo resistir a la segunda ojeada, coercitiva al par que suplicante, del amigo. Bebió la hiel hasta las heces, y echó tras *la Comadreja*, pisando aturdidamente coles y maíz tierno.

—Espere usted, Anita, que la acompaño... —murmuraba—. Espere usted... Puede ocurrírsele a usted algo.

Encogióse de hombros Ana, y acortó el paso para dejar que se uniese Borrén. Emparejaron y caminaron en silencio por la carretera; Ana con los labios apretados y algo escalofriada y temblorosa, a pesar de ir muy arropada en el mantón. Al llegar a la entrada de la ciudad, la cigarrera se volvió y midió a Borrén con despreciativa ojeada de pies a cabeza.

—¿Se le ocurre a usted alguna cosa? —preguntó él, medio desvanecido aún, con ronquera que rayaba en afonía.

—Nada —respondió ella bruscamente. Y después, fijando en los de Borrén sus ojuelos verdes—: Don Enrique —añadió—, ¿sabe usted lo que venía pensando?

—Diga usted...

—Que es usted una alhaja.

—¿Por qué me dice usted eso, bella Anita? —pronunció ya afablemente Borrén, que al verse entre gentes y en calles transitadas había recobrado su aplomo.

—Porque..., que uno no se marche cuando enferma...
¡Pero usted! Pero ¡qué hombres! —articuló con ira—.
¡Si aunque se acabase la casta... no se perdía tanto así!
Vaya, abur..., que estoy medio trastornada y me da
poco gusto ver gente.

—Iré con usted por si...

—¿Usted? —murmuró ella entre irónica y desdeñosa—.
¿Para qué? Abur, abur; ¡que si le ven con una muchacha
de mi clase! Abur.

Y *la Comadreja* se escurrió por una callejuela, dejando
a Borrén sin saber lo que pasaba.

Cuando Baltasar y la oradora se quedaron solos, la
tarde caía, no apacible y glacial como aquella de febrero,
sino cálida, perezosa en despedirse del sol; nubes grises,
pesados cirros se amontonaban en el cielo; el mar,
picado y verdoso, mugía a lo lejos, y una franja de to-
pacio orlaba el horizonte por la parte del poniente.
Amparo tuvo un instante de temor.

—Me voy a mi casa —dijo levantándose.

—¡Amparo!... ¡Ahora, no! —pronunció con supli-
cantes inflexiones en la voz Baltasar—. No te marches,
que estamos en el paraíso.

La Tribuna, paralizada, miró en derredor. Mezquino
era el paraíso, en verdad. Un cuadro de coles, otro de
cebollas, el fresal polvoroso, hollado por los pies de
todo el mundo; los olmos bajos y achaparrados, los
acirates llenos de blanquecinas ortigas, el pozo triste
con su rechinante polea; mas estaban allí la juventud
y el amor para hermosear tan pobre edén. Sonrió la
muchacha, posando blandamente en Baltasar sus abul-
tados ojos negros.

—¿Por qué quieres escaparte, vamos? —interrogó él
con dulce autoridad—. Si te escapas siempre de mí,
si parece que te doy miedo, no tendrá nada de extraño
que yo me vaya también al paseo, o a donde se me ocurra.
Ya lo sabes —y acercándose más a ella, abrazándole
el rostro con su anhelosa respiración—. ¿Me voy al
paseo? —preguntó.

Amparo hizo un movimiento de cabeza que bien
podía traducirse así: «No se vaya usted de ningún modo.»

—Me tratas tan mal...

—¿Usted qué quiere que haga?

—Que te portes mejor...

—Pues hablemos claro —exclamó ella, sacudiendo su marasmo y apoyándose en el brocal del pozo.

La roja luz del ocaso la envolvió entonces, su rostro se encendió como un ascua, y por segunda vez le pareció a Baltasar hecha de fuego.

—Di, hermosa...

—Usted... quiere comprometerme... ¡Quiere conducirse como se conducen los demás con las muchachas de mi esfera!

—No, por cierto, hija; ¿de dónde lo sacas? No pienses tan mal de mí.

—Mire usted que yo bien sé lo que pasa por el mundo... Mucho de hablar, y de hablar, pero después...

Baltasar cogió una mano, que trascendía a fresas.

—Mi honor, don Baltasar, es como el de cualquiera, ¿sabe usted? Soy una hija del pueblo; pero tengo mi altivez... por lo mismo... Conque... ya puede usted comprenderme. La sociedá se opone a que usted me dé la mano de esposo.

—Y ¿por qué? —preguntó con soberano desparpajo el oficial.

—Y ¿por qué? —repitió la vanidad en el fondo del alma de *la Tribuna*.

—No sería yo el primero, ni el segundo, que se casase con... Hoy no hay clases...

—Y su familia..., su familia... ¿Piensa usted que no se desdeñarían de una hija del pueblo?

—¡Bah!... ¿Qué nos importa eso? Mi familia es una cosa, yo soy otra —repuso Baltasar, impaciente.

—¿Me promete usted casarse conmigo? —murmuró la inocentona de la oradora política.

—¡Sí, vida mía! —exclamó él, sin fijarse casi en lo que le preguntaban, pues estaba resuelto a decir amén a todo.

Pero Amparo retrocedió.

—¡No, no! —balbució, trémula y espantada—. No basta el jarabe de pico... ¿Me lo jura usted...?

Baltasar era joven aún y no tenía temple de seductor de oficio. Vaciló, pero fue obra de un instante; carraspeó para afianzar la voz y exclamó:

—Lo juro.

Hubo un momento de silencio en que sólo se escuchó el delgado silbido del aire cruzando las copas de los olmos del camino y el lejano quejar del mar.

—¿Por el alma de su madre? ¿Por su condenación eterna?

Baltasar, con ahogada voz, articuló el perjurio.

—¿Delante de la Cara de Dios? —prosiguió Amparo, ansiosa.

De nuevo vaciló Baltasar un minuto. No era creyente macizo y fervoroso como Amparo, pero tampoco ateo persuadido; y sacudió sus labios ligero temblor al proferir la horrible blasfemia. Una cabeza pesada, cubierta de pelo copioso y rizo, descansaba ya sobre su pecho, y el balsámico olor de tabaco que impregnaba a *la Tribuna* le envolvía. Disipáronse sus escrúpulos y reiteró los juramentos y las promesas más solemnes.

Iba acabando de cerrar la noche, y un cuarto de amorosa luna hendía como un alfanje de plata los acumulados nubarrones. Por el camino real, mudo y sombrío, no pasaba nadie.

XXXII

La Tribuna se forja ilusiones

En los primeros tiempos, Baltasar, embriagado por el aroma del cigarro, se mostró más asiduo, olvidó su habitual reserva y obró como si no temiese la opinión del mundo ni de su familia. Es cierto que en el barrio apartado donde Amparo moraba no era fácil que le viesen las gentes de su trato; no obstante, alguna vez tropezó con conocidos en ocasión de ir acompañando a la muchacha. Fuese por esta razón o por otras, no tardó en buscar lugares más recónditos para las entrevistas, adonde cada cual iba por su lado, no reuniéndose hasta estar al abrigo de ojos indiscretos. Uno de estos sitios era una especie de merendero unido a una fábrica de gaseosa, bebida muy favorita de las cigarreras. Ante la mesa de tosca piedra, roída por la intemperie, se sentaban Baltasar y Amparo, y allí les traían botellas de cerveza y de gaseosa, cuyo alegre taponazo animaba de tiempo en tiempo el diálogo. Una parra tupida les prestaba sombra; algunas gallinas picoteaban los cuadros de un mezquino jardín; el lugar era silencioso, parecido a un gabinete muy soleado, pero oculto. Por entre las hojas de vid se filtraban los rayos del sol, y caían a veces, en movibles gotas de luz, sobre el rostro de Amparo, mientras Baltasar la contemplaba, admirando involuntariamente ciertas gracias y perfecciones de su rostro hechas para ser vistas de cerca, como la delicada red de venas que oscurecía sus párpados, las sinuosidades de su diminuta oreja, la nitidez del moreno cutis, donde la luz se perdía en medias tintas de miel, la caliente riqueza del color juvenil, la blancura de los ·dientes, la abundancia del cabello. Duró este inventario minucioso algún tiempo, al cabo del cual, Baltasar, habiendo aprendido de memoria estas y otras particularidades, y hablando con *la Tribuna* de todo lo que se podía hablar con ella, empezó a encontrar más largas las horas. Escaseó las visitas al merendero, limitándose a los días festivos, y mientras Amparo le preparaba *a mano* los cigarrillos que acostumbraba consumir, él leía, arrancando al pitillo recién liado nubes de humo. No sabiendo qué hacer, quiso enseñar a Amparo cómo se fumaba a lo cual ella se prestó con repugnancia, alegando que las cigarreras no fuman, que casualmente están «hartas de ver tabaco», y que éste sólo es bueno para ponerse parches en las sienes cuando duele la cabeza. Discurriendo medios de entretenerse, Baltasar trajo a Amparo alguna novela para que se la leyese en voz alta; pero era tan fácil en llorar la pitillera así que los héroes se morían de amor o de otra enfermedad por el estilo, que, convencido el oficial de que se ponía tonta, suprimió los libros. En suma, Baltasar y Amparo se hallaron como dos cuerpos unidos un instante por la afinidad amorosa, separados después por repulsiones invencibles y que tendían incesantemente a irse cada cual por su lado.

Para colmo de aburrimiento, reparó Baltasar que, al paso que él aspiraba a ocultar diestramente su aventura, Amparo, que ya tenía puesta toda su esperanza en las falaces palabras y en el compromiso creado por el seductor, se perdía porque los viesen juntos, porque la publicidad remachase el clavo con que imaginaba haberle fijado para siempre. Quería ostentarle, como Ana ostentaba su capitán mercante; quería que la familia de Sobrado supiese lo que sucedía y rabiase, y que la de García, la orgullosa damisela, se enterase también de que Baltasar la dejaba por *la Tribuna;* ¡por *la Tribuna!* Quemadas ya las naves, a Amparo le convenía armar bulla, tanto como a Baltasar guardar silencio. De esta diversa disposición de ánimo nacieron las primeras reyertas, leves y cortas aún, de los dos amantes, reyertas que al principio sirvieron de diversión a Baltasar, porque a veces hasta la contrariedad distrae. Al menos, mientras duraban, no venía el importuno bostezo a descoyuntar las mandíbulas. Peor sería hablar de política, conversación que Baltasar había prohibido y a la cual *la Tribuna* se manifestaba más aficionada de algún tiempo a esta parte.

No era del todo sistemática la conducta de Amparo al buscar publicidad en sus amoríos; su carácter la impulsaba a ello. Superficial y vehemente, gustaba de apariencias y exterioridades; le lisonjeaba andar en lenguas y ser envidiada, nunca compadecida. El día que dio sus pendientes de oro para la Rita, no le quedaba en casa un ochavo, y por pueril orgullo dijo a todas que tenía dinero, amenguando así el valor de su rasgo. Ahora, durante sus relaciones con Baltasar, trabajaba más que nunca y se vestía lo mejor posible, para hacer creer que el señorito de Sobrado era con ella dadivoso. Se regocijaba interiormente de que la sostuviesen sus ágiles dedos, mientras el barrio le envidiaba larguezas que no recibía; es más, que rechazaría con desdén si se las ofrecieran. Su vanidad era doble: quería que el público tuviese a Baltasar por liberal, y que Baltasar no la tuviese a ella por mercenaria. Y Baltasar, si pagaba la gaseosa, los pastelillos, alguna vez las entradas del teatro, en lo demás se mostraba digno heredero y sucesor de doña Dolores Andeza de Sobrado. Nunca pensó o nunca quiso pensar (que hasta en esto del pensar sobre una cosa suele determinarse la voluntad libremente) en lo que comería aquella buena moza, si sería caldo o borona, si bebería agua clara, y cómo se las compondría para presentarse siempre con enagua almidonada y crujiente, bata de percal saltando de limpia, botinas finas de rusel, pañuelo nuevo de seda. El cigarro era aromático y selecto; ¿qué le importaba al fumador el modo de elaborarlo?

Entre tanto, Amparo disfrutaba viendo la rabia de sus rivales en la fábrica, la sonrisilla de Ana, las indirectas, los codazos, la atmósfera de curiosidad que condensaba en torno a su persona, llegando a tanto su desvanecimiento, que se hacía a sí propia regalos misteriosos para que creyese la gente que procedían de Sobrado; se prendía en el pecho ramilletes de flores, y hasta llegó a adquirir una sortija de plata con un corazón de esmalte azul, por el regustazo de que la supusieran fineza de Baltasar. Cuando le preguntaban si era cierto que se casaba con un señorito, sonreía, se hacía la enojada como de chanza, y fingía mirar disimuladamente la sortija... ¡Casarse! Y ¿por qué no? ¿No éramos todos iguales desde la revolución acá? ¿No era soberano el pueblo? Y las ideas igualitarias volvían en tropel a dominarla y a lisonjear sus deseos. Pues si se había hecho la revolución y la Unión del Norte, y todo, sería para que tuviésemos igualdad, que si no, bien pudieron las cosas quedarse como estaban... Lo malo era que nos mandase ese rey italiano, ese Macarroni, que daba al traste con la libertad... Pero iba a caer, y ya no cabía duda, llegaba la república.

Con estos pensamientos entretenía las horas de trabajo en la fábrica. A cada pitillo que enrollaba, al suave crujido del papel, una cándida esperanza surgía en su corazón. Cuando ella fuese señora no había de portarse como otras altaneras, que estuvieron allí liando cigarros lo mismo que ella, y ahora, porque arrastraban seda, miraban por cima del hombro a sus amigas de ayer. ¡Quiá! Ella las saludaría en la calle, cuando las viese, con afabilidad suma. Por lo que hace a recibirlas de visita..., eso, según y conforme dispusiese su marido; pero, ¿qué trabajo cuesta un saludo? A Ana pensaba enseñarle su casa. ¡Su casa! ¡Una casa como la de Sobrado, con sillería de damasco carmesí, consola de caoba, espejo de marco dorado, piano, reloj de sobremesa y tantas bujías encendidas! Y Amparo, cerrando los ojos, creía sentir en el rostro el frío cierzo de la noche de Reyes... Cuando entraba descalza en el portal de Sobrado a cantar villancicos, ¿imaginó que se enamorase de ella Baltasar? Pues así como había sucedido esto, *lo otro...*

No obstante, dentro de la fábrica misma hubo escépticas que auguraron mal de los enredos en que se metía Amparo. ¡Casarse, casarse! Pronto se dice; pero del dicho al hecho... ¿Regalos? ¡Vaya unos regalos para un hijo de Sobrado! ¡Sortijas de plata, ramos de a dos cuartos! ¡Bah, bah! Ya se sabía en lo que paraban ciertas cosas. Aunque sordos, estos rumores no fueron tan disimulados que no llegasen hasta la interesada, y unidos a otras pequeñeces que se observaban también, empezaron a clavarle en el alma el dardo de los más crueles recelos. Baltasar enfriaba a ojos vistas: a cada paso mostraba más cautela, adoptaba mayores precauciones, descubría más su carácter previsor y el interés en esconder su trato con la muchacha, como se oculta una enfermedad humillante. Mostrábase aún tierno y apasionado en las entrevistas; pero se negaba obstinadamente a acompañar a Amparo dos pasos más allá de la puerta.

Todo lo referido lo notó desde su cama la paralítica, que se hallaba sumamente inquieta y quejosa por varias razones: entre otras, porque desde que Amparo gastaba cuanto ganaba en botas nuevas y enaguas bordadas, ella se veía privada de algunas comodidades y golosinas que no la escatimaba antes. Malo era que su hija se perdiese, y malo también que, tratando con señores, en vez de traer dinero a casa, se empeñase, y tuviese que pasarse las noches haciendo pitillos de encargo para poder comer. ¡Y mucho de flores! ¡Y mucho de chambras con puntillas! ¡Qué necesidad!

Confidente de estas lamentaciones era Chinto, que solía venir a pasarse con la tullida largas horas al salir del trabajo, desde que supo cuán propicia se había mostrado a su pretensión matrimonial. Aún volvía la vieja a la carga de tiempo en tiempo, y hablaba de Chinto a su hija; él no sería fino ni buen mozo, pero era un burro de carga, un lobo para el trabajo y un infeliz. Autorizada, sin duda, por tan buenas intenciones, la paralítica disponía de Chinto como de un yerno. Una vez, cuando empezó a escasear el dinero, rogóle que «fuese por seis cuartos de azúcar para la cascarilla a la tienda de la esquina, que ya serían abonados». El mozo salió y volvió con un cucurucho de papel de estraza henchido de azúcar morena; del pago no se habló más. Otro día le encargó de tomar un décimo para el próximo sorteo; la vieja, por tranquilizar su conciencia de empedernida jugadora, dijo que si «le caía» partirían como buenos amigos. Poco a poco, y ayudando a ello lo muy distraída que andaba Amparo, volvió Chinto a amarrarse al antiguo yugo, a obedecer ciegamente a la despótica voz de la tullida; hízole los recados, le arregló el cuarto, le trajo remedios, le dio unturas. Y no quiere decir esto que la pobre mujer se propusiese deliberadamente explotar al mozo, sino que, a su edad y en su estado, ciertos cuidados y mimos son tan necesarios como el aire respirable.

Curioso espectáculo en verdad el que ofrecía Chinto,

descolorido, flaco, casi harapiento, cuidando de aquella mujer que no era su madre, que siempre le había tratado con dureza; y mientras él mondaba las patatas para el caldo del día siguiente, o mullía el jergón de la impedida, Amparo regresaba, a la plateada luz de la luna de verano, que prolongaba sobre la carretera de la Olmeda la sombra de los majestuosos árboles, de alguna cita en lugares escondidos, en los solitarios huertos o en el desierto camino del cerro de Aguasanta.

XXXIII

Las hojas caen

Aconteció que, cuando ya se aproximaba el otoño, la paralítica llamó a Amparo a la cabecera de su lecho, con tono y ademanes singulares, murmurando sordamente:

—Acércate aquí, anda.

Amparo se acercó con la cabeza baja. La madre extendió la mano, le cogió violentamente la barbilla para que alzase el rostro, y con voz aguda y terrible gritó:

—¿Y ahora?

Calló la hija. Constábale que la persona que la interrogaba así había vivido largos años orgullosa de su matrimonio legítimo, de su honestidad plebeya, de su marido trabajador, de que en la fábrica los citasen a entrambos por modelo de familia unida, de que en cierta ocasión el jefe hubiese proferido palabras honrosas para ella, llamándola mujer «formal y de bien». Amparo lo sabía, y por eso callaba. Repetidas veces la paralítica le diera consejos, haciendo funestos vaticinios, que se cumplían al fin. Incorporada a medias sobre la cama, concentrando en los ojos la vida furiosa de su cuerpo, repitió la madre, con desprecio y con ira:

—¿Y ahora?

Amparo permaneció pálida e inmóvil. La tullida sintió un hormigueo en la palma de la mano, y la estampó ruidosamente en la mejilla de su hija, que se tambaleó, retrocedió escondiendo el rostro, y se fue a sentar en la silla más próxima.

—¡Sinvergüenza, raída, eso de mí no lo aprendiste!

—vociferó la enferma, algo desahogada ya después del bofetón.

No respondió nada la oradora, que diera entonces de buen grado su popularidad, y hasta el advenimiento de la ideal república, por hallarse siete estadios debajo de tierra. No obstante, se sorbió estoicamente las lágrimas abrasadoras que asomaban a sus ojos, y abatida, reconociendo y acatando la autoridad materna, balcució:

—Me ha dado palabra de casamiento.

—¡Y te lo creíste!

—No sé por qué no... —exclamó la muchacha con acento más firme ya—. Yo soy como otras, tan buena como la que más... Hoy en día no estamos en tiempos de ser los hombres desiguales... Hoy todos somos unos señora..., se acabaron esas tiranías.

Meneó la cabeza la paralítica, con la tenaz desconfianza de los viejos indigentes que nunca han visto llover del cielo torreznos asados.

—El pobre, pobre es —pronunció melancólicamente...—. Tú te quedarás pobre, y el señorito se irá riendo... —y a esta idea, sintiendo renacer su furor, chilló—: Sácateme de delante, indina[69], que te mato; si te dieron palabras, que te las cumplan.

Amparo se agachó, y salió temblando. A solas, recobró energía, y calculó que tal vez hacía mal en desesperarse; acaso su mala ventura sería un lazo más que acabase de unir a Baltasar con ella para siempre. Sí; no podía suceder de otro modo, a menos que tuviese entrañas de tigre.

Esperó con afán el domingo, día de cita en el merendero de la gaseosa. Madrugó; llegó mucho antes que Baltasar. El otoño iba despojando a la parra de su pomoso follaje recortado, y los nudosos sarmientos parecían brazos de esqueleto mal envueltos en los jirones de púrpura de las pocas hojas restantes. Algún racimo negreaba en lo alto. En unas tinas viejas arrimadas al banco de piedra, había botellas vacías que semejaban embarcaciones náufragas varadas en el arenal. Amparo sentía mucho frío cuando Baltasar llegó.

Sentóse éste al lado de la muchacha, que le presentó un paquete de sus cigarrillos predilectos, emboquillados,

---

[69] Indigna; forma gallega.

bastante largos, liados con gran esmero. Baltasar tomó uno y lo encendió, chupándolo nerviosamente con rápidas aspiraciones. Toda mujer prendada de un hombre llega a conocer por sus movimientos más leves, por los actos que distraída y casi mecánicamente ejecuta, el talante de que está. Amparo sabía que cuando Baltasar fumaba así, no se distinguía por lo jocoso y afable. Como la luz del sol no hallaba obstáculos para filtrarse al través de la deshojada parra, el rostro del mancebo, bañado de claridad, parecía duro y anguloso; su bigote, blondo a la sombra, tenía ahora un dorado metálico; sus ojos zarcos miraban con glacial limpidez. La pobre *Tribuna*, tan intrépida cuando peroraba, se halló del todo cortada y recelosa, y creyó sentir que le anudaban la garganta con dogal. Esperó en vano una expansión, una caricia dulce y apasionada, que no vino. Baltasar se callaba cosas muy buenas, y seguía taciturno. De cuando en cuando el soplo de las ráfagas otoñales desprendía una de las postreras hojas de vid, que caía arrugada y amarillenta sobre la mesa de granito, entre los dos amantes, produciendo un ruidito seco. ¡Pin! En los oídos de Baltasar resonaba la voz de doña Dolores, exclamando: «Chico, ¿no sabes que las de García..., ¡pásmate!, ganan el pleito en el Supremo? Lo sé de fijo por el mismo abogado de aquí.» ¡Pin, pin! Y Amparo, a su vez, escuchaba frases coléricas: «Si te dieron palabras, que te las cumplan.» ¡Pinnn!... Una hoja purpúrea descendía con lentitud... «Baltasarito, hijo, van a calzarse ciento y no sé cuántos miles de duros, si ganan.»

Al fin, Baltasar fue el primero que rompió el silencio... Habló del trabajo que le costaba venir, de lo necesario que era el recato, de que tendrían que verse menos... Decía todo esto con acento duro, como si Amparo en algo fuese culpable respecto de él. La cigarrera le escuchaba muda, con los labios blancos, mirando fijamente al rostro de Baltasar, que tenía la expresión distraída del mal pagador que no quiere recordar su deuda. Y era lo peor del caso que, por más que *la Tribuna* pretendía echar mano de su oratoria, que le hubiese venido de perlas entonces, no encontraba frase con que empezar a tratar el asunto más importante. Al fin, como viese con asombro levantarse a Baltasar, diciendo que le esperaba el coronel para asuntos del servicio, ella también se alzó resuelta, y le dio la noticia clara y brutalmente, sin ambages ni rodeos, sintiendo hervir dentro del pecho una cólera que centuplicaba su natural valor.

Un relámpago de sorpresa, cruzó por las pupilas transparentes y yertas de Sobrado; mas al punto se plegó su delgada boca, y diríase que le habían cerrado el semblante con llave doble y selládolo con siete sellos. Era otro Baltasar distinto del mancebo gracioso, halagüeño y felino de las horas veraniegas. Amparo notó que representaba diez años más.

—Ahora —dijo, plantándose delante de él— es justo que me cumplas la palabra.

—Ahora... —repitió él con voz lenta—. La palabra.

—¡De casarte conmigo! Me parece que me sobra derecho para pedir...

—Mujer... —contestó Baltasar reposadamente, sacudiendo la ceniza del pitillo—, no todas las cosas salen a medida del deseo. Las circunstancias le obligan a uno a mil transacciones, que... Yo quisiera, lo mismo que tú, que fuese mañana; pero ponte en mi caso... Mi madre..., mi padre..., mi familia...

—¡Tu familia, tu familia! ¿Pues no dijiste que ella era una cosa y tú otra? ¿Le echo yo alguna mancha a tu familia, por si acaso? ¿Soy hija de algún ajusticiado, o de algún capitán de gavilla? ¿No estamos en tiempos de igualdad? ¿No es mi madre tan honrada como la tuya, repelo?

—No es eso... Yo no te digo que...

—¿Pues qué dices entonces, que te quedas ahí callado? ¿Tienes algo que echarme en cara? ¿No me gano yo la vida trabajando honradamente, sin pedírtelo a ti ni a nadie? ¿Te he pedido algo, te he pedido algo? ¿Ando yo con otros?[70]

—¿Quién te dice semejante cosa? Pero sucede que hoy por hoy, lo que tú deseas, es decir, lo que deseamos, es imposible.

—¡Imposible!

---

[70] Amparo defiende a lo largo de la novela una triple reivindicación de la mujer: la actividad laboral, la paridad con el hombre en el concepto de la honra y el activismo político. *La Tribuna* significa, por lo tanto, una avanzada de las ideas feministas.

—Por algún tiempo no más... No me hallo todavía en situación de prescindir de mi familia...; cuando alcance una graduación superior y pueda vivir con el sueldo...

—¿No eres ya capitán?

—Graduado; pero la efectividad... En fin, te lo repito, hazte cargo; en las circunstancias por que atravieso no cabe una determinación semejante. Sería menester estar loco. Y digo más; créeme, hija; tenemos que ser muy prudentes para no comprometernos.

—¡No comprometernos! —gimió con amargura la muchacha—. ¡No comprometernos! ¿Pero tú te has figurado —pronunció, reponiéndose y recobrando su impetuoso carácter— que yo soy tonta? ¿Piensas que me puedes meter el dedo en la boca? ¿Qué compromiso ni qué... ¡repelo! te viene a ti de todo esto? ¡La comprometida, la engañada y la perdida soy yo!

Dejóse caer en el banco de piedra, y apoyando la sien en la fría mesa de granito, rompió en convulsivos sollozos.

—No grites, hija —murmuró Baltasar, aproximándose—. No llores..., que pueden oírte y es un escándalo. Amparo, mujer, vamos, no hay motivo para esos gritos.

La crisis fue corta. Levantóse la oradora con los ojos encendidos, pero sin que una lágrima escaldase su mejilla morena. Indignada, miró a Baltasar, y le encontró sereno, inconmovible, con su fina y sonrosada tez y sus ojos garzos transparentes, en los cuales se reflejaba la luz del cielo sin comunicarles calor. Él quiso hacer dos o tres zalamerías a la muchacha para conjurar la tormenta; pero su ademán era violento y sus movimientos automáticos. Amparo le rechazó, y se colocó por segunda vez delante de él en actitud agresiva.

—Habla claro... ¿Nos casamos o no?

—Ahora no puede ser, ya te lo he dicho —contestó él sin perder su continente flemático.

—Y ¿cuándo?

—¡Qué sé yo! El tiempo, el tiempo dirá. Pero has de tener calma, hija..., un poco de calma.

—Pues abur, hasta que me pagues lo que me debes —exclamó ella con voz vibrante, sin cuidarse de que la oyesen desde la casa o desde el camino los transeúntes—. Yo no soy más tu mona de diversión, para que lo sepas;

no me da la gana de andarme escondiendo, de ir con estas noches de frío a Aguasanta y a mil sitios así, por darte gusto.

Avanzó tres pasos más, y poniendo la mano en el hombro del oficial...

—El día menos pensado... —pronunció— cuando te vea en las Filas o en la calle Mayor..., me cojo de tu brazo delante de las señoritas, ¿oyes?, y canto allí mismo, allí..., todo lo que pasa. Y cuando venga la nuestra..., o te hacemos pedazos, o cumples con Dios y conmigo. ¿Entiendes, falsario?

Y con voz queda, con acento de religioso terror:

—¿Tú no tienes miedo a condenarte? Pues si mueres así..., más fijo que la luz, te condenas. Y si viene la federal..., que Dios la traiga y la Virgen Santísima..., te mato, ¿oyes?, para que vayas más pronto al infierno.

Diciendo así, diole un empujón, y le volvió la espalda, saliendo con paso rápido, la frente alta, la mirada llameante, a pesar del peregrino desfallecimiento, de la desusada conmoción interior que la avisaba de que evitase tales escenas. Al salir *la Tribuna*, una ráfaga más fuerte desparramó por la mesa muchas hojas de vid, que danzaron un instante sobre la superficie de granito, y cayeron al húmedo suelo.

«¿Lo hará? —meditó Baltasar a solas—. ¿Me vendrá a abochornar en público? Tengo para mí que no... Estos genios vivos y prontos son del primer momento; pasado éste, quedan como malvas. Quiá..., no lo hace. Sin embargo, me convendría salir de Marineda una temporadita...»

Al pensar esto miraba maquinalmente las hojas secas, que valsaban con lánguido y desmayado ritmo.

«Pero ¿y Josefina? Si las noticias de mamá son ciertas, no va a ser posible abandonar una proporción que tal vez no vuelva a encontrar en mi vida. ¡Qué mil diablos! Y esa chica era guapa... ¡Lo que es guapa! ¡Qué tonterías! ¿Por qué se buscará uno estos conflictos? ¡Yo, que tengo juicio para diez!»

Impaciente, tiró el cigarro que estaba concluyendo. Un átomo de fuego brilló entre las hojas, que crujieron encogiéndose, y a poco la colilla se apagó.

XXXIV

Segunda hazaña de *la Tribuna*

Frío es el invierno que llega; pero las noticias de
Madrid vienen calentitas, abrasando. La cosa está abo-
cada, el italiano va a abdicar porque ya no es posible
que resista más la atmósfera de hostilidad, de inquina,
que le rodea. Él mismo se declara aburrido y harto de
tanto contratiempo, de la grosería de sus áulicos, de la
guerra carlista, del vocerío cantonal, del universal desbarajuste. No hay remedio: las distancias se estrechan,
el horizonte se tiñe de rojo, la federal avanza[71].

La fábrica ha recobrado su *Tribuna*. Es verdad que
ésta vuelve herida y maltrecha de su primera salida en
busca de aventuras; mas no por eso se ha desprestí-
giado. Sin embargo, los momentos en que empezó a
conocerse su desdicha fueron para Amparo de una
vergüenza quemante. Sus pocos años, su falta de experiencia, su vanidad fogosa, contribuyeron a hacer la
prueba más terrible. Pero en tan crítica ocasión no se
desmintió la solidaridad de la fábrica. Si alguna envidia
excitaban antaño la hermosura, garbo y labia irresta-
ñable de la chica, ahora se volvió lástima, y las imprecaciones fueron contra el eterno enemigo: el hombre.
¡Estos malditos de Dios, recondenados, que sólo están
para echar a perder a las muchachas buenas! ¡Esos señores, que se divierten en hacer daño! ¡Ay, si alguien
se portase así con sus hermanas, con sus hijitas, quién
los oiría y quién los vería abalanzarse como perros!
¿Por qué no se establecía una ley para eso, caramba?

---

[71] Amadeo I no abdica hasta el 11 de febrero de 1873. En la misma
sesión de las Cortes se proclamará la República.

¡Si al que debe una peseta se la hacen pagar más que de prisa, me parece a mí que estas deudas aún son más sagradas, demontre! ¡Sólo que ya se ve; la justicia la hay de dos maneras: una a rajatabla para los pobres, y otra de manga ancha, muy complaciente, para los ricos!

Algunas cigarreras optimistas se atrevieron a indicar que acaso Sobrado se casaría, o por lo menos reconocería lo que viniese.

—Sí, sí... ¡Esperar por eso, papanatas! ¡Ahora se. estará sacudiendo la levita y burlándose bien!

—¡No sabes..., yo no quiero que ella lo oiga, ni lo entienda —decía *la Comadreja* a *la Guardiana*—, pero ese descarado ya vuelve a andar detrás de la de García!

—¡Bribón! —exclama *la Guardiana*—. Y ¿quién le ve tan juicioso como parece?

—Pues conforme te lo digo.

—Amparo tampoco debió hacerle caso.

—Mujer, uno es de carne, que no es de piedra.

—¿Se te figura a ti que a cada uno le faltan ocasiones? —replicó la muchacha—. Pues si no hubiese más que... ¡Madre querida de la Guardia! No, Ana; la mujer se ha de defender ella. Civiles y carabineros a la puerta, no se los pone nadie. Y las chicas pobres, que no heredamos más mayorazgo que la honradez... Hasta te digo que la culpa mayor la tiene quien se deja embobar.

—Pues a mí me da lástima de ella, que es la que pierde.

—A mí también. Lástima, sí.

Y a todo el mundo se la daba. ¡Quién habría reconocido a la brillante oradora del banquete del Círculo Rojo en aquella mujer que pasaba con el mantón cruzado, vestida de oscuro, ojerosa, deshecha! Sin embargo, sus facultades oratorias no habían disminuido; sólo, sí, cambiado algún tanto de estilo y carácter. Tenían ahora sus palabras, en vez del impetuoso brío de antes, un dejo amargo, una sombría y patética elocuencia. No era su tono el enfático de la Prensa, sino otro más sincero, que brotaba del corazón ulcerado y del alma dolorida. En sus labios, la república federal no fue tan sólo la mejor forma de gobierno, época ideal de libertad, paz y fraternidad humana, sino período de vindicta, plazo señalado por la justicia del cielo, reivindicación largo tiempo esperada por el pueblo oprimido, vejado, trasquilado como mansa oveja. Un aura socialista palpitó en sus palabras que estremecieron la fábrica toda, máxime cuando el desconcierto de la Hacienda dio lugar a que se retrasase nuevamente la paga en aquella dependencia del Estado. Entonces pudo hablar a su sabor *la Tribuna*, despacharse a su gusto. ¡Ay de Dios! ¿Qué les importaba a los señorones de Madrid..., a los pícaros de los ministros, de los empleados, que ellas falleciesen de hambre? ¡Los sueldos de ellos estarían bien pagados, de fijo! No, no se descuidarían en cobrar, y en comer, y en llenar la bolsa. ¡Y si fuesen los ministros los únicos a reírse del que está debajo! ¡Pero a todos los ricos del mundo se les daba una higa de que cuatro mil mujeres careciesen de pan que llevarse a la boca!

Y al decir esto, Amparo se incorporaba, casi se ponía en pie en la silla, a pesar de los enérgicos y apremiantes chis de la maestra, a pesar del inspector de labores que desde hacía un momento estaba asomado a la entrada del taller, silencioso y grave.

—¡Qué cuenta tan larga... —proseguía la oradora, animándose al ver el mágico y terrible efecto de sus palabras—, qué cuenta tan larga darán a Dios algún día esas sanguijuelas, que nos chupan la sangre toda! Digo yo, y quiero que me digan, porque nadie me contesta a esto, ni puede contestarme: ¿Hizo Dios dos castas de hombres, por si acaso, una de pobres y otra de ricos? ¿Hizo a unos para que se paseasen, durmiesen, anduviesen majos y hartos, y contentos, y a otros para sudar siempre y arrimar el hombro a todas las labores, y morirse como perros sin que nadie se acuerde de que vinieron al mundo? ¿Qué justicia es ésta, retepelo? Unos trabajan la tierra, otros comen el trigo: unos siembran y otros recogen; tú, un suponer, plantaste la viña, pues yo vengo con mis manos lavadas y me bebo el vino[72].

—Pero el que lo tiene, lo tiene —interrumpía la conservadora *Comadreja*.

—Ya se sabe que el que lo tiene lo tiene; pero ahora vamos al caso de que es preciso que a todos les llegue

---

[72] Por esta directa reivindicación laboral insólita en la novelística del siglo XIX, *La Tribuna* es una novela comprometida.

su día, y que cuantos nacemos iguales gocemos de lo mismo. ¡tan siquiera un par de horas! ¡Siempre unos holgando y otros reventando! Pues no ha de durar hasta el fin de los siglos, que alguna vez se ha de volver la tortilla.

—El que está debajo, mujer, debajito se queda.

—¡Conversación! Mira tú: en París, de Francia, el cuento ese de la *Comun*[73]... ¡Anda si pusieron lo de arriba abajo! ¡Anda si se sacudieron! No quedó cosa con cosa...; así, así debemos hacer aquí, si no nos pagan.

—Y allá, ¿qué hicieron?

Amparo bajó la voz.

—Prender fuego... a todos los edificios públicos.

Un murmullo de indignación y horror salió de la mayor parte de las bocas.

—Y a las casas de los ricos..., y...

—¡Asús! ¡Fuego, mujer!

—Y afusil..., y afusil..., ar...

—Afusilar..., ¿a quién, mujer, a quién?

—A..., a los prisioneros, y hasta al arzobispo, y a los cur...

—¡Infames!

—¡Tigres!

—¡Calla, calla, que parece que la sangre se me cuajó toda!... Y ¿quién hizo eso? ¡Pues vaya unas barbaridás que cuentas!

—Si yo no las cuento para decir que esté bien hecho eso de..., de prender fuego y afusilar... ¡No, caramba! ¡No me entendéis, no os da la gana de entenderme! Lo que digo es que... hay que tener hígados, y no dejarse sobar ni que le echen a uno el yugo al cuello sin defenderse... Lo que digo es que, cuando no le dan a uno por bien lo suyo, lo muy suyo..., lo que tiene ganado y reganado... Cuando no se lo dan, si uno no es tonto..., lo pide..., y si se lo niegan..., lo coge.

—Eso, clarito.

—Tienes razón. Nosotras hacemos cigarros, ¿eh?, pues bien regular es que nos abonen lo nuestro.

---

[73] Durante el Gobierno provisional, constituido al finalizar la guerra franco-prusiana, el 26 de marzo de 1871 se constituye en París, por sufragio universal, el Consejo General de la *Commune*, que implanta un programa democrático. En el mes de mayo del mismo año, el ejército de Thiers entra en la capital y comienza la cruenta represión de los miembros y partidarios de la *Commune*.

—No, y apuradamente no es ley de Dios esa desigualdad y esa diferencia de unos zampar y ayunar otros.

—Lo que es yo, mañana, o me pagan o no entro al trabajo.

—Ni yo.

—Ni yo.

—Si todas hiciésemos otro tanto..., y si, además, nos viesen bien determinadas a armar el gran cristo...

—¡Mañana..., lo que es mañana! ¿Habéis de hacer lo que yo os diga?

—Bueno.

—Pues venid temprano..., tempranito.

A la madrugada siguiente, los alrededores de la fábrica, la calle del Sol, la calzada que conduce al mar se fueron llenando de mujeres que, más silenciosas de lo que suelen mostrarse las hembras reunidas, tenían vuelto el rostro hacia la puerta de entrada del patio principal. Cuando ésta se abrió, por unánime impulso se precipitaron dentro, e invadieron el zaguán en tropel, sin hacer caso de los esfuerzos del portero para conservar el orden; pero en vez de subir a los talleres, se estacionaron allí, apretadas, amenazadoras, cerrando el paso a las que, llegando tarde, o ajenas a la conjuración, intentaban atravesar más allá de la portería. Sordos rumores, voces ahogadas, imprecaciones que presto hallaban eco, corrían por el concurso, el cual se iba animando, y comunicándole ardimiento y firmeza. En la primera fila, al extremo del zaguán, estaba Amparo, pálida y con los ojos encendidos, la voz ya algo tomada de perorar, y, sin embargo, llena de energía, incitando y conteniendo a la vez la humana marea.

—Calma —decíales con hondo acento—, calma y serenidad... Tiempo habrá para todo: aguardad.

Pero algunos gritos, los empellones y dos o tres disputas que se promovieron entre el gentío, iban empujando, mal de su grado, a *la Tribuna* hacia la vetusta escalera del taller, cuando en éste se sintieron pasos que estremecían el piso, y un inspector de labores, con la fisonomía inquieta del que olfatea graves trastornos, apareció en el descanso. Empezaba a preguntar, más bien con el ademán que con la boca: «¿Qué es esto?», a tiempo que Amparo, sacando del bolsillo un pito de barro, arrimólo a los labios y arrancó de él agudo silbido. Diez o doce silbidos más partieron de diferentes puntos, corearon aquella romanza de pito, y el inspector se detuvo, sin atreverse a bajar los escalones que faltaban. Dos o tres viejas desvenadoras se adelantaron hacia él, profiriendo chillidos temerosos y tocándolo casi, y se oyó un sordo «¡muera!». Sin embargo, el funcionario se rehízo, y cruzándose de brazos se adelantó algo mudada la color, pero resuelto.

—¿Qué sucede? ¿Qué significa este escándalo? —preguntó a Amparo, a quien halló más próxima—. ¿Qué modo es éste de entrar en los talleres?

—Es que no entramos hoy —respondió *la Tribuna*. Y cien voces confirmaron la frase.

—No se entra, no se entra.

—¿No entran ustedes? Pues ¿qué pasa?

—Que se hacen con nosotras iniquidás, y no aguantamos.

—No, no aguantamos. ¡Mueran las iniquidás! ¡Viva la libertá! ¡Justicia seca! —clamaron desde todas partes. Y dos o tres maestras, cogidas en el remolino, alzaban las manos desesperadamente, haciendo señas al inspector.

—Pero ¿qué piden ustedes?

—¿No oyes, hijo? Jos-ti-cia —berreó una desvenadora al oído mismo del empleado.

—Que nos paguen, que nos paguen y que nos paguen —exclamó, enérgicamente, Amparo, mientras el rumor de la muchedumbre se hacía tempestuoso.

—Vuelvan ustedes, por de pronto, al orden y a la compostura, que...

—No nos da la gana.

—¡Que baile el cancán!

—¡Muera!

Y otra vez, la sinfonía de pitos rasgó el aire.

—No pedimos nada que no sea nuestro —explicó Amparo, con gran sosiego—. Es imposible que por más tiempo la fábrica se esté así, sin cobrar un cuarto... Nuestro dinero, y abur.

—Voy a consultar con mis superiores —respondió el inspector, retirándose entre vociferaciones y risotadas.

Apenas lo vieron desaparecer, se calmó la efervescencia un tanto. «Va a consultar», se decían las unas a las 'ras... «¿Nos pagarán?»

—Si nos pagan —declaró *la Tribuna*, belicosa y resuelta

como nunca—, es que nos tienen miedo. ¡Adelante! Lo que es hoy, la hacemos, y buena.

—Debimos cogerlo y rustrirlo en aceite —gruñó la voz oscura de la vieja—. ¡Fretirlo[74] como si fuera un pancho..., que vea lo que es la necesidá y los trabajitos que uno pasa!

—Orden y unión, compañeras... —repetía Amparo, con los brazos extendidos.

Transcurridos diez minutos volvió el inspector, acompañado de un viejecillo enjuto y seco como un pedazo de yesca, que era el mismo contador en persona. El jefe no juzgaba oportuno por entonces comprometer su dignidad presentándose ante las amotinadas, y por medida de precaución había reunido en la oficina a los empleados y consultaba con ellos, conviniendo en que la sublevación no era tan temible en la Granera como lo sería en otras fábricas de España, atendido el pacífico carácter del país. No quisiera él estar ahora en Sevilla.

—¿Qué recado nos traen? —gritaron al inspector las sublevadas.

—Oiganme ustedes.

—Cuartos, cuartos, y no tanta parolería.

—Tengo chiquillos que aguardan que les compre mollete..., ¿oyúste?, y no puedo perder el tiempo.

—Se pagará..., hoy mismo..., un mes de los que se adeudan.

Hondo murmullo atravesó por la multitud, llegando a las últimas filas el «¿Pagan, sí o no? Pagan... ¡Un mes...! ¡Un mes...! ¡Para poca salú..., no consentir...; todo junto!» Amparo tomó la palabra.

—Como usted conoce, ciudadano inspector..., un mes no es lo que se nos debe, y lo que nos corresponde, y a lo que tenemos derechos inalienables e individuales... Estamos resueltas, pero resueltas de verdá, a conseguir que nos abonen nuestro jornal; ganado honrosamente con el sudor de nuestras frentes, y del que sólo la injusticia y la opresión más impía se nos puede incautar...

—Todo eso es muy cierto, pero ¿qué quieren ustedes que hagamos? Si la Dirección nos hubiese remitido fondos, ya estarían satisfechos los dos meses... Por de pronto, se les ofrece a ustedes uno, y se les ruega que

---

[74] Freirlo; la forma gallega sería «fritilo».

despejen el local en buen orden y sin ocasionar distur-
bios... De lo contrario, la guardia va a proceder al
despejo...

—¡La guardia! ¡Que nos la echen! ¡Que venga! ¡Acá
la guardia!

Cuatro soldados al mando de un cabo, total cinco
hombres, bregaban ya en la puerta de entrada con las
más reacias y temibles. No tenían, dijeron ellos después,
corazón para hacer uso de sus armas; aparte de que no
se les había mandado tampoco semejante cosa. Limi-
tábanse a coger del brazo a las mujeres y a irlas sacando
al patio; era una lucha parcial, en que había de todo:
chillidos, pellizcos, risas, palabras indecorosas, amenazas
sordas y feroces.

Pero sucedió que un soldado, al cual una cigarrera
clavó las uñas en la nuca, echó a correr, trajo de la
garita el fusil y apuntó al grupo: al instante mismo, un
pánico indecible se apoderó de las más cercanas, y se
oyeron gritos convulsivos, imprecaciones, súplicas des-
garradoras, ayes de dolor que partían el alma, y las
mujeres, en revuelto tropel, se precipitaron fuera del
zaguán, y corrieron buscando la salida del patio, empu-
jándose, cayendo, pisoteándose en su ciego terror, arra-
cimadas como locas en la puerta, impidiéndose mutuamente salir, y chillando lo mismo que si todas las
ametralladoras del mundo estuviesen apuntadas y pron-
tas a disparar contra ellas.

Quedóse en medio del zaguán la insigne *Tribuna*,
sola, rezagada, vencida, llena de cólera ante tan ver-
gonzosa dispersión de sus ejércitos. Para mostrar que
ella no temía ni se escapaba, fue saliendo a pasos lentos
y llegó al patio en ocasión que la guardia, aprovechándose de la ventaja fácilmente adquirida, expulsaba a las
últimas revolucionarias, sin mostrar gran enojo. Por
galantería, el soldado del fusil administró a Amparo
un blando culatazo, diciéndole: «Ea..., afuera...» *La
Tribuna* se volvió, mirólo con regia dignidad ofendida,
y sacando el pito, silbó al soldado. Después cruzó la
puerta, que se cerró en sus mismas espaldas, con gran
estrépito de goznes y cerrojos.

Al verse fuera ya, miró asombrada en torno suyo y
halló que una gran multitud rodeaba el edificio por todos
lados. No sólo las que estaban dentro, sino otras muchas

que habían ido llegando, formaban un cordón amenazador en torno de los viejos muros de la Granera. *La Tribuna*, viendo y oyendo que sus dispersas huestes se rehacían, comenzó a animarlas y a exhortarlas, a fin de que no sufriesen otra vez tan humillante derrota. Ya las que habían sido arrojadas por los soldados, al contacto de la resuelta muchedumbre, recobraron los ánimos decaídos, y enseñaban el puño a la muralla profiriendo invectivas.

Hicieron ruidosa ovación a su capitana, que empezó a recorrer las filas, alentando a las que aún sentían recelo o no estaban dispuestas a gritar. Y eligiendo dos o tres de las más animosas, mandóles que arrancasen una de las desiguales y vacilantes piedras de la calzada, que se movían como dientes de viejo en sus alvéolos, y, alzándola lo mejor posible, la condujeron ante la puerta que les acababan de cerrar en sus mismas narices.

Brotó de entre los espectadores un clamoreo al ver ejecutar esta operación con tino y rapidez y oír retemblar las hojas de la puerta cuando la lápida cayó contra el quicio.

—Hacen barricadas —exclamó una cigarrera que recordaba los tiempos de la Milicia Nacional.

—¡Borricadas, borricadas —exclamaba una maestra— nos va a dar por cara todo este barullo!

El propósito de las desempedradoras no era ciertamente hacer barricadas, sino otra cosa más sencilla: o bien echar abajo la puerta a puros cantazos, o bien elevar delante un montón de piedras por el cual se pudiese practicar el escalamiento. En su imprevisión estratégica, olvidaban que del otro lado, al extremo del callejón del Sol, existía un portillo, un lado débil sobre el cual debía cargar el empuje del ataque. No estaba la generala en jefe para tales cálculos: cegada por la rabia, Amparo no pensaba sino en atravesar otra vez la misma puerta por donde la habían expulsado —¡oh rubor!— cuatro soldados y un cabo. Así es que, arrancada ya, casi con las uñas, la primera baldosa, se procedió a desencajar la segunda.

Apoyadas en el muro de una casita de pescadores, donde había redes colgadas a secar, *la Guardiana* y *la Comadreja* miraban el motín sin tomar parte en él. Ana era remilgada, endeble como un junco, y jamás podrían sus descarnadas manos, forzudas sólo en los momentos de excitación nerviosa, levantar ni una peladilla del arroyo algo grande; en cuanto a *la Guardiana*, se creía obligada a permanecer allí, puesto que al fin el tumulto era «cosa de la fábrica»; pero desaprobándolo, porque indudablemente, de todo aquello iban a resultar «desgracias».

—¡Mira Amparo, tan adelantada en meses, y cómo ella trajina!

—Es el demonche. Ella sola levanta la piedra —contestó Ana, con la reverencia de los débiles hacia la fuerza física.

Mas la primera piedra era enorme: una losa de un metro de longitud y gruesa y ancha a proporción, casi imposible de transportar sin auxilio de máquina alguna. Para echada a hombros de una sola persona, era enorme y la aplastaría; para llevada en vilo entre varias, no se sabía cómo subirla.

Amparo discurrió irla enderezando y rodando hasta la puerta, y en efecto, el sistema dio buen resultado, y la piedra llegó a su sitio. Al punto que la vio colocada, tornó, con infatigable ardor, a intentar descuajar un nuevo proyectil. En esta faena y brega estaban entretenidas las pronunciadas, sin reparar que el sol calentaba más de lo justo y que ya eran casi las once de la mañana, cuando un rumor contenido, temeroso, leve al principio, se propagó entre el concurso, cayendo como lluvia helada sobre el entusiasmo general, y causando notable descenso en los gritos y vociferaciones que coreaban el arranque de las piedras.

¿Quién dio la noticia? Un pilluelo, que, con los calzones arremangados, venía al trote largo desde la plaza de la Fruta, allá en el barrio de Arriba. Oídos sus informes, las miradas se volvieron insistentemente hacia los cuatro puntos cardinales, y cada boca murmuró, pegándose a cada oído ajeno, dos palabras preñadas de espanto: «Viene tropa.»

Al notar la oleada del creciente rumor, abandonó *la Tribuna* la piedra que traía entre manos, y volvióse iracunda, con la mirada rechispeante, a la inerme multitud. Su rostro, su ademán decían claramente: «Ahora vuelven estas cobardonas a dejarme aquí plantada.» En efecto, el nombrar tropa bastó para que tomasen el portante algunas de las más animosas barricaderas. ¡Pero qué fue cuando, en el punto más lejano del horizonte, se vio aparecer una nube de polvo, y cuando se oyó como el trote de muchos caballos reunidos!

Amparo anima a sus huestes. Con la nariz dilatada, los brazos extendidos, diríase que la aparición de las brigadas de Caballería y fuerzas de la Guardia Civil que desembocan, unas por el camino real, otras por San Hilario, redobla su guerrero ardor, acrecienta su cólera. «No nos comerán —grita—. Vamos a tirarles piedras, a lo menos tengamos ese gusto...» Nadie quiere tenerlo. La losa enorme es abandonada; las que más gritaban se escurren por donde pueden; cuando las brigadas llegan a las puertas de la Granera, el motín se ha disuelto, sin dejar más señales de su existencia que dos mediadas baldosas arrimadas al portón y algunas mujeres dispersas, inofensivas, en medrosa actitud.

XXXV

La Tribuna se porta como quien es

Cada vez más fría la estación invernal y más calientes las noticias que de allá fuera vienen a conmover la fábrica. Por de pronto, no quedaron estériles las disposiciones marciales demostradas el día del motín, y al siguiente cobraron las operarias sus haberes íntegros. No era cosa de provocar el enojo del pueblo en el estado actual de España, que parecía ya la casa de Tócame Roque. Nadie se entendía; al Ejército se le conocía por la «tropa amadeísta»; la Artillería presentaba la dimisión en masa; el Maestrazgo ardía; Saballs[75] llamaba «cabecilla» a Gaminde y Gaminde le devolvía el calificativo; los Hierros ordenaban a una compañía entera de ferrocarriles suspender la circulación de trenes; corría en Cataluña la moneda con el busto de Carlos VIII, y la reina de más tristes destinos, la mujer de Amadeo I, a la cual tirios y troyanos nombraban desdeñosamente *la Cisterna*, daba al mundo con terror y lágrimas un mísero infante, y ningún obispo se aprestaba a bautizar el vástago regio. Así andaba la patria. Más adelante se demostró que aún podía andar mucho peor[76].

Amparo se encontraba abatida desde el memorable día del pronunciamiento. Había hecho tal gasto de energía y de fuerza muscular removiendo los pedruscos de la calzada, y tal derroche de laringe excitando a las remisas y miedosas, que por algún tiempo no quedó

---

[75] Cabecilla carlista que manda las partidas de Gerona en 1872.
[76] En los periódicos de la época podemos comprobar los tumultos y las operaciones bélicas. Incluso en el próximo puerto del Ferrol, el 12 de octubre de 1872 se sublevan los marinos y asaltan el arsenal.

de provecho para cosa alguna. Entre el frío, la lluvia que al ir a la fábrica la acribillaba a alfilerazos en la piel o la bañaba con gruesos y anchos goterones que se deshacían aplastándose en su mantón y la fatiga inherente a su estado, viose sumida en marasmo constante, que a veces iluminaba, a manera de relámpago que surca un cielo oscuro, aquella última y robusta esperanza en el advenimiento de la federal. ¡Cuán triste veía el cielo, y el aire, y todo en derredor! Parecíale a Amparo que los lugares testigos de sus dichas y sus yerros habían sido devastados, arrasados por mano aleve. La tierra del huerto que Baltasar había llamado *paraíso*, desnuda, en barbecho, aguardaba la vegetación. De los verdes y gayos maizales sólo quedaban rastrojos. Los árboles de la carretera alzaban sus ramas peladas y escuetas al brumoso cielo. El piso, lleno de charcos formados por la lluvia, se hallaba intransitable, y delante de la misma casa de *la Tribuna*, una gran poza obstruía el paso; para entrar, Amparo tenía que saltarla, y como no calculase bien el brinco, sucedíale meter el pie en el agua helada y cenagosa, y tener que mudarse después las medias y el calzado. Algunas veces encontraba mano para pasar el mal paso, y su ademán compasivo la encendía en ira. ¡Ser compadecida por semejante bestia! ¡A esto llegábamos después de tanto sueño, de tanta aspiración hacia la vida fácil y brillante, hacia la dicha!

Así iba desgranándose el racimo de los días de invierno, lentos, aunque cortos, sin que Amparo distinguiese un rayo de claridad en el firmamento ni en su destino. Aplanóse su espíritu, y cometió un acto de flaqueza. No veía a Baltasar desde la disputa en el merendero, y sintió, de pronto, deseo invencible de hablar con él, para suplicar o para increpar —ella misma no sabía para qué—; pero, en suma, para desfogar, para romper aquella horrible monotonía del tiempo que pasaba inalterable. Envióle el mensaje por Ana. Pero Baltasar respondió: «Ya iré.»

—¿Piensa usted ir? —le preguntaba Borrén aquella tarde.

—¿A qué? ¿A oír lástimas que no puedo remediar? ¡Algo bueno daría por estar ahora en Guipúzcoa!

—¡Hombre!... ¡Pobre chica!

Baltasar tomó su café a sorbos, muy pensativo. Calculaba que la avaricia de su madre lo exponía, tal vez, a un compromiso grave. Era falta de habilidad no remitir a Amparo siquiera mil reales para tenerla contenta mientras él no aseguraba a Josefina, que, engreída ahora con la perspectiva del caudal, lo había acogido con hartos remilgos y escrúpulos, dificultando reanudar sus antiguos amorcillos. ¡Bah! El caso era ganar tiempo, porque apenas pusiese tierra en medio, el peligro cesaba... No obstante, el prudente Baltasar temía, temía una campanada inoportuna, que diese al traste con sus nuevos planes.

—¿Qué te dijo? —interrogó ansiosamente Amparo.

—Que vendría —repuso *la Comadreja*.

—Pero... ¿cuándo?

—No quiso explicar cuándo.

—¿Piensa él que estoy yo para esas calmas?

—Lo que él no tiene es gana de verte el pelo.

Amparo dejó caer la cabeza sobre el pecho, y su rostro se nubló con expresión tal de desconsuelo y enojo, que Ana la miró compadecida.

—Si algún día..., si pronto... viene la República..., la santa federal, ¡así Dios me salve!, Ana, lo arrastro.

Ana se echó a reír con su delgada risa estridente.

—No seas tonta, mujer..., no seas tonta... ¡Para divertirlo y darle un mal rato, no tienes que aguardar por República ni repúblico!

—¿Que no?

—¿Sabes lo que yo había de hacer? Pues esto mismo. Coger pluma y papel... ¿Conoce tu letra?

—Nunca le escribí.

—Mejor. Pues escribirle a la de García una carta bien explicada, para que no se deje engañar por él.

—¿Un anónimo? ¡Quita allá!

—Un avisito... contándole lo que hizo contigo. No seas boba; anda, más merece.

Pasaba esta conversación a la salida de la fábrica; Ana llevó a Amparo a su casa, en la calle de la Sastrería. Subieron a su cuartuco; la *Comadreja* dio a su amiga recado de escribir, y entre las dos compusieron la siguiente epístola, que fielmente se traslada a la estampa:

«Estimada señorita: halguien que la estima le abisa que quien se quiere casar con Usté tiene compormetida huna Chica onrada, y lea dado palbra de casarse con ella. Es el de Sobrado, parque Usté no dude, y Usté se informará y veráque es verdá. Q. b. s. m.

Un afetísimo amigo.»

La *Comadreja* cerró, dictó sobre y señas, puso lacre fino del que ella usaba para escribir a su capitán, pegó un sello, y dijo a la *Tribuna:*

—Ahora, de paso que vuelves a tu casa, la echas en el correo con disimulo.

Al bajar la escalera, estrecha y oscura como boca de lobo, zumbábanle a Amparo los oídos y apretaba convulsivamente la carta, llevándola oculta bajo el mantón. La oprimía como oprimiría un puñal, con vengativo empeño y no sin cierto interior escalofrío. Se representaba a la orgullosa señorita de García rompiendo el sobre, leyendo, palideciendo, llorando... «¡Que pene! —decíase a sí propia la oradora—. ¡Que sufra como yo!...» ¿Y qué tiene que ver? Si ella pierde un pretendiente, yo he perdido la conducta y cuanto perder cabe... Después pensaba en Baltasar... y en los Sobrados todos... ¡Ah! ¡Buen chasco esperaba a la avarienta de la madre, que contaba con establecer brillantemente a su hijo! No la habían querido a ella..., pues ahora iban a verse desairados, a su turno... ¡Ya probarían lo bien que sabe!

Rumiaba estas ideas a medida que adelantaba por la calle de la Sastrería, calle torcida, mal empedrada, en cuyos adoquines tropezaba de cuando en cuando, mientras la luz vaga de los faroles del alumbrado público, proyectándose un momento, arrojaba a las paredes blanqueadas de las casas su silueta furtiva, de líneas desfiguradas, fantasmagóricas, prolongadas por la forma del pañolón. En la oscura noche de invierno, caminando con paso precavido para salvar los charcos que dejara la lluvia de la tarde, parecíale a Amparo ir a cometer un delito, y, herida, sintiendo el dolor de su agravio, este pensamiento la embriagaba. Maquinalmente, al llegar a la entrada de la calle estrecha de San Efrén, bajó una mano para recoger el vestido, que se iba manchando de barro, y al hacerlo aflojáronse sus dedos y dejó de apretar la carta, cuyo satinado papel le acariciaba la epidermis... Al cruzar la travesía del Puerto, su cabeza pareció despejarse, y vio el escaparate de la tercena y el buzón, con las fauces abiertas, como gritando «aquí estoy yo». Amparo soltó el vestido y sacó de debajo del mantón la mano derecha y la misiva... Detúvose antes de alzar el brazo.

«¡Un anónimo!», pensaba.

Su indómita generosidad popular se despertó. La pequeñez de la villana acción se hacía muy patente al ir a perpetrarla.

«Debí decirle a Ana que la echase ella... Yo no tengo cara a esto —murmuró entre sí—. Y si no la echo, me llamará boba... Pues mejor... ¡Esto es indecente! —balbució, adelantando la carta hasta tocar el buzón—. No, repelo —exclamó casi en voz alta, bajando la mano—. Esto es una cochinada... ¡Más vale ahogarlos donde los encuentre!»

Dio precipitadamente la vuelta y se metió por un callejón que lindaba con la travesía del Puerto, desembocando en el muelle. Ofrecióse de pronto a sus ojos el agua negra de la bahía, que no alumbraban la luna ni las estrellas, y donde los barcos inmóviles parecían más negros aún. Arrimóse al parapeto. Una brisa salitrosa, picante, le envolvió la faz. Despejósele completamente el cerebro, y con viveza suma hizo pedazos la epístola anónima. Los blancos fragmentos revolotearon un instante, como voladoras falenas[77], y cayeron sordamente en el agua que chapoteaba contra el muro del embarcadero.

---

[77] Mariposas nocturnas; hay hasta seis familias distintas; se alimentan y vuelan durante la noche.

XXXVI

Ensayo sobre la literatura dramática revolucionaria

No hay remedio, esto se va y lo otro avanza a galope. ¿Cuándo se retira Amadeo? ¿Hoy? ¿Mañana? Y si el italiano no perdió de vista todavía la tierra española, ya es como si viviésemos en plena República; no estará proclamada, pero ¿qué más da? Todo el mundo cuenta con ella de un instante a otro.

Sólo bajo la monarquía de merengue, que se va derritiendo y consumiendo al calor de la revolución, podía ser representable el drama que anunciaban los carteles del coliseo marinedino: *Valencianos con honra*. Aunque Amparo no iba a parte alguna, tanto oyó hablar de lo intencionado y subversivo que era el drama famoso, y de cómo pintaba a los republicanos cual son y no cual los retrata el pincel reaccionario, que resolvió asistir. Instalóse con Ana en el paraíso, donde se amontonaba inmensa concurrencia, que les metía los pies por la cintura, los codos por las ingles: a duras penas lograron las dos muchachas apoderarse de su sitio; al fin consiguieron embutirse de medio lado en delanteras, y allí se mantuvieron prensadas, comprimidas, sin poder ni enjugarse el sudor de la frente. El calor era espeso, asfixiante. Al alzarse el telón vino una bocanada de aire más respirable a aquel horno; poco duró, pero, al menos, dio ánimos para atender a las primeras escenas del drama.

El cual merecía bien que se sufriese la asfixia y otros géneros de tortura, a trueque de verlo representar. Desde la exposición tuvo conmovidos y suspensos a los espectadores. No podía ser de más actualidad el argumento, basado en los sucesos políticos de Valencia de 1869. Actuaba en el enredo un espía, un vil espía, perseguidor y delator de una familia republicana a macha martillo. Perdonado este pícaro en el primer acto por los magnánimos conspiradores a quienes vendió, claro está que no había de enmendarse, y que en los actos siguientes volvería a hacer de las suyas; no lo creyeron así los protagonistas del drama, pero, en cambio, la concurrencia de la cazuela lo presintió, y en medio del calor sofocante se oían voces ahogadas de emoción, exclamando: «¡Ay! ¿Para qué perdonarán a ese tunante?...» «¡Ya verás cómo los ha de vender otra vez!...» «¡Como yo lo atrapase, no lo soltaba, no!» Verdad es que si el bellaco del espía era tan malo que no tenía el diablo por dónde cogerlo, en cambio, los personajes republicanos ofrecían modelos de lealtad y dechados de virtudes. Cuando, en el mismo acto primero, una esposa se abraza a su marido, que parte al combate, declarando con noble resolución que quiere seguirlo y compartir los riesgos de la lid, Amparo sintió como un nudo, como una bola que se le formaba en la garganta y haciendo un supremo esfuerzo, se agarró a la barandilla de la cazuela y gritó: «¡Bien..., muy bien!», dos o tres veces, luciendo su voz de contralto. Era aquel drama el mismo que ella había soñado en otro tiempo, cuando llegaron a Marineda los delegados de Cantabria, de cuyos riesgos y aventuras tanto deseó ser partícipe. La escena final del acto, donde todos los voluntarios republicanos, entre el fragor de la lid empeñada, doblan la rodilla al aparecer el Señor acompañado de las monjas de San Gregorio, aflojó suavemente los tirantes nervios de la concurrencia. Una especie de rocío refrigerante de honradez, dulzura y religiosidad se derramó sobre el público; las gentes experimentaban impulsos de abrazarse, de rezar y de charlar. ¡Después dirán que los oscurantistas se levantan por la religión! ¡Sí, sí! ¡Por cobrar las contribuciones y destruir *ferrocarriles!* ¡Que vengan a oír esto! ¿Quién duda que los mejores cristianos son los federales?

Pasóse el entreacto en vivos comentarios acerca del drama, que causaba favorabilísima impresión. Personas grandes se limpiaban los ojos con el dorso de la mano, haciendo tiernos momos de llanto. ¡Cuidado que se necesitaba talento y sabiduría para escribir piezas así!

Sólo era irritante lo de dejar al espía con vida, porque de fijo, en el acto próximo, iba a salir con alguna barrabasada gorda. De tal suerte imperaba el entusiasmo, que nadie se ocupaba en mirar a la gente de abajo, a pesar de hallarse de bote en bote el coliseo; y como tardase en subir el telón, hubo pateos y aplausos impacientes y furiosos. Al fin dio principio el ansiado acto segundo.

Graduaba el autor hábilmente los efectos dramáticos manejando con destreza los resortes del terror y la piedad. Ahora presentaba un mancebito que volvía de la lucha callejera a su casa herido mortalmente, y consternando a su familia del modo que cualquiera puede figurarse. La actriz encargada de este interesante papel se había puesto sobre su cabello natural una peluca de ricitos cortos que la hacía semejante a un perro de aguas; circundaban sus ojos románticas ojeras marcadas al esfumino; espesa capa de polvos de arroz imitaba la palidez de la agonía; llevaba americana muy floja para disimular la amplitud de las caderas, y entró tambaleándose y dando traspiés, con la mano apoyada en la región del pecho donde se suponía estar la herida. Por el paraíso circuló un rumor misterioso y profundo, el rugido opaco de la emoción que se comprime y refrena para mejor estallar después. Comenzó la escena de la despedida del moribundo y su familia. Cuando el padre, comandante de los voluntarios republicanos, dijo adiós al hijo confiándole la bandera, en unos versos que terminan así:

> Lleva la palma en la mano,
> mientras la patria en ofrenda
> te da este sudario en prenda...

y corriendo hacia la concha del apuntador y mudando la voz llorona en un vocejón estentóreo, gritó, cerrando los puños:

> ¡Viva el pueblo soberano!,

los llantos histéricos de las mujeres fueron cubiertos, devorados por el clamor que se alzó compacto y fortísimo, repitiendo frenéticamente el «¡viva!», a la vez que un huracán de palmadas asordó el coliseo. Contagiados, electrizados por la exaltación del público, los actores se esmeraban, bordaban su papel, y, fuera de sí, se abrazaban realmente, y se daban verdaderas puñadas en el tórax. Amparo, con medio cuerpo fuera de la barandilla, palmoteaba a más y mejor.

Durante el segundo entreacto, las gentes prensadas en la cazuela se encontraron unas miajas más anchas y cómodas, sea porque su volumen se había ido acomodando al espacio disponible, o porque algunas, indispuestas con tan alta temperatura, mal de su grado tuvieron que retirarse. Ana logró, pues, revolverse y escudriñar con sus perspicaces ojos de gato los ámbitos del teatro todo. Dio un expresivo codazo a *la Tribuna*, que miró hacia donde señalaba su amiga, y divisó a las de García en un palco platea.

Fijóse especialmente en Josefina, que estaba elegante y sencilla, con traje de alpaca blanca adornado de terciopelo negro. A toda su familia, desde la madre hasta Nisita, les rebosaba el contento visiblemente; pero Josefina, en particular, no parece sino que se había esponjado con las buenas nuevas del pleito. La proximidad de la fortuna animaba, como un reflejo dorado, su tez, y hacía saltar de sus ojos chispas áureas. Recostada en la silla, gozaba beatíficamente del triunfo, exponiendo a la admiración del público de las *lunetas* el cuerpecillo ajustado, púdico, la línea fugitiva que se elevaba desde la cintura al hombro, el gracioso manejo de abanico, el movimiento delicado con que subía los gemelos a la altura de las cejas. No acertaba Amparo a apartar los ojos de su vencedora rival, y a duras penas la distrajo de aquella contemplación acerba el principio del tercer acto.

Salía en éste un oficial del Ejército que, agradecido a la hospitalidad que le habían otorgado en la casa republicana, salvaba a su vez a los dueños de ella; patético rasgo, corona de todos los excelentes sentimientos que abundaban en el drama. Cuando más moqueaba la gente y se oían más hípidos y sollozos, Amparo sintió que su mirada, atraída por irresistible imán, se clavaba otra vez en el palco de García. Abrióse la puerta, y entró Baltasar, ceñido el fino talle por un uniforme intachable; y después de saludar cortésmente a la madre y a las niñas, se sentó al lado de la mayor arreglándose el pelo con la enguantada mano y estirando levemente con notable desembarazo la tirilla. Dirigió a Josefina en voz baja dos o tres palabras que, según el movimiento con que las acompañó, debían de ser: «¿Qué tal esto?» Y la de García alzó los hombros de un modo imperceptible, que claramente significaba: «Pchs... Un dramón muy populachero y muy cursi.» Definida así la función, Baltasar tomó familiarmente el abanico de la joven, y mientras lo cerraba y abría y lo daba vueltas como para informarse bien del paisaje, se entabló una de esas conversaciones íntimas, salpicadas de coqueterías, de reticencias, de miradas intensas y cortas, de ahogadas risas, diálogos en que reina dulce abandono, que no serían posible mano a mano y en la soledad, y nunca se desarrollan mejor que entre el tumulto de un sitio público, ante miles de testigos, en el desierto de las multitudes.

—Pero no ves, mujer..., ¡qué poca vergüenza! —exclamaba Ana, señalando al grupo, del cual no se apartaban las pupilas de Amparo. Después del..., del aviso, ¿no sabes? —añadió al oído.

La Tribuna no contestó. Ana ignoraba la destrucción del anónimo. Amparo, avergonzándose de su noble impulso, no quería confesarlo, temerosa de que *la Comadreja* la tratase de *babiona* y de *pápara*[78], y aun de que repitiese la carta por cuenta propia. Ahora..., ahora, clavando las uñas en la franela roja del barandal, sentía que el corazón se le inundaba de hiel y de veneno; nada, estaba visto que era tonta; ¿por qué no echó la carta en el correo? Pero no; esa miserable y artera venganza no la satisfacía; cara a cara, sin miedo ni engaño, con la misma generosidad de los personajes del drama, debía ella pedir cuenta de sus agravios. Y mientras se le hinchaba el pecho, hirviendo en colérica indignación, el grupo de abajo era cada vez más íntimo, y Baltasar y Josefina conversaban con mayor confianza, aprovechándose de que el público, impresionado por la muerte del espía infame, que, al fin, hallaba condigno castigo a sus fechorías, no curaba de lo que pudiese suceder por los palcos. De Josefina, que tenía la cabeza vuelta, sólo se alcanzaban a ver los bucles del artístico peinado, la

---

[78] Mujer rústica que se admira de todo.

mancha roja de una camelia prendida entre la oreja y el arranque del blanco cuello, y la bola de coral del pendiente, que oscilaba a cada movimiento de su dueña.

Bien quisiera *la Tribuna* salir, librarse de la sensación lancinante[79] que le producía tal vista; pero la gente que la rodeaba por todas partes, como las sardinas a las sardinas en la banasta, no la consentían moverse mientras el telón no se bajase. Un poco antes de terminarse el drama, vio a las de García que se levantaban, y a Baltasar que les ponía los abrigos a todas con suma deferencia, empezando por la madre; después se cerró la puerta del palco, y quedóse Amparo con las pupilas fijas maquinalmente en aquel espacio vacío. Aún tardó algunos minutos en comenzar el desagüe de la cazuela, y el estrepitoso descenso por las escaleras abajo. Cogiéronse Amparo y Ana de bracero, y empujadas por todos lados, arribaron al vestíbulo y de allí salieron a la calle, donde el frío cortante de la noche liquidó al punto el sudor en que estaban empapadas sus frentes. Sintió *la Comadreja* que el brazo de Amparo temblaba, y la miró, y le halló desencajada la faz.

—Tú no estás bien, chica..., ¿qué tienes? ¿Te da algo por la cabeza?

—Suéltame —contestó con voz opaca *la Tribuna*—. A donde voy no me hace falta compañía.

—¡María Santísima!, ¿adónde vas, mujer? ¿Qué es eso?

—¡Que adónde voy! Pues a apedrearles la casa, para que lo sepas.

Y recogió el mantón, como para quedarse con los brazos libres.

—Tú loqueas... Anda a dormir.

—O me dejas, o me tiro al mar —respondió con tal acento de desesperación la muchacha, que Ana la soltó y echó a andar a su lado, midiendo el paso por el de la terrible y colérica *Tribuna*.

—Te digo que se la apedreó, mujer; tan cierto como que ahora es de noche y nos ve Dios. ¡Repelo! ¡No hay sino hacer irrisión de las gentes..., de las infelices mujeres..., de los pobres! Pero ¿tú has visto qué descaro, qué descaro tan atroz? En mi cara..., en mi cara misma...,

---

[79] Dolor intenso, semejante al que produciría una lanza clavada.

¡Me valga San Dios, que esto no pasa entre los negros de allá de Guinea!

—Bueno... Y ahora, ¿qué se hace con perderse..., con ir a la cárcel mujer?

—Desahogarme, Ana..., porque me ahogo, que toda la noche pensé que con un cordel me estaban apretando la nuez... ¡Romperles los vidrios, repetelo! ¡Armar un belén, avergonzarlos, canario! ¡Y que no me piquen las manos y que duerma yo a gusto hoy! ¡Que tengo las asaduras aquí —señaló a la garganta— y el corazón apretao, apretao!

—Pero, mujer..., mira, considera...

—No considero, no miro nada...

Este diálogo duró mientras cruzaron las dos amigas el páramo de Solares en dirección al barrio de Arriba, por donde suponía Amparo que iba Baltasar acompañando a las de García hasta su casa. El aire frío y el silencio de las calles del barrio templaron, no obstante, la sangre enardecida de *la Tribuna*. Parecióle entrar en algún claustro donde todo fuese quietud y melancolía. No hollaba un transeúnte el pavimento, que resonaba con solemnidad; y cuando menos lo pensaban las dos expedicionarias, les cerró el paso una iglesia, la de Santa María Magadalena, alta, muda, con pórtico de ojiva, donde la luz de los faroles dibujaba los vagos contornos de dos santos de piedra que se miraban inmóviles. Involuntariamente, *la Tribuna* bajó la voz, y al cruzar por delante del pórtico se santiguó, sin darse cuenta de lo que hacía, y recortó y contuvo el paso. Ana iba a aprovechar la coyuntura para hacer a la determinada *Tribuna* mil reflexiones, a tiempo que un oficial que volvía de la plaza de la Fruta, cruzó casi rozándose con ellas y sin verlas, cantando entre dientes no sé qué polca o paso-doble. Conoció Amparo a Baltasar, y echó tras él como el lebrel tras la res que persigue. ¿Oyó Baltasar las pisadas de *la Tribuna* y pudo reconocerlas? Lo cierto es que se perdió de vista al revolver de la esquina, y por muy diligentes que anduvieron las que le seguían, no lograron darlo alcance.

—Voy a llamarlo a la puerta —exclamó Amparo.

—Mujer, ¿estás loca?... ¡Una casa de la calle Mayor! —murmuró Ana, con respetuoso miedo—. ¿Tú sabes la que se armaría?

En horas semejantes, la calle Mayor ofrecía imponente aspecto. Las altas casas, defendidas por la brillante coraza de sus galerías refulgentes, en cuyos vidrios centelleaba la luz de los faroles, estaban cerradas, silenciosas y serias. Algún lejano aldabonazo retumbaba allá..., en lo más remoto, y sobre las losas, el golpe del chuzo del sereno repercutía con majestad. Amparo se detuvo ante la casa de los Sobrados. Era ésta de tres pisos con dos galerías blancas muy encristaladas y puerta barnizada, en la cual se destacaba la mano de bronce del aldabón. Y entre el silencio y la calma nocturna se alzaba tan severa, tan penetrada de su importante papel comercial, tan cerrada a los extraños, tan protectora del sueño de sus respetables inquilinos, que *la Tribuna* sintió repentino hervor en la sangre, y tembló nuevamente de estéril rabia, viendo que por más que se deshiciese allí, al pie del impasible edificio, no sería escuchada ni atendida. Accesos de furor sacudieron un instante sus miembros al hallarse impotente contra los muros blancos, que parecían mirarla con apacible indiferencia; y de pronto, bajándose, recogió un ladrillo que la casualidad le mostró, a la luz de un farol, caído en el suelo, y con airada mano trazó una cruz roja sobre la oscura puerta reluciente de barniz, cruz roja que dio mucho que pensar los días siguientes a doña Dolores y al tío Isidoro que recelaban un saqueo a mano armada.

XXXVII

Lucina plebeya

Vestíase Amparo, antes de salir a la fábrica, reflexionando que diluviaba, que de noche se habían oído varios truenos, que se quedaría gustosa en casa, y aun entre cobertores, si no necesitase saber noticias, excitarse, oír voces anhelosas que decían: «Ahora sí que llegó la nuestra... Macarroni se va de esta vez..., hay un parte de Madrí, que viene la República... Mañana se proclama.»

Al salir de su fementido lecho, la transición del calor al frío la hizo sentir en las entrañas dolorcillos como si las royese poquito a poco un ratón. Púsose pálida, y le ocurrió la terrible idea de que llegaba la hora. Volvióse al lecho, creyendo que allí se calentaría; cerró los ojos, y no quiso pensar. Un deseo profundo de anonadamiento y de quietud se unía en ella a tal vergüenza y aflicción, que se tapó la cara con la sábana, prometiéndose no pedir socorro, no llamar a nadie. Mas comoquiera que el tiempo pasaba y los dolorcillos no volvían se resolvió a levantarse, y al atar la enagua, de nuevo la pareció que le mordían los intestinos agudos dientes. Vistióse no obstante, y se dio a pasear por la estancia, a tiempo que una mano llamó a la puerta del cuartuco, y antes que Amparo se resolviese a decir «adelante», Ana entró.

—¿Vienes?

—No puedo.

—¿Pasa algo, hay novedá?

—Creo... que sí.

—¿Qué sientes, mujer?

—Frío, mucho frío..., y sueño, un sueño que me dormiría en pie...; pero al mismo tiempo rabio por andar... ¡Qué rareza!

—¿Aviso a la señora Pepa?

—¡No!... ¡Qué vergüenza! Jesús, mi Dios... Ana querida, no la avises.

—¡Qué remedio, mujer! ¿Sigue eso?

—Sigue..., ¡infeliz de mí, que nunca yo naciese!

—Acuéstate sobre la cama.

Con su viveza ratonil, Ana arropó a la paciente, y ya se dirigía a la puerta, cuando una quebrantada voz la llamó:

—Llévale la cascarilla a mi madre..., dile que me duele la cabeza..., no le digas la verdá, por el alma de quien más quieras...

—Si que no se hará ella de cargo...

Amparo se quedó algo tranquila; sólo a veces, un dolor lento y sordo la obligaba a incorporarse apoyándose sobre el codo, exhalando reprimidos ayes. Ana corría, corría, sin cuidarse de la lluvia, hacia la ciudad. Cerca de dos horas tardó, a pesar de su ligereza, en volver acompañada de un bulto enorme, del cual sólo se veían desde lejos dos magnos chanclos que embarcaban el agua llovediza, y un paraguazo de algodón azul con cuento y varillas de latón dorado. Bufaba la insigne comadrona y resoplaba, ahogándose, a pesar del ningún calor y de la mucha y glacial humedad de la atmósfera; cuando penetró en la casucha, resolvióse en ella como un monstruo marino en la angosta tinaja en que lo enseñaba el domador. Fuese derecha a la cama de la paralítica, y le dijo dos o tres frases, entre lástima y chunga, que a ésta le supieron a acíbar; cabalmente estaba deshaciéndose de ver que ni podía ayudar a su hija en el trance, ni acompañarla siquiera; aquella habitación era tan próxima a la calle, que ni soñaba en traer allí a la paciente.

Consumíase la pobre mujer presa en su jergón, penetrada súbitamente de la ternura que sienten las madres por sus hijas mientras éstas sufren la terrible crisis que ellas ya atravesaron... Chinto se encontraba allí semejante a un palomino atontado... Entró la comadrona donde la llamaba su deber, y el mozo y la vieja se quedaron tabique por medio, ayudándose a sobrellevar la angustia de la tragedia que para ellos se representaba a telón corrido... La tullida maldecía de su hija, que en tal ocasión se había puesto, y al mismo tiempo lloriqueaba por no poder asistirla. Y a cada cinco minutos, la señora Pepa entraba en el cuartuco, llenándolo con su corpulencia descomunal, y ordenando militarmente a Chinto que corriese a desempeñar algún recado indispensable.

—Aceite, rapaz..., ¡un poco de aceite!

—¿Qué tal? —interrogaba la madre.

—Bien, mujer, bien... ¡Aceite, porreta!

Lo que no se encontraba en la casa Chinto salía a pedirlo fuera, prestado en la de un vecino, o fiado en las tiendas. Generalmente, al recoger una cosa, la comadrona exigía ya otra.

—Un gotito de anís...

—¿Anís? ¿Para qué? —preguntaba la tullida.

—Para mí, porreta, que soy de Dios y tengo cuerpo y también se me abre como si me lo cortasen con un cuchillo.

Y Chinto se echaba dócilmente a la calle en busca de anís.

Volvía a presentarse la terrible comadre, toda fatigosa y sofocada.

—Vino... ¿Hay vino?

—¿Para ti? —murmuraba, sin poder contenerse, la impedida.

—Para ti, para ti... ¡Para ella, demonche, que bien necesita ánimos la pobre! ...¿Piensas tú que yo le doy desas jaropías[80] de los médicos, desos calmantes y durmientes? ¡Calmantes! Fuersa, fuersa es lo que hace falta y vino, que alegre al hombre las pajarillas, ¡porreta!

Quince minutos después:

—Tres onsas de chocolate, del mejor... Y mira, de camino, a ver si encuentras una gallinita bien gorda, y le vas retorciendo el pescuezo... Pide también un cabito de cera..., las planchadoras que haya por aquí han de tener...

—¿De cera?

—De cera, ¡porreta! ¿Si sabré yo lo que me pido? Y pon agua a la lumbre.

Y Chinto entraba, salía dando zancadas a través del lodo, trayendo a la exigente facultativa cera, espliego, romero, vino blanco y tinto, anís, aceite, ruda, todas las drogas y comestibles que reclamaba... En los breves

---

[80] Jarabes, medicamentos de botica.

intervalos que tenía de descanso el solícito mozo, se sentaba en una silla baja, al lado del lecho de la tullida, quejándose de que le faltaban las piernas de algún tiempo acá, él mismo no sabía cómo, y parece que la respiración se le acababa enteramente; el médico le afirmaba que se le había metido polvillo de tabaco en los *broncos* y en los *pulmones*... Boh, boh..., ¿qué saben los médicos lo que no tiene dentro del cuerpo? Hablaba así en voz baja, para no dejar de prestar oídos a los lamentos de la paciente, que recorrían variada escala de tonos; primero habían sido gemidos sofocados; luego, quejidos hondos y rápidos, como los que arranca el reiterado golpe de un instrumento cortante; en pos vinieron ayes articulados, violentos, anhelosos, cual si la laringe quisiese beberse todo el aire del ambiente para enviarlo a las conturbadas entrañas; y transcurrido algún tiempo, la voz se alteró, se hizo ronca, oscura, como si naciese más abajo del pulmón, en las profundidades, en lo íntimo del organismo. A todo esto llovía, y la tarde de invierno caía prontamente, y el celaje gris ceniza parecía muy bajo, muy próximo a la tierra. Chinto encendió el candil de petróleo, y trajo caldo a la paralítica, y permaneció sentado, sin chistar, con las rodillas altas, los pies apoyados en el travesaño de la silla, la barba entre las palmas de las manos. Hacía un rato que el tabique no transmitía queja alguna. Dos o tres amigas de la fábrica, entre ellas *la Guardiana*, que ya no se quejaba de la paletilla, entraban un momento, se ofrecían, se retiraban con ademanes compasivos, con resignados movimientos de hombros, con reflexiones pesimistas acerca de la fatalidad y de la ingratitud de los hombres. De improviso se renovaron los gritos, que en el nocturno abandono parecían más lúgubres; durante aquella hora de angustia suprema, la mujer moribunda retrocedía al lenguaje inarticulado de la infancia, a la emisión prolongada, plañidera, terrible, de una sola vocal. Y cada vez era más frecuente, más desesperada la queja.

Serían las once cuando la señora Pepa se presentó en el cuarto de la tullida, enjugándose el rostro con el reverso de la mano. Sobre su frente baja y achatada y en su grosera faz de Cibeles de granito se advertía una preocupación, una sombra.

—¿Cómo va?

—Tarda, ¡porreta! Estas primerizas, como no saben bien el camino... —y la comadre, hizo que se reía para manifestar tranquilidad; pero un segundo después, añadió—: Puede ser que... porque uno no quiere embrollos ni dolores de cabeza, ¿oyes? Yo soy clara como el agua, vamos..., y no se me murieron en las manos, ¡porreta!, sino dos, en la edá que tengo... Despues, los médicos hablan... Y yo cuanto puedo hago y unturas y friegas de Dios llevo dadas en ella...

Al afirmar esto, la comadre se limpiaba en las caderas sus gigantescas manos pringosas.

—¿Habrá que avisar al médico? —gimoteó la tullida.

—¡Porreta!, a mi edá no gusta verse envuelta en cuentos... Luego, después, que si hiso así, que si pudo haser asá..., que si la señora Pepa sabe o no sabe el oficio... Menéate ya, dormilón —añadió despóticamente, volviéndose a Chinto—. Ya estás corriendo por el médico, ¡ganso!

Chinto salió sin cuidarse del agua que continuaba cayendo tercamente del negro cielo, y corrió, perseguido por aquella voz cada vez más dolorida, más agonizante, que atravesaba el tabique, mientras la impedida se lamentaba de que, además de morírsele la hija, iba a tener que abonar —¿y con qué, Jesús del alma?— los honorarios de un facultativo. El silencio era tétrico, el tiempo pasaba con lentitud, medido por el chisporroteo del candil y por un clamor ya exhausto, que más se parecía al aullido del animal expirante que a la queja humana. Medianoche era por filo cuando Chinto entró acompañado del médico. Acostumbrado debía de estar éste a tan críticas situaciones, porque lo primero que hizo fue dejar el impermeable chorreando en una silla, arremangarse tranquilamente las mangas del gabán y los puños de la camisa, y tomar de manos de Chinto una caja cuadrilonga que arrimó a un rincón. Después entró en el cuarto de la paciente, y se oyó la voz gruñosa de la comadre, empeñada en darle explicaciones...

A eso de un cuarto de hora más tarde volvió el soldado de la ciencia a presentarse y pidió agua para lavarse las manos... Mientras Chinto buscaba torpemente una jofaina, la madre, llorosa, temblando, preguntaba nuevas.

—¡Bah!..., no tenga usted cuidado... Ese chico me dijo que se trataba de un lance muy peligroso, y me traje los chismes…, no sé para qué: una muchacha como un castillo. conformación admirable, una versión que se hizo en un decir Jesús… Estamos concluyendo. Ahora, la comadre basta, pero yo seré testigo.

Lavóse las manos mientras esto decía, y tornó a su puesto. La mecha de petróleo, consumida, carbonizada, atufaba la habitación, dejándola casi en tinieblas, cuando dos o tres gritos, no ya desfallecidos, sino, al contrario, grandes, potentes, victoriosos, conmovieron la habitación, y tras de ellos se oyó, perceptible y claro, un vagido.

XXXVIII

¡Por fin llegó!

Amparo descansa abismada en el reposo inefable de las primeras horas. Sin embargo, a medida que la luz de la pálida mañana entra por el ventanillo, vuelve la memoria y la conciencia de sí misma. Llama a Chinto ceceándolo.

—¿Qué quieres, mujer?

—Vas a ir corriendo al cuartel de Infantería... Parece que ahora no sale la tropa de los cuarteles.

—Bueno.

—Si no está allí don Baltasar, a su casa... ¿La sabes?

—Lo sé. ¿Qué le digo?

—Le dirás... ¡Veremos cómo sabes dar el recado! Le dirás que tengo un niño..., ¿oyes? No vayas a equivocarte...

—Bueno, un niño.

—Un niño..., no sea que digas una niña, tonto; un niño, un niño.

—¿No le digo más?

—Y que ya sabe lo que me ofreció..., y que si quiere ponerse por padre de la criatura... y que mañana se bautiza.

—¿Nada más?

—Nada más... Esto..., bien clarito.

Chinto salía cuando entraba Ana, que se había ido a su casa a dormir. Venía muy misteriosa, como el que trae nuevas estupendas.

—¿Y ese valor, y el pequeño? —preguntó, alzando la sábana y la manta y sacando del tibio rincón donde yacía un bulto, un paquete, un pañuelo de lana, entre cuyos dobletes se columbraba una carita microscópica, amoratada; unos ojuelos cerrados. unas faccioncillas peregrinamente serias, con seriedad cómica de los recién nacidos. Ana empezó a hablarle, a decirle mil zalamerías a aquel bollo que del mundo exterior sólo conocía las sensaciones de calor y frío; buscó una cucharilla y le paladeó con agua azucarada; arregló la gorra protectora del cráneo, blando y colorado como una berenjena, y después se sentó a la cabecera del lecho, depositando en el regazo al fajado muñeco.

—¿No sabes? —exclamó, abriendo por fin la esclusa de sus noticias—. Encontré a la que les cose a las de García... No te alteres, mujer, alégrate; se largan esta tarde para Madrí, porque tuvieron parte de que ganaron el pleito, y van a arreglarlo allá todo.

Volvió Amparo el rostro con lánguido movimiento, murmurando:

—Dios vaya con ellas.

—No sé que no les pase algo en el camino, porque anda todo revuelto... Me dijo esa misma chica que hoy, sin falta, venía la República...

—Hace... ocho días que la están anunciando...

—Calla, no hables, que te puede venir el delirio...

Y *la Comadreja* se dedicó a arrullar al infante, mientras Amparo se sepultaba otra vez en un sopor que le dejaba el cerebro hueco, la cabeza vacía, anonadando su pensamiento y haciéndola insensible a lo que pasaba en torno suyo. Los pasos de Chinto la llamaron a la vida otra vez. Abrió los ojos, que, en la palidez amarillosa de su morena cara, parecían mayores y azulados. Chinto se acercó andando de puntillas, torpón y zambo como siempre. Además, parecía hallarse muy turbado.

—Caro me costó que me dejasen pasar al cuartel —murmuró con su estropajosa habla de paisano, que salía a relucir de nuevo en los lances difíciles—. No se puede andar... Todo está revuelto... La gente corre como loca por las calles... Allí... dice que se marchó el rey... Que en Madrí hay República[81].

Medio se incorporó Amparo, apartando de la frente los negros cabellos, lacios con el sudor que los empapaba...

—¿Qué me dices? —balbució.

—Lo que te digo, mujer... El alcalde y el gobernador

---

[81] La primera república fue proclamada el 11 de febrero de 1873.

ya echaron muchos bandos, que los vi en las esquinas...
Y están poniendo trapos de color en los balcones.

—¿Será la cierta? —clamó, alzando las manos—. Sigue, sigue.

—Pues fui al cuartel..., y allí no estaba...

—¿Irías a su casa volando? —interrogó Amparo, temblona.

—Fui... y dice que...

—Acaba, maldito.

—Y dice que... —Chinto se devanó los sesos buscando una fórmula diplomática—. Dice que no está en el pueblo, porque..., porque ayer se marchó a Madrí.

Quiso abrir la boca Amparo y articular algo, pero su dolorida laringe no alcanzó a emitir un sonido. Echóse ambos puños a los cabellos y se los mesó con tan repentina furia, que algunos, arrancados, cayeron retorciéndose como negros viboreznos sobre el embozo de la cama... Las uñas, desatentadas, recorrieron el contraído semblante y lo arañaron y ofendieron...

—Lárgate, que me voy a levantar —dijo por fin a Chinto—, a ver si reúno gente y quemo aquella maldita madriguera de los de Sobrado.

—Sí, lárgate —añadió Ana—. ¡Para las buenas noticias que traes!

En vez de obedecer, acercóse Chinto a la cama, donde jadeaba Amparo, partida, hecha pedazos, por el horrible esfuerzo de su cólera.

—Mujer, oye, mujer... —pronunció con voz que quería suavizar y que sólo lograba ensordecer—, no te aflijas, no te mates... Allí..., yo..., yo me pondré por padre, y nos casaremos, si quieres..., y si no, no..., lo que digas...

Como generosa yegua de pura sangre a la cual pretendiesen enganchar haciendo tronco con un individuo de la raza asnina, *la Tribuna* se irguió, y saltándosele los ojos de las órbitas, los carrillos inflamados por la fiebre, gritó:

—Sal, sal de ahí, bruto... ¡Quieres condenarme!

Fuese el emisario de malas nuevas con la música a otra parte, cabizbajo, convencido de que era un criminal, y la oradora permaneció sentada en la cama, arrugando las ropas en la contorsión desesperada de sus miembros y cuerpo.

—¡Justicia! —clamaba—. ¡Justicia! ¡Justicia al pueblo!... ¡Favor, Madre mía del Amparo! ¡Virgen de La Guardia! Pero ¿cómo consientes esto? ¡La palabra, la palabra, la palaabraaa...; los derechos que... matar a los oficiales, a los oficia...!

Un principio de fiebre y delirio se traslucía en la incoherencia de sus palabras. Su cabeza se trastornaba y aguda jaqueca le atarazaba las sienes. Dejóse caer aletargada sobre las fundas, respirando trabajosamente, casi convulsa. Ana se sintió iluminada por una idea feliz. Tomó el muñeco vivo, sin decir una palabra, lo acostó con su madre, arrimándolo al seno, que el angelito buscó a tientas, a hocicadas, con su boca de seda, desdentada, húmeda y suave. Dos lágrimas refrigerantes asomaron a los párpados de *la Tribuna*, rezumaron al través de las pestañas espesas, humedecieron la escaldada mejilla, y en pos vinieron otras, que se apresuraban, desahogando el corazón y aliviando la calentura que empezaba...

Al exterior, las ráfagas de la triste brisa de febrero silbaban en los deshojados árboles del camino y se estrellaban en las paredes de la casita. Oíase el paso de las cigarreras que regresaban de la fábrica; no pisadas iguales, elásticas y cadenciosas como las que solían dar al retirarse a sus hogares diariamente, sino un andar caprichoso, apresurado, turbulento. Del grupo más compacto, del pelotón más resuelto y numeroso, que tal vez se componía de veinte o treinta mujeres juntas, salieron algunas voces gritando:

—¡Viva la República federal!